民法 II ── 物 権
〔第5版〕

淡路剛久・鎌田 薫・原田純孝・生熊長幸 著

有斐閣Sシリーズ

Yuhikaku

第5版 はしがき

　本書第4版補訂の刊行から約2年半が経過したが，この間，「所有者不明・所在不明」の土地問題（「所有者不明土地問題」）が社会問題化し，これに対処することが重要な法的課題となった。また，不動産所有権の利用・管理等の民法上の規律を現代社会のニーズにあわせることも必要とされた。そこで制定されたのが，「民法等の一部を改正する法律」（令和3法24）であり，民法および関係諸法が改正ないし立法された。

　令和3年法の法改正のポイントは3つあり，本書のそれぞれの箇所で叙述対応している。改正のポイントの第1は，「所有者不明土地問題」発生の抑止に関わるものであり，不動産登記法の改正による相続不動産登記の義務化がそれである（2024〔令和6〕年4月1日施行）。また，相続人にとって相続土地所有権が不要な場合があろう。令和3年の改正は，そのような場合の法的手段として国庫への帰属を可能とする立法措置を講じ，「相続等により取得した土地所有権の国庫への帰属に関する法律」があわせて制定された（令和3法25。2023〔令和5〕年4月27日施行）。第2は，相隣関係に関する民法の規定の改正である。隣接する土地所有権相互の利用を調節するための民法の相隣関係の規定は，都市化の進展など今日の社会実態の変化に必ずしも適合的に対処できていないものが少なくなく，改正が施された。第3は，共有に関する民法の規定の改正であり，共有物の利用・管理・処分等を現代社会

のニーズにあわせ，円滑ならしめるために大幅な改正が加えられている。また，「所有者不明土地問題」とも関連して，所有者不明・不在により管理不全となっている土地・家屋の管理命令の制度が民法に定められた（第2，第3は2023〔令和5〕年4月1日施行）。

　本書第5版は，このような物権法に関わる重要な改正法が制定されたことを踏まえ，かなり大幅に改訂されたものである。本書が民法学習者のニーズに応え，広く利用されることを期待したい。

　最後になったが，本書第5版の改訂にあたっては，有斐閣書籍編集部の藤本依子氏に大変お世話になった。記して感謝申し上げたい。

　　2022年2月2日

執筆者一同

初版 はしがき

Sシリーズ『民法Ⅰ～Ⅴ』は,民法を総則,物権,債権総論,債権各論,親族・相続に分け,各々に一巻をあて,各巻を4人(Ⅴのみは3人)で分担執筆したものである。

このシリーズの特色は,次の三点である。

第一は,コンパクトな体裁で民法をひととおり学ぶことができるようなテキストを提供する。コンパクトといっても,単に簡単というだけでなく,わかりやすいかたちで必要な事項をほぼ網羅的にカバーすることに努めた。簡単でしかもわかりやすくというのは,矛盾するともいえるが,共著者間で,原稿の段階,校正刷の段階での読合わせを重ねて,表現や説明方法に工夫を加えた。

第二に,全体を平板に説明することを避けて叙述に濃淡をつけ,表を活用するとともに,★を付して叙述の重要度を示すことにした。星印一個★には二つの場合があり,一つは制度の基本となる事項,もう一つは論点としての重要度第一段階である。星印二個★★は論点としての重要度第二段階であり,三個★★★は最重要であることを示している。しかし,何が重要かは,人によっても,時によっても変わるから,あくまで参考にしかすぎない。

第三に,表のほか,理解を助けるために図を入れて,本文の解説をわかりやすくする工夫をした。本来は読者自ら図をえがいて考えるのが望ましいのであろうが,図の助けを借りることにより,少しでも理解を進めようとするものである。これ以外にも,各自が具体例ごとに図によって立体的な理解をはかるように望みたい。

なお,判例については,民法の仕組を説明したあと,関連のある判例に必要な限りふれた。現在では,判例なしに民法を理解することは不可能といってもよいからである。もっとも,判例は最高裁判決に限っても多数にのぼるので,基本的なものに限定している。

学説については,判例を前提として展開されているものを中心にして,とくに対立のある問題について,対立点や結果の差異などに

留意しつつふれている。

　本書は，主として初学者を読者として想定している。したがって，これだけで民法のすべてがわかるわけではない。むしろ，民法を学ぶにあたってはどうしても理解しておかなければならない事項を精選して丁寧に解説している。民法の学習をより深めるためには，巻末に掲げた詳細な体系書や注釈書によって，学び進んでいってほしい。

　このほか，先にもふれたが，民法の理解を深めるためには，民法が実際に適用された裁判（判例）を読むことが必要とされる。この本に引用されている判例は，いずれもエッセンスの引用にとどまるので，ぜひとも判例集にあたって読んでほしい。判例を読むことは必ずしも容易ではないが，巻末にあげたように，基本的判例が学習研究用に編集された本がいくつか出版されているので，それによるのが近道かもしれない。

　最後に，企画段階から種々の協力を惜します，執筆上のお世話をいただいた有斐閣書籍編集部の前橋康雄，奥村邦男，大井文夫の各氏にお礼を申し上げたい。

　　1987年10月5日

　　　　　　　　　　　　　　　　　　　　　　　執筆者一同

■ **執筆者紹介** ■ （〈 〉内は執筆分担）

淡路剛久（あわじ　たけひさ）〈物権法編第3章〉

　　1964年　東京大学法学部卒業
　　現　在　立教大学名誉教授
　　〔主要著書〕
　　連帯債務の研究（1975年，弘文堂），公害賠償の理論〔増補版〕（1978年，有斐閣），環境権の法理と裁判（1980年，有斐閣），スモン事件と法（1981年，有斐閣），企業の損害賠償と法律（1983年，日本経済新聞社），不法行為における権利保障と損害の評価（1984年，有斐閣），債権総論（2002年，有斐閣），入門からの民法——財産法（2011年，有斐閣）

鎌田　　薫（かまた　かおる）〈物権法編第1章・第2章，担保物権法編第3章〉

　　1970年　早稲田大学法学部卒業
　　現　在　早稲田大学名誉教授
　　〔主要著書〕
　　民法トライアル教室（1999年，有斐閣，共著），新不動産登記講座（全7巻）（1998～2000年，日本評論社，共編著），民法ノート物権法①〔第3版〕（2007年，日本評論社），民事法Ⅰ～Ⅲ〔第2版〕（2010年，日本評論社，共編著），立法学講義（補遺）（2011年，商事法務，共編）

原田純孝（はらだ　すみたか）〈物権法編第4章〉

　　1968年　東京大学法学部卒業
　　現　在　東京大学名誉教授
　　〔主要著書・論文〕
　　近代土地賃貸借法の研究（1980年，東京大学出版会），「賃借権の譲渡・転貸」（1985年，民法講座5〔有斐閣〕所収），土地基本法を読む（1990年，日本経済評論社，共編著），現代の都市法（1993年，東京大学出版会，共編著），日本の都市法Ⅰ，Ⅱ（2001年，東京大学出版会，編著），現代都市法の新展開（2004年，東京大学社会科学研究所，共編著），地域農業の再生と農地制度（2011年，農山漁村文化協会，編著）

生熊長幸（いくま　ながゆき）〈担保物権法編第1章・第2章〉

　　1968年　東北大学法学部卒業
　　現　在　大阪市立大学・岡山大学名誉教授
　　〔主要著書・論文〕
　　執行妨害と短期賃貸借（2000年，有斐閣），物上代位と収益管理（2003年，有斐閣），即時取得の判例総合解説（2003年，信山社），わかりやすい民事執行法・民事保全法〔第2版〕（2012年，成文堂），物権法〔第2版〕（2021年，三省堂），担保物権法〔第2版〕（2018年，三省堂）

v

目　次

★は重要ポイントを示す。

■ 物権法編
第1章　序　論 —————————————— 1
1　物権の意義と性質 ………………………… 1
(1)　物権法の役割 (1)　(2)　物権の意義 (1)　★(3)　物権と債権はどこが違うか (2)

2　物権の種類 ……………………………… 4
(1)　物権法定主義 (4)　★(2)　慣習法上の物権を認めることができるか (5)　(3)　民法上の物権の種類 (6)　(4)　特別法上の物権 (7)

3　物権の客体 ……………………………… 7
(1)　特定・独立・現存の有体物 (7)　(2)　一物一権主義 (8)

第2章　物権の効力 —————————————— 11
Ⅰ　序　説 ………………………………… 11
Ⅱ　優先的効力 …………………………… 11
1　物権相互間の優先的効力 ……………… 11
(1)　意義 (11)　(2)　例外 (12)
2　債権に対する優先的効力 ……………… 13
(1)　意義 (13)　(2)　例外 (13)

目　次

Ⅲ　物権的請求権 …………………………………………… 13
1　序　論 …………………………………………………… 13
(1)　意義（13）　(2)　条文上の根拠（14）　(3)　理論的根拠（14）
2　法的性質 ………………………………………………… 15
(1)　独立の請求権か（15）　★★★(2)　物権的請求権は行為請求権か，忍容請求権か（16）
3　種　類 …………………………………………………… 18
(1)　物権的返還請求権（18）　★無権原で建てられた建物の実際の所有者と登記名義人が異なる場合（19）　(2)　物権的妨害排除請求権（19）　(3)　物権的妨害予防請求権（20）

第3章　物権の変動 ──────────────────── 21

Ⅰ　序　説 …………………………………………………… 21
1　物権変動の意義 ………………………………………… 21
(1)　物権変動とは（21）　(2)　物権変動の原因（21）
2　物権取引の安全と公示の必要 ………………………… 22
(1)　公示の必要（22）　(2)　公示方法の種類（22）
3　公示の原則と公信の原則 ……………………………… 22
(1)　公示の原則（22）　(2)　公信の原則（24）
4　本章の課題と叙述の順序 ……………………………… 25

Ⅱ　物権変動を生ずる法律行為 …………………………… 25
1　物権行為と債権行為 …………………………………… 25
(1)　物権変動を生ずる2種類の法律行為（25）　(2)　問題の所在（26）
2　意思主義か形式主義か ………………………………… 26
★(1)　物権変動を生ずる法律行為を成立させるためには，意思表示だけで足りるか（26）　(2)　わが国の民法の場合（27）

3 物権行為の独自性，無因性の問題……………………… 27
★★(1) 物権変動を生ずるためには，債権行為とは別に物権変動だけを目的とする行為（物権行為）が必要か (27)　(2) 二つの立法主義 (29)　(3) わが国の民法の解釈 (29)　★(4) 物権変動の原因となる債権契約（債権行為）が無効・取消しにより効力を失った場合に，物権変動の効力はどうなるか (32)

4 物権変動の時期の問題……………………………………… 34
★★(1) 売買や贈与など物権変動を目指す債権契約が結ばれた場合に，物権変動はいつ生じるか——所有権移転の時期の問題 (34)　(2) 物権行為の独自性の問題と結びつける立場 (34)　(3) 物権行為の独自性の問題と切り離して考える最近の学説 (34)　(4) 所有権の移転時期を一点に画することはできない，とする学説（なし崩し的移転説）(35)

Ⅲ 不動産物権変動における公示 …………………………… 36

1 序 説 ………………………………………………………… 36
(1) 不動産物権変動と民法 177 条 (36)　(2) 課題と叙述の順序 (37)

2 公示方法としての登記 ……………………………………… 38
(1) 登記の意義 (38)　(2) 登記簿 (38)　(3) 登記事項 (39)　(4) 登記の種類 (41)　(5) 登記手続 (42)

3 不動産物権変動と対抗 ……………………………………… 44
★★(1) 「対抗」とは何か——所有権を二重に譲渡することは不可能ではないか (44)　(2) 登記を必要とする物権変動 (47)
　★★★法律行為が取り消された場合に，取り消した者が自己の権利を第三者に主張するために登記を必要とするか (48)
　★★★解除の場合 (51)　★★★共同相続人の 1 人が単独相続の登記をしてこれを第三者に譲渡した場合 (54)　★★共同相続人の 1 人が持分権を第三者に譲渡し，その後，遺産分割が行われて，他の相続人がこれを単独で相続した場合 (56)　★★★共同相続人の 1 人が遺産分割により単独で（あるいは持分を超えて）承継

し，その後，他の相続人が持分権を第三者に譲渡した場合 (57)
　　★★★共同相続人の1人が相続を放棄した場合 (58)　★★時効取得者が自己の権利取得を真正所有者に主張するために登記を必要とするか (58)　★★★原所有者が不動産を時効取得者の取得時効完成前に譲受人に譲渡し，その後に取得時効が完成した場合 (59)　(3) 第三者の範囲 (63)　★★★賃料を請求したり，解約の申入れや解除をする場合にも，登記が必要か (65)
　　★★★第三者が悪意者あるいは背信的悪意者であっても，登記がないと，この者に対抗できないか (67)　★★★背信的悪意者からの転得者についてはどうか (71)　★★背信的悪意者にあたらない者からの転得者が背信的悪意者であった場合にはどうか (71)
　4　登記の推定力と公信力 ………………………………… 73
　　(1) 登記の推定力 (73)　(2) 登記の公信力 (73)
　5　仮登記の効力 …………………………………………… 74
　　(1) 仮登記がなされる場合 (74)　(2) 仮登記の効力 (74)
　6　登記の手続 ……………………………………………… 75
　　(1) 登記請求権 (75)　★★登記請求権の根拠 (76)　(2) 登記の有効要件 (77)

Ⅳ　動産物権変動における公示 …………………………… 81
　1　序　説 …………………………………………………… 81
　　(1) 動産の物権変動と対抗要件 (81)　(2) 動産の物権変動と善意(即時)取得 (82)　(3) 叙述の順序 (83)
　2　動産物権変動の対抗要件(1)――「引渡し」 ………… 83
　　(1) 178条が適用される動産の範囲 (83)　(2) 物権の譲渡 (84)　(3) 引渡し (84)　★(4) 第三者の範囲――直接占有者もまた第三者に含まれるか (86)
　3　動産物権変動の対抗要件(2)――「登記」 …………… 87
　　(1) 動産譲渡登記制度の立法理由 (87)　(2) 動産譲渡登記制度が適用される範囲と特定 (88)　(3) 登記による対抗と登記の存続期間 (89)　(4) 登記所・登記事項証明書・登

記事項概要証明書・概要記録事項証明書 (89)

 4 動産の即時取得（善意取得） ………………………………… 90
  (1) 即時取得制度の意義 (90) (2) 動産 (90) (3) 承継取得——「取引行為によって」(91) (4) 前主の無権利ないし無権限 (92) (5) 平穏・公然，善意・無過失 (92) (6) 占有の取得 (93) ★★★動産物権を譲り受けた者が，占有改定によって占有を取得した場合，このような占有改定は192条の占有の取得にあたるか (93) ★★指図による占有移転はどうか (95) (7) 即時取得の効果 (97) (8) 盗品・遺失物の特則 (98)

V 立木等の物権変動と明認方法 …………………………………… 99
 1 序 説 ……………………………………………………………… 99
  (1) 立木等の取引 (99) (2) 明認方法 (99) (3) 課題と叙述の順序 (99)
 2 立 木 ……………………………………………………………… 99
  (1) 独立の取引性 (99) ★(2) どのような措置が明認方法として認められるか (100) ★(3) 明認方法による物権変動の種類と対抗——明認方法によって公示される物権変動の種類は何か (100) (4) 伐木 (101)
 3 未分離の果実・稲立毛・桑葉 ………………………………… 101
  (1) 独立の取引性 (101) (2) 明認方法 (102) (3) 物権変動 (102)
 4 温 泉 ……………………………………………………………… 102
  (1) 独立の取引性 (102) (2) 明認方法 (102)

VI 物権の消滅 ……………………………………………………………… 103
 1 物権の消滅原因 ………………………………………………… 103
  (1) 序 (103) (2) 物権に共通の消滅原因 (103)
 2 混 同 ……………………………………………………………… 104
  (1) 序 (104) (2) 混同による消滅 (104) (3) 混同によって消滅しない場合 (104)

目 次

第4章 各種の物権 ——————————— 106

I 序 説 …………………………………………… 106
(1) 所有権とその他の物権 (106)　★(2) 用益物権と土地賃借権の「物権化」(107)　(3) 入会権と慣習法上の物権 (109)

II 占有権 …………………………………………… 109

1 占有制度の意義と根拠 ………………………… 109
(1) 序 (109)　(2) 占有を要件とする法律効果とその沿革 (110)　(3) 占有制度の社会的機能 (111)　(4) 占有および占有権と本権の関係 (112)

2 占有の成立と態様 ……………………………… 113
(1) 占有の意義と成立要件 (113)　(2) 代理占有と自己占有 (115)　★占有補助者・占有機関との区別 (117)　(3) 占有の態様 (118)

3 占有権の取得 …………………………………… 120
(1) 原始取得と承継取得 (120)　(2) 承継取得の方式 (120)　(3) 占有承継の効果 (120)　★★★(4) 相続による占有取得とその効果 (121)

4 占有の効果 ……………………………………… 123
(1) 占有訴権 (123)　★★交互侵奪と自力救済 (125)　★★本権の訴えとの関係 (126)　(2) 権利の推定 (127)　(3) 善意占有者の果実取得権 (128)　★不当利得との関係 (129)　(4) 占有者と回復者とのその他の関係 (129)　(5) 家畜外動物の取得 (130)

5 占有権の消滅 …………………………………… 130
(1) 自己占有の消滅事由 (130)　(2) 代理占有の消滅事由 (131)

6 準占有 …………………………………………… 131
(1) 意義 (131)　(2) 効果 (132)

Ⅲ 所有権 ………………………………………………………… 132

1 序　説 ………………………………………………………… 132
(1) 所有権の意義と性質（132）　(2) 近代的所有権とその歴史的性質（133）　(3) 現代社会における所有権（134）

2 所有権の内容 ………………………………………………… 135
(1) 所有権の保障とその制限（135）　(2) 所有権制限の目的と態様（136）　(3) 土地所有権の内容と特殊性（137）

3 相隣関係 ……………………………………………………… 139
(1) 序（139）　(2) 隣地使用に関するもの（141）　(3) 水流に関するもの（145）　(4) 境界に関するもの（146）　(5) 竹木の切除等に関するもの（147）　(6) 境界付近の工作物に関するもの（147）

4 所有権の取得 ………………………………………………… 148
(1) 所有権の取得原因（148）　(2) 先占・拾得・発見（149）　(3) 添付——総説（150）　(4) 不動産の付合（151）　★★規定の趣旨と問題点（152）　★★★賃借人等による建物の増改築と付合（153）　★樹木・農作物の付合（156）　(5) 動産の付合・混和・加工（158）

5 共　有 ………………………………………………………… 159
(1) 序——共同所有の諸形態（159）　★共有・合有・総有（159）　(2) 共有の法律的性質と持分権（161）　(3) 共有者相互間の関係（163）　(4) 共有者と第三者との関係（176）　(5) 共有物の分割（177）　★持分上の担保物権の帰趨（181）　(6) 所在等不明共有者の持分の取得および譲渡の裁判（182）　(7) 準共有（184）

6 建物の区分所有 ……………………………………………… 184
(1) 序（184）　(2) 区分所有建物の所有関係（185）　(3) 区分所有建物の管理関係（187）　(4) 復旧および建替え（189）　(5) 団地（191）

**7　所有者不明土地・建物管理命令および管理不全土地・建物
管理命令** ……………………………………………………………… 193
　　　(1)　概要と制度の位置づけ (193)　　(2)　所有者不明土地管
　　理命令 (194)　　(3)　管理不全土地管理命令 (196)

Ⅳ　地上権 …………………………………………………………… 198

　1　序　説 ……………………………………………………………… 198
　　　(1)　地上権の意義と性質 (198)　　★**性質** (199)　　(2)　地上
　　権と借地権 (201)

　2　地上権の取得・存続期間・消滅原因 ……………………… 201
　　　(1)　取得原因 (201)　　(2)　存続期間 (202)　　(3)　消滅原
　　因 (203)

　3　地上権の効力 ……………………………………………………… 204
　　　(1)　土地使用権 (204)　　(2)　対抗力 (205)　　(3)　地代支
　　払義務 (205)　　(4)　地上権の譲渡・賃貸と担保権設定 (206)
　　　★**(5)　地上物の収去と買取り** (206)

　4　区分地上権 ………………………………………………………… 207
　　　(1)　意義 (207)　　(2)　区分地上権の性質と内容 (208)

Ⅴ　永小作権 ………………………………………………………… 209

　1　序　説 ……………………………………………………………… 209
　　　(1)　意義と性質 (209)　　(2)　若干の沿革 (209)

　2　永小作権の取得・存続期間・消滅原因 …………………… 210
　　　(1)　永小作権の取得 (210)　　(2)　存続期間 (210)　　(3)　消
　　滅原因 (210)

　3　永小作権の効力 …………………………………………………… 211
　　　(1)　土地使用権 (211)　　(2)　対抗力 (211)　　(3)　小作料支
　　払義務 (211)　　(4)　譲渡・賃貸と担保権設定 (212)　　(5)
　　地上物の収去と買取り (212)

Ⅵ　地役権 …………………………………………………………… 212

　1　序　説 ……………………………………………………………… 212
　　　(1)　地役権の意義と機能 (212)　　(2)　地役権の特質 (213)

(3) 地役権の種類・内容と態様 (215)

　2　地役権の取得・存続期間・消滅原因 ………………… 216
　　★(1) **地役権の取得** (216)　(2) 存続期間 (217)　(3) 消滅原因 (217)

　3　地役権の効力 …………………………………………… 218
　　(1) 承役地利用権 (218)　(2) 対抗力 (218)　(3) 地役権の対価 (219)　(4) 承役地所有者の義務 (219)

Ⅶ　入会権 ……………………………………………………… 219
　1　序説——入会権の意義と沿革 ………………………… 219
　　(1) 入会権の古典的形態 (219)　(2) 民法の規定 (220)
　　★(3) **入会権の法律的性質** (221)

　2　入会権の主体と入会権者 ……………………………… 222
　　(1) 入会集団 (222)　★**入会集団と管理処分権** (222)　(2) 入会権者 (223)

　3　入会権の効力 …………………………………………… 225
　　(1) 入会地の利用 (225)　★**入会権の解体との関係** (225)
　　(2) 入会権の対外的効力 (226)　★**入会権の対外的主張** (226)

　4　地盤所有権との関係 …………………………………… 228
　　(1) 序 (228)　(2) 私有地 (229)　(3) 公有地 (230)
　　(4) 国有地 (230)

　5　入会権の得喪 …………………………………………… 230
　　(1) 入会権の取得 (230)　(2) 入会権の変更・消滅 (231)

■担保物権法編

第1章　序　論　―――――――――――――――――― 233

　1　担保物権の意義 ………………………………………… 233
　　(1) 債権者平等の原則と物的担保・担保物権 (233)　(2) 人的担保 (234)

2　担保物権の種類 ……………………………………………… 235
　　(1)　典型担保と非典型担保 (235)　(2)　約定担保物権と法定担保物権 (236)　(3)　特別法上の担保物権 (236)
　3　担保物権の効力 ……………………………………………… 237
　　(1)　優先弁済的効力 (237)　(2)　留置的効力 (237)　(3)　収益的効力 (237)
　4　担保物権の性質 ……………………………………………… 237
　　(1)　付従性 (237)　(2)　随伴性 (238)　(3)　不可分性 (238)　(4)　物上代位性 (238)

第2章　民法典上の担保物権（典型担保） ─── 239

I　留置権 ……………………………………………………………… 239

　1　序　説 ………………………………………………………… 239
　　(1)　留置権の意義 (239)　★留置権と同時履行の抗弁権との異同および競合的発生の有無 (240)　(2)　留置権の性質 (241)　(3)　民事留置権と商事留置権 (241)
　2　留置権の成立要件 …………………………………………… 241
　　(1)　他人の物を占有していること (241)　(2)　債権と物との牽連性 (241)　★★★二重譲渡等において履行不能による損害賠償請求権に基づき留置権を行使しうるか (243)　(3)　弁済期の到来 (243)　(4)　占有が不法行為によって始まった場合でないこと (243)　★★占有開始後占有権原がなくなった場合にも留置権は成立するか (243)　(5)　留置権の対抗力 (244)
　3　留置権の効力 ………………………………………………… 244
　　(1)　留置的効力 (244)　(2)　果実収取権 (245)　(3)　費用償還請求権 (245)　(4)　競売権 (245)　(5)　留置権の行使と被担保債権の消滅時効 (245)
　4　留置権の消滅 ………………………………………………… 245

II　先取特権 ………………………………………………………… 246

1 序　説 …………………………………………… 246
　(1) 先取特権の意義 (246)　(2) 先取特権の性質 (247)

2 先取特権の種類 …………………………………… 247
　(1) 一般先取特権 (247)　(2) 動産先取特権 (247)　★不動産賃貸借先取特権は借家内のすべての動産に及ぶか (248)
　(3) 不動産先取特権 (250)

3 先取特権の順位 …………………………………… 250
　(1) 先取特権相互の順位 (250)　(2) 先取特権と他の担保物権との競合 (251)

4 先取特権の効力 …………………………………… 252
　(1) 優先弁済権 (252)　(2) 物上代位 (252)　(3) 第三取得者との関係 (253)　★333条の「引渡し」には占有改定を含むか (253)　(4) 一般先取特権の特別の効力 (254)　(5) 不動産先取特権の特別の効力 (255)

5 先取特権の消滅 …………………………………… 255

Ⅲ　質　権 ……………………………………………… 256

1 序　説 …………………………………………… 256
　(1) 質権の意義 (256)　(2) 質権の性質 (256)

2 動産質 …………………………………………… 257
　(1) 動産質権の設定 (257)　★設定者への目的物の返還により質権は消滅するか (257)　★★質物を第三者に奪われたり詐取されたり遺失した場合，質権者は質権に基づいて第三者に質物の返還を求めることができるか (258)　(2) 動産質権の効力 (259)　★★★転質の法律的性質はどのようなものか (261)
　(3) 動産質権の消滅 (263)

3 不動産質 ………………………………………… 263
　(1) 不動産質権の設定 (263)　(2) 不動産質権の効力 (264)
　(3) 不動産質権の消滅 (265)

4 権利質 …………………………………………… 266
　(1) 権利質の意義と性質・作用 (266)　(2) 債権質 (266)

(3) その他の権利を目的とする質権(269)

Ⅳ 抵当権 …………………………………………………… 269

1 序説 ……………………………………………………… 269
(1) 抵当権の意義(269)　(2) 抵当権の機能と諸原則(270)　(3) わが国における抵当制度の発展とその機能(271)　(4) 抵当権の法的性質(272)

2 抵当権の設定 …………………………………………… 272
(1) 抵当権設定契約(272)　(2) 対抗要件(273)　★無効登記の流用は認められるか(273)　(3) 抵当権の目的物(274)　(4) 抵当権の被担保債権(274)　★貸付を受けた者が消費貸借契約の無効を理由に抵当権の実行を拒めるか(275)

3 抵当権の効力 …………………………………………… 275
　　A 被担保債権の範囲(275)

(1) 元本(275)　(2) 利息(276)　★抵当不動産の第三取得者との関係でも375条の制限を受けるか(276)　(3) 利息以外の定期金(276)　(4) 遅延損害金(277)　(5) 違約金(277)

　　B 抵当権の効力の及ぶ目的物の範囲(277)

(1) 付加物(277)　★★★従物は付加物に含まれるか(278)　★★(2) 抵当不動産の従たる権利についても抵当権の効力が及ぶか(279)　(3) 果実(279)　★★371条は法定果実につき適用があるか(279)　★★(4) 抵当不動産より分離した物に抵当権の効力が及ぶか(280)

　　C 抵当権と物上代位(281)

(1) 物上代位の意義(281)　(2) 代位の目的物(281)　★★転貸賃料債権に抵当権者は物上代位しうるか(282)　(3) 物上代位権行使の要件(283)　★★★物上代位の目的債権の差押え・転付・第三者への譲渡後も物上代位権を行使しうるか(283)　★★保険金請求権上の質権者と物上代位権者とはどちらが優先するか(286)　★★★抵当不動産の賃借人が賃貸人に対して取得した債権をもってする賃料債務との相殺と抵当権者の賃料債

権への物上代位の優劣（286）　★★★未払賃料債権の敷金による充当はどうか（287）　★★第三債務者に供託義務を要求する特別法の下で第三者への転付以前の差押えが必要か（288）

　　D　抵当権の優先弁済的効力（289）

(1)　序（289）　(2)　他の債権者との優劣（290）　(3)　抵当権の実行の要件（290）　(4)　抵当権の実行手続（291）

　　E　抵当権と利用権の関係（294）

(1)　抵当権と利用権の調整に関する従来の取扱い（294）
(2)　短期賃貸借保護廃止に至る立法の経緯（296）　(3)　抵当権設定に後れて設定された賃借権の競売における現在の取扱い（299）

　　F　法定地上権（301）

(1)　法定地上権の意義（301）　(2)　法定地上権の成立要件（302）　★★★土地抵当権者の建物建築承認があった場合は法定地上権の成立は認められるか（302）　★★建物が再築された場合にどのような内容の法定地上権が成立するか（303）
★★★土地とその上の建物に共同抵当権が設定され，その後建物が取り壊されて建物が再築された場合（304）　★★抵当権設定後に土地または建物の一方または双方が第三者に譲渡された場合に法定地上権は成立するか（306）　★★抵当権設定の当時別異の者に帰属し後に同一人に帰属した場合に法定地上権は成立するか（307）　★★土地共有または建物共有の場合（309）
★土地と建物とが同一人に帰属していることが登記簿上も明らかであることを要するか（310）　(3)　法定地上権の内容と対抗要件（310）　(4)　抵当地上の建物競売権（311）

　　G　抵当不動産の第三取得者の保護（311）

(1)　抵当不動産の売買と第三取得者の保護（311）　(2)　代価弁済（312）　(3)　抵当権消滅請求（312）

　　H　抵当権の侵害（315）

(1)　抵当権侵害の意義（315）　(2)　抵当権に基づく妨害排除請求（315）　★★★抵当不動産の不法占拠者や抵当権実行妨

害目的の賃借人等に対して抵当権者は自己への明渡しを請求しえないか（316）　（3）　抵当権侵害に対する損害賠償請求（318）　（4）　期限の利益の喪失・増担保請求（318）

4　抵当権の処分 ……………………………………………… 318
(1)　抵当権の処分の意義（318）　(2)　転抵当（319）　(3)　抵当権の譲渡・放棄および抵当権の順位の譲渡・放棄（321）
　★抵当権の譲渡・放棄等の効力は相対的か絶対的か（322）
(4)　抵当権の順位の変更（323）

5　抵当権の消滅 ……………………………………………… 324
(1)　抵当権の消滅（324）　(2)　抵当権の時効消滅（324）
(3)　目的物の時効取得による消滅（324）　(4)　目的たる用益権の放棄（324）

6　共同抵当 …………………………………………………… 325
(1)　共同抵当の意義（325）　(2)　共同抵当における配当（325）　★★★392条2項後段の規定は抵当不動産の一部が物上保証人や第三取得者に帰属しているときにも適用されるか（327）

7　根抵当権 …………………………………………………… 329
(1)　根抵当権の意義と性質（329）　(2)　根抵当権の設定と内容（330）　(3)　根抵当権の内容の変更（332）　(4)　被担保債権の譲渡・質入れおよび債務引受と根抵当権の随伴性の否定（332）　(5)　確定前の根抵当権者または債務者の相続・合併（会社分割の場合は398条の10）（333）　(6)　確定前の根抵当権の処分（335）　(7)　根抵当権の確定（337）
(8)　累積根抵当と共同根抵当（339）

第3章　非典型担保 ——————————————— 341
Ⅰ　序　説 …………………………………………………… 341
1　非典型担保の意義と種類 ………………………………… 341
(1)　非典型担保とは（341）　(2)　非典型担保の種類（341）

2　非典型担保の特色と機能 ……………………………… 342
　　(1) 権利移転型非占有担保(342)　★(2) なぜ非典型担保が用いられるのか(343)
　3　本章の内容と叙述の順序 ……………………………… 344
Ⅱ　仮登記担保 ……………………………………………………… 345
　1　序　説 ……………………………………………………… 345
　　(1) 仮登記担保とは(345)　(2) 仮登記担保の社会的機能(345)
　2　仮登記担保権の設定 ……………………………………… 346
　　(1) 仮登記担保契約とは(346)　(2) 仮登記担保契約の締結(347)　(3) 公示方法(348)
　3　仮登記担保権の効力 ……………………………………… 348
　　(1) 所有権取得的効力と優先弁済的効力(348)　(2) 目的物の範囲(349)　(3) 被担保債権の範囲(349)
　4　仮登記担保権の私的実行 ………………………………… 350
　　(1) 私的実行開始の要件(350)　(2) 所有権の取得(350)　(3) 債務の消滅と受戻し(351)　(4) 本登記および引渡しの請求(351)　(5) 清算(351)　(6) 後順位担保権者の地位(352)
　5　競売手続等と仮登記担保権 ……………………………… 353
　6　仮登記担保権と用益権の調整 …………………………… 353
　　★★(1) 民法395条等は類推適用されるか(353)　★(2) 法定借地権——同一の所有者に属する土地・建物の一方のみについて仮登記担保権が実行されて所有者を異にするにいたった場合の土地利用関係(354)
　7　仮登記担保権の消滅 ……………………………………… 355
Ⅲ　譲渡担保 ………………………………………………………… 356
　1　序　説 ……………………………………………………… 356
　　(1) 譲渡担保とは(356)　(2) 譲渡担保の社会的機能(356)　(3) 譲渡担保は有効か(357)　(4) 譲渡担保の種類

（358）　★★★(5)　譲渡担保の法的構成（360）

2　譲渡担保権の設定 …………………………………………… 361
　(1)　設定契約（361）　(2)　公示方法（361）

3　譲渡担保権の対内的効力 ………………………………… 363
　(1)　効力の及ぶ範囲（363）　(2)　目的物の利用関係（364）
　(3)　担保物保存義務（365）

4　譲渡担保権の対外的効力 ………………………………… 366
　(1)　序（366）　(2)　設定者と第三者との関係（366）　★★
　★譲渡担保権者による処分の効力（366）　★★譲渡担保権者の
　一般債権者が目的物を差し押さえた場合（368）　(3)　譲渡担保
　権者と第三者の関係（368）　★★★設定者による処分の効力
　（368）　★★★設定者の一般債権者が目的物を差し押さえた場合
　（370）　★★(4)　第三者による侵害（371）

5　譲渡担保権の実行 ………………………………………… 372
　(1)　実行方法（372）　(2)　目的物の確定的取得（372）
　(3)　清算（374）

6　譲渡担保権の消滅 ………………………………………… 374

Ⅳ　所有権留保 …………………………………………………… 375

1　所有権留保の意義と特色 ………………………………… 375
　(1)　所有権留保とは（375）　★★(2)　譲渡担保とどこが違う
　か（375）

2　所有権留保の効力 ………………………………………… 377
　(1)　対内的効力（377）　(2)　対外的効力（377）　(3)　実
　行（379）

■ **参考文献**（380）
■ **事項索引**（383）
■ **判例索引**（396）

xxi

■ 略語例

□ 法令名の略語

民法の条文は，原則として，条数のみを引用する。

それ以外の法令名の略語は，原則として，有斐閣六法の略語を用いる。主要なものは次のとおりである。

　民施　民法施行法
　不登　不動産登記法
　建物区分　建物の区分所有等に関する法律
　　　　　　　（物権法編第4章Ⅲ6では「法」）
　借地借家　借地借家法
　仮登記担保　仮登記担保契約に関する法律
　　　　　　　（担保物権法編第3章では「仮登」）
　商　商法
　民執　民事執行法

□ 判例引用の略語

　民　集　大審院民事判例集，最高裁判所民事判例集
　刑　集　大審院刑事判例集，最高裁判所刑事判例集
　民　録　大審院民事判決録
　刑　録　大審院刑事判決録
　裁判集民　最高裁判所裁判集民事
　高民集　高等裁判所民事判例集
　下民集　下級裁判所民事裁判例集
　新　聞　法律新聞
　評　論　法律学説判例評論全集
　裁判例　大審院裁判例
　判　タ　判例タイムズ
　判　時　判例時報

金　商　金融・商事判例
　　　　　　　＊
大連判　大審院連合部判決
大　判　大審院判決
最大判　最高裁判所大法廷判決
最　判　最高裁判所判決
高　判　高等裁判所判決
地　判　地方裁判所判決
　　　　　　　＊
例　最判昭49・9・26民集28巻6号1213頁
　　→最高裁判所昭和49年9月26日判決（最高裁判所民事判例集
　　　28巻6号1213頁所収）

物権法編

第1章 序　　論

1　物権の意義と性質

(1)　**物権法の役割**　私たちは，日常生活のなかで，常に，土地や原材料などの物に働きかけて商品を生産し，その商品を売買し，消費する活動を続けている。そうした活動が円満に続けられるためには，誰がどの物を加工し，処分し，利用することができるかが確定していなければならない。物権法は，こうした要請に応えるために，物に対する支配権の種類・内容およびその発生・移転・消滅に関する原則を規定することによって，どの物が誰に帰属し，誰のどのような支配に服するかの秩序（財貨帰属秩序）を定めている。

(2)　**物権の意義**　物権とは，一定の物（ないしそれが有する利用価値・交換価値などのさまざまな価値の全部または一部）を直接に支配し，その利益を排他的・独占的に享受しうる権利をいう。

物を「直接に支配する」とは，他人の行為を媒介とすることなしに，目的物から生ずる便益を享受しうることを意味し，それが「権利」として保護されているということは，その支配を攪乱する者があるときはこれを排除して，円満な支配を回復しうることを意味する。したがって，たとえば，物の所有者は，自らの意思に基づいて自由に目的物を使用・収益・処分することができ，そ

の権利行使が妨げられたときには，妨害者に対して，妨害の排除を請求することができる。

★　**(3) 物権と債権はどこが違うか**　　(ア) 債権の意義と特色　　たとえばAがBにお金を貸したとき，債権者Aは債務者Bに対してだけ貸金を返還せよと請求でき，債務者B以外の者にはお金を返せとはいえない。このように，債権は，特定の人（債権者）が他の特定の人（債務者）に対してだけ一定の行為（給付）を請求しうる権利であって，誰に対してでも権利内容の実現を請求しうる物権とは，対照的な性質を有する。

(イ) 物権と債権の違い　　物権と債権との主な相違点は，次のように整理されている。

①　物権は物を直接に支配しうる権利（対物権，直接支配権）であり，債権は債務者に対して一定の行為を請求しうる権利（対人権，請求権）である。

②　物権は誰に対してでも権利内容の実現を請求しうる（絶対性）のに対し，債権は債務者に対してしか権利内容の実現を請求しえない（相対性）。

③　同一の物の上に互いに相いれない内容の物権が同時に二つ以上成立することはできない（排他性）。これに対し，債権の場合には，内容的には両立しえない複数の債権が有効に併存しうる（非排他性）。たとえば，AがB・C二つの劇場に対して同じ日時に出演する旨の約束をしたときに，両劇場に同時に出演することは不可能だけれども，B・C両劇場ともAに対する債権を有効に取得する（Aに出演してもらえなかった債権者がAの債務不履行責任を追及するためには，いずれの債権も有効に成立していることが必要になる）。

④　内容において両立しえない二つ以上の物権が衝突した場合

には，先に成立した物権が後に成立したものよりも優先し（物権相互間の優先性），物権と債権が衝突するときには物権が債権に優先する（物権の債権に対する優先性）。これに対し，債権の場合には，原則として，その成立の前後を問わず，すべての債権が平等に扱われる（債権者平等の原則）。ただし，後述（第2章Ⅱ）のように，公示の原則等によって大きく修正されていることに注意を要する。

⑤ 物権は，絶対権であるから，現在の登記名義人や占有者が無権利者である以上，直接の侵奪者からの譲受人等であったとしても，その者に対して権利内容の実現を請求しうる（追及性）。債権は債務者に対してしか権利内容の実現を請求しえないから，追及力がない。たとえば，AがB所有の甲土地上に乙建物を建てて居住していたところ，Bが甲土地をCに売却したとする。Aが甲土地について地上権（265条）という物権をもっているときは，AはこれをCに対しても主張できる。これに対し，AがBに対する使用借権（593条）という債権に基づいて甲土地を利用しているときには，債務者でないCはAの甲土地利用を受忍する義務を負っていないから，現在の所有権者CがAに対して乙建物を取り壊して甲土地を明け渡せと請求すると，Aはこれに応じなければならない。

⑥ 物権は，絶対的・排他的な権利であるから，その内容が明確かつ合理的なものであり，また，誰がどのような物権を有しているかが外部から認識しうるようにされていなければ，第三者が不測の損害を被ることがある（公示の必要性）。そのため，物権は民法その他の法律に定めるもの以外のものを創設することができず（物権法定主義），物権の変動は，原則として，これを公示しなければ第三者に対抗できないものとされている（公示の原則）。これに対して，債権は，債務者の意思に基づいて成立する相対的な

権利であり，原則として第三者の権利義務に影響を及ぼさないから，その内容は当事者が自由に決めればよく（契約自由の原則），公示の必要性も小さい。

(ウ) 物権・債権の区別の相対性　　上記(イ)に掲げたさまざまな性質も，後に詳しく述べるように，さまざまなかたちの修正を受けているうえに，物権のなかにもそれらの性質のすべてを備えてはいないものがある一方で，債権にも排他性が認められているものなどがあって（605条・1031条参照），実際の運用においては，物権と債権の区別は相対化されている。また，理論的にも，この区別を強調すること（とくに，物権・債権の性質の違いから具体的問題の解決を演繹的に導こうとすること）に懐疑的な傾向が強まっていることに注意しなければならない。

2　物権の種類

(1) 物権法定主義　　(ア) 意義　　民法175条は，「物権は，この法律その他の法律に定めるもののほか，創設することができない」と定める。これは，契約等によって，民法その他の法律が定めたものとは異なる種類の物権をつくり出すこともできなければ，物権の内容を民法その他の法律に定められているのとは違ったものとすることもできない，という意味である。したがって，物権の種類および内容に関する規定は強行規定ということになる（ただし，法律の認める範囲内で存続期間や地代などを当事者の合意によって自由に定めることはできる）。

(イ) 根拠　　物権法定主義が採用された理由としては，①近代市民法の基本理念である「所有権の自由」を不当に制約するような封建的または非合理的な負担を廃止すること（民施35条参照），②物権は絶対的・排他的な権利であるから，その種類を限定し，

内容を画一化しておかないと，第三者が不測の不利益を被るおそれがある（公示技術上も，その種類・内容を限定しておくことが望まれる）こと，③「何人も自己の意思または法律の規定によるのでなければ義務づけられることはない」という近代市民法の原則に照らすならば，物権が絶対的効力を発揮するためには，法律にその根拠が定められていなければならないこと（民施36条参照），などをあげることができる。

(2) 慣習法上の物権を認めることができるか 　　(ア) 問題の所在 ★

物の排他的支配を法的に保障すべき社会経済上の必要性が認められる場合はきわめて多様であって，それらの要請のすべてが制定法上の物権によって満たされるとは限らない。そこで，実社会において慣行的に成立した権利を物権として認めることができるかどうかが問題となる。

(イ) 判例　　判例は，封建法上の下級所有権に相当する「上土権」と呼ばれる慣行耕作権については，これを地表のみの所有権とは認めず，民法の定める地上権にほかならないとしたが（大判大6・2・10民録23輯138頁），他方で，旧来の流水使用権（大判明42・1・21民録15輯6頁等），温泉専用権（大判昭15・9・18民集19巻1611頁等）等を慣習法上の物権と認め，さらに，譲渡担保権，根抵当権，仮登記担保権などの新たな権利についても，事実上，その物権性を認めてきた（最後の二つの権利については，昭和46年の民法改正や昭和53年の仮登記担保法の制定によって物権的効力が認められた。担保物権法編第2章Ⅳ7・第3章Ⅱ参照）。

(ウ) 学説　　上記(1)(イ)に述べた物権法定主義の実質的根拠に照らすと，①その内容が明確かつ合理的で，②何らかの公示方法が存し，③慣習法と認められる程度の法的確信に支えられていれば，これを物権として認めても，民法175条，同施行法35条などの

趣旨には抵触しないと解しうる。しかし，これをどのように法律構成するかについては困難がある。学説は，民法施行法35条は民法施行後の問題には適用にならないと解することにおおむね一致しており，民法175条および法の適用に関する通則法3条との関係については，(i)民法175条の「法律」のなかに通則法3条によって法律と同一の効力を認められた慣習法が含まれると解するもの，(ii)民法175条の適用範囲を限定し，慣習法上の物権には同条の適用はなく，通則法3条によって認められるとするもの，(iii)実質的に民法175条の趣旨に反していなければ，これを認めてよいとするもの，等があり，最近では，(ii)または(iii)の法律構成が有力である。

(3) 民法上の物権の種類　　(ア) 占有権と本権としての物権

占有権とは，物を現実に支配しているという事実状態に基づいて（それが適法なものであるか否かとは無関係に）認められるものである（180条）。その他の物権は，物の支配を適法なものとする（物を支配する根拠となる）権利であって，現実に物を支配しているか否かを問わない。このように物に対する現実的支配（占有）の正当化根拠となる権利（物権のほか，債権が占有権原となることもある）のことを「本権」と呼ぶことがある（202条参照）。

(イ) 所有権と他物権・制限物権　　本権としての物権は，自分の物に対する権利である所有権と，他人の物に対する権利である他物権とに分類される。所有権は，目的物を自由に使用・収益・処分して，その便益のすべてを享受しうる権利である（206条）。これに対し，他物権は，目的物のもつさまざまな価値（所有権の属性）の制限された一部だけを支配する（これによって所有権が制限される）ものであるから，制限物権とも呼ばれている。

(ウ) 用益物権と担保物権　　制限物権には，他人の所有物を使

表1 民法上の物権の分類

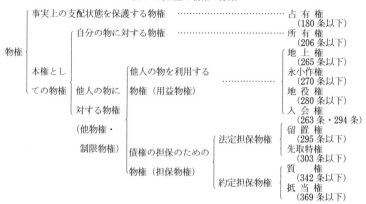

用・収益する権利である用益物権と，他人の所有物を自己の債権の担保のために利用する権利としての担保物権とがある。

用益物権には表1に示したように4種類のものがあるが，いずれも土地に対するものであって，土地以外の物についての用益物権は存在しない。担保物権は，一定の要件の下で法律上当然に成立する法定担保物権と，当事者間の合意に基づいて成立する約定担保物権に大別される。

(4) 特別法上の物権 民法以外の法律によって認められた物権として，仮登記担保権（仮登記担保1条），商事留置権（商521条等），商事質権（商515条），採石権（採石4条），漁業権（漁業60条・77条1項），各種の特殊抵当権（担保物権法編第1章2(3)〔表6参照〕）などがある。

3 物権の客体

(1) **特定・独立・現存の有体物** (ア) 物権の客体は，原則と

して「物」であることを要し（206条等），民法において物とは「有体物」をいうものとされている（85条）。ただし，担保物権には，有体物以外の財産を客体とするものもある（306条・362条・369条2項）。また，有体物以外のものに対する物権類似の支配権も存在する（人格権，特許権や著作権等の知的財産権など）。

なお，私人による独占的支配の認められていないものの上には物権は成立しない。大気・海洋などがその典型である（ただし，海面下の土地につき，最判昭61・12・16民集40巻7号1236頁参照）。

(イ) 物権は絶対的・排他的な支配権であるから，どの物について誰のどのような支配が及んでいるかが明確にされていないと権利関係が混乱してしまうし，現存していない物の上の物権を認めることには実益がない。それゆえ，物権の客体は，特定・現存の物でなければならない（債権の場合には，不特定物や将来の物についての債権を認める必要があり，それによる不都合は小さい）。同様の理由から，物権の客体は，一個の独立した物でなければならず，一個の物の一部分や数個の物の集合体は，原則として，一つの物権の客体となることができないとされている（一物一権主義）。

(2) 一物一権主義　「一物一権主義」という概念は，①物権の客体は独立した一個の物でなければならない（複数の物の上に一個の所有権は成立しないし，一個の物の一部に独立の所有権は成立しない）ということと，②一個の物には一個の所有権しか成立しないということの二つの意味で用いられている。②は，物権の排他性をいいかえたものにすぎない。①は，外形的画一的に所有権の範囲を確定させて取引の安全を確保すること，および，二つ以上の物が結合した場合にこれを分離することによって社会経済的な損失が生ずるのを回避させることなどを目的とする。

何をもって「一個の物」というかは，添付（242条〜248条）の

制度などによりつつ,社会通念によって決せざるをえないが,とくに問題となるのは,次のような場合である。

(ア) 土地　地表を人為的に区画して,登記簿上「一筆」の土地として登記されたものが一個の所有権の客体とされている。しかし,これは,あくまで便宜的に設けられた区画でしかないのだから,あまりかたくなに考える必要はなく,その範囲を客観的に確定しうる限りは,一筆の土地の一部に所有権が成立することを認めてよい(大連判大13・10・7民集3巻476頁等)。ただし,取引の安全を確保するために,一筆の土地の一部についての物権取得を第三者に対抗するには,分筆のうえ,その物権取得の登記をしなければならない。なお,地役権については,もともと一筆の土地の一部に地役権が成立することが予定されている(282条2項ただし書参照)。

土地に対する物権は,その土地の地表面に限らず,地上空間および地下にも及ぶのを原則とする(207条)。ただし,地上権については,地下または地上空間の一部を上下の範囲を定めて地上権の目的とすることができる(269条の2)。

(イ) 建物　建物は,土地とは別個独立の不動産とされている。一棟の建物が一個の所有権の客体となるのが原則であるが,一定の要件の下で,一棟の建物の一部分を独立の所有権(区分所有権)の客体とすることが認められている(建物区分1条)。なお,建物以外の土地の定着物は,原則として,土地の一部とされる。

(ウ) 立木等　土地に生立する樹木は,一般には,土地の一部であって独立の所有権の客体とはならないが,取引上の必要がある場合には,立木だけを土地とは別個独立の不動産として所有権譲渡または抵当権設定の目的とすることができる。ただし,これを第三者に対抗するには,立木法の定める立木登記または明認方

法と呼ばれる慣習法上の公示方法を備える必要がある（もっとも，明認方法は，抵当権の対抗要件とはなりえない）。未分離の果実・桑葉・稲立毛なども，一定の場合に，独立の動産として取引の対象とすることができる。

㈣ 集合物　物の集合体については，原則として，それを構成する個々の物の上にそれぞれ別個独立の所有権が成立し，集合物が全体として一個の物権の客体となることはない（ただし，お米や大豆などは，通常の取引においては一粒単位ではなく一袋が一個の取引単位＝一個の所有権の対象と観念されている。集合物をめぐる議論は一個一個の物が独立の取引単位とされているものを念頭に置いている）。しかし，企業体のように各種の物が有機的に結合している場合には，個々の構成物の価格の総和よりも総財産の結合体の価格のほうがはるかに高額になるため，それらを一体として担保に入れたり，取引の対象にできることが望ましい。また，店舗内の商品のように不断に構成物の変化するものを担保に入れようとするときには，内容の変動する一個の集合物という観念を認めることが便利である。そこで，いくつかの特別法が，企業を構成する多数の財産の集合体や企業体それ自体の上に一個の担保物権を成立させることを認めている（工場抵当法・企業担保法など）。判例も，構成部分の変動する集合動産について，その種類，所在場所および量的範囲を指定するなど何らかの方法で目的物の範囲が特定される場合には，これを一個の集合物として譲渡担保（流動動産譲渡担保）の目的物とすることができるものとして（最判昭54・2・15民集33巻1号51頁など），集合物全体の上に一個の物権が成立することを認めるようになっている。

第2章 物権の効力

I 序 説

　物権は，絶対的・排他的な権利であるから，①同一の物の上に互いに相いれない複数の物権が競合するときには，先に成立した物権が後から成立した物権に優先し，物権と債権とが衝突するときは，常に物権が債権に優先するものとされ（優先的効力），また，②物権の円満な支配状態が違法に侵害されているときには，これを排除することができるものとされている（物権的請求権）。こうした効力を，各種の物権に共通に認められる効力という意味で「物権の一般的効力」という（ただし，実際には，一般先取特権などのように，これらの効力のすべてを有してはいないものもある）。以下，これら二つの効力について説明する。

II 優先的効力

1 物権相互間の優先的効力

　(1) 意義　物権は，絶対的・排他的な権利であるから，たとえば，Aが所有権を有する物について，重ねてBが所有権を取得し，両者ともに目的物を自由に使用・収益・処分するといったことは考えられず，Aの所有権が成立している以上，これとは別にBのための所有権が成立する余地はない。他方，Cが抵当

権を有する不動産がDに譲渡された場合，DはCの抵当権の負担のついた不動産しか取得できない。こうした関係を，互いに相いれない物権相互間では先に成立した物権が後から成立した物権に優先する，あるいは，物権には「優先的効力」がある，と表現する（「排他的効力」ないし「対抗力」というのもほぼ同じ意味である。また，常に現在の占有者や登記名義人に対して物権の効力を主張しうるという意味で，「追及力」ともいわれる）。

　(2) 例外　㋐ 公示の原則による修正　公示方法を備えていない物権変動は第三者に対抗することができないものとされているから（177条・178条等），たとえば，同一の不動産がAとBとに二重に譲渡された場合に，たとえAが先に所有権を取得していても，これを登記していなければ，AはBに対してその所有権取得を対抗しえず，Bが先に登記を備えてしまうと，BがAに対してその所有権取得を対抗しうることになる。したがって，このような場合の物権相互間の優劣は，実際の成立時期の前後によってではなく，公示方法（対抗要件）の具備の前後によって決められることになる（詳しくは，第3章Ⅲ～Ⅴ参照）。

　㋑ 特別の順位が定められている場合　法律が，特別の理由に基づいて，物権相互間に特殊な順位を定めている場合には，その順位に従う（329条～331条・334条・339条等）。

　㋒ 公信の原則等による修正　Aが動産の所有権を取得し，対抗力を備えた後に，その動産を無権利者から譲り受けたBが即時取得（192条）をすると，Bが新たな所有権を取得し，反射的にAの所有権は消滅する（追及力が遮断される）。Bが時効取得（162条）した場合にも同様の関係が生ずる（397条参照）。

2 債権に対する優先的効力

(1) 意義　物権を有する者は，その目的物について債権しか有しない者に優先する。たとえば，A所有の甲不動産につき，Bが物権である地上権（265条）を有し，Cが債権である使用借権（593条）を有している場合，Bは誰に対してでも地上権を主張しうるのに対し，Cは債務者Aには使用借権を主張しうるが第三者Bに対してはこれを主張しえないために，Bの地上権が，たとえCの使用借権の後に成立したものであっても，Cの使用借権に優先することになる。同様に，ある物が競売された場合に，その物について担保物権を有する債権者は，その売却代金から一般債権者に優先して弁済を受けることができる（一般先取特権が物権とされるのは，この意味での優先的効力＝優先弁済的効力を有することのみを理由とするといって過言でない）。

(2) 例外　(ア) 所有権移転請求権その他の不動産物権変動に関する債権は，仮登記（不登105条2号）を備えることによって，実際上，物権に優先する効力を取得したのと同じようなことになる（不登106条参照）。これとは逆に，物権も対抗要件を備えないときは，債権に対する優先的効力が制限される（177条等参照）。

(イ) 不動産賃借権や配偶者居住権は，民法その他の法律の定める公示方法を備えることによって，物権と同等の効力を取得しうる（605条・1031条2項，借地借家10条・31条，農地16条1項）。

III　物権的請求権

1　序　論

(1) 意義　物権は，絶対的・排他的な支配権であるから，その円満な支配状態が妨げられたり，妨げられるおそれがあるとき

には，その侵害の除去または予防を請求することができる。この請求権を物権的請求権または物上請求権といい，物権的返還請求権，物権的妨害排除請求権および物権的妨害予防請求権の3種からなる。この場合，物権侵害の状態が客観的に違法なものでありさえすれば，当然に物権的請求権が成立し，侵害者の故意・過失等を必要としない。訴訟において，物権者は，物権を有することと，相手方による侵害の事実を主張立証すれば足り，相手方がその状態が正当な権限に基づくものであることを証明できない限り，物権的請求権の成立が認められる。

なお，侵害状態を生じさせている土地または建物の所有者が不明で物権的請求の相手方を特定できない場合や，隣接する土地建物の管理が不適切で侵害が発生するおそれのある場合などについては特則が設けられている（詳しくは第4章Ⅲ7参照）。

(2) 条文上の根拠　民法は，物権的請求権を正面から認める規定を置いていないが，いわば仮の権利ともいうべき占有権について占有訴権を認めていること（197条以下），占有の訴えのほかに「本権の訴え」を認めていること（202条），とくに物権的請求権によって保護する必要のない場合にはこれを否定する趣旨の明文の規定が置かれていること（302条・333条・353条等）などから，その存在を当然の前提にしているものと解されている。

(3) 理論的根拠　物権的請求権の理論的根拠については，①物権の絶対性に求めるもの，②直接支配性に求めるもの，③排他性に求めるもの，④権利の通有性としての不可侵性に求めるもの，⑤被侵害利益の強固さ・侵害行為の悪性の程度等の事情の相関的判断によるとするものなどがあり，対立している。この議論は，物権的請求権ないしこれに類似の妨害排除請求権・差止請求権をどのような場合に認めることができるかという問題と関連する。

債権には原則として妨害排除請求権等は認められないが、対抗要件を備えた不動産賃借権には妨害の停止や返還の請求権が認められている（605条の4）。これを正当化するためには、上記①②の根拠ではせますぎ、④ではひろすぎるため、③の考え方が有力になっているが、先に対抗要件を備えたときには、正当な物権取得者にさえ優先する（排他性）のだから、不法占拠者を排除できる（絶対性・直接支配性）のは当然だ（①②）と考えることも可能であろう。なお、判例は、生命・健康・名誉などの人格的利益に基づく差止請求権についても排他性を根拠としているが（最大判昭61・6・11民集40巻4号872頁）、この場合には、「排他性」の語が絶対性ないし直接支配性に近い意味で用いられていると解すべきであろう。

　これよりもひろく、たとえば対抗力のない賃借権等にも妨害排除請求権を認めようとする学説は、不可侵性を根拠とする（④）。また、⑤の学説は、一方で、侵害行為の悪性が強い場合には、債権その他の比較的弱い権利についても妨害排除請求権を認め、他方で、たとえば妨害を排除するには過大な費用がかかるのに、それによる利益は僅少である場合には、物権が侵害されても妨害排除請求権の成立を認めないといったように、相関的判断を通じて具体的妥当性を確保しようとするものである。

2　法的性質

(1)　独立の請求権か　　物権的請求権は、物権そのものとは別の権利として観念される。しかし、物権の円満な支配状態を回復させるための請求権であるから、その基礎となっている物権と切り離して別々に譲渡することや、物権的請求権のみが時効によって消滅することを認めるべきでない（大判大5・6・23民録22輯

1161頁等)。その意味では，物権的請求権を，物権とは全く別個独立の債権類似の権利であると解することはできない。

★★ **(2) 物権的請求権は行為請求権か，忍容請求権か**　　(ア) 問題点

物権的請求権が，相手方の積極的な行為（物の返還・妨害物の撤去・妨害予防工事など）を求めうるものか（行為請求権説），請求者が自ら回復ないし予防のための措置を講ずることを相手方が受忍すべきことを求めうるにすぎないのか（忍容請求権説），について争いがある。この問題は，回復または予防のための費用負担の問題と密接に関連する（なお，回復者と占有者の利害の調整に関しては，189条以下の規定の適用もある）。

伝統的な学説は，行為請求権説に立ち，相手方の費用で妨害の除去または予防に必要な行為をするように請求できると解していた。しかし，このように解すると，たとえば，A所有地が地震で崩れて隣接するB所有地上に土砂が堆積した場合に，AのBに対する土砂返還請求権とBのAに対する妨害排除請求権が衝突して，先に請求権を行使した者が相手方の費用によって円満な支配状態を回復できることになり，相手方にいかなる意味での帰責事由もないときにはとくに不都合な結果が生ずる。逆に，物権的請求権を忍容請求権と解すると，相手方が物権的請求権を行使してくるのを待っていたほうが有利になり，違法状態が継続するおそれがある（同じ問題は，Aの所有する動産を盗み出したCが，これをB所有不動産上に放置したような場合にも生ずる）。

(イ) 判例・学説　　そこで，判例は，行為請求権説を基本としつつ，侵害状態ないしその危険が人為によらないものであったり，不可抗力によるものであるときには，相手方に積極的な行為義務はないものとして（大判昭7・11・9民集11巻2277頁，同昭12・11・19民集16巻1881頁〔いずれも傍論〕），上の(ア)に述べたような

不都合を緩和しようとしている。

　学説には，①物権の効力としては忍容請求権しか認められないとして，費用の問題は不法行為等の責任原理によって処理するもの，②相手方の責任（ないし原因関与）の有無に応じて行為請求権か忍容請求権かを決める説，③前示の例のように双方の請求権の衝突ないし両すくみ状態が生ずるときには費用を折半とする説，④前示の土砂崩落の例も，一つの社会事象としてみれば，Ａの所有地から崩落した土砂によりＢの所有権が侵害されているだけで，ＢによるＡの土砂の所有権の「侵害」はないとみることができるから，ＢからＡに対する妨害排除請求権（行為請求権）のみが成立し，物権的請求権の衝突はない（その限りで，物権的請求権は行為請求権と割り切ってよい）とする説などがあり，④説が妥当と考える。ただし，この考え方によると，Ｂが妨害排除請求権を行使しない限り違法状態が永遠に存続してしまうので，Ｂは，相隣関係上の相互顧慮義務に基づいて，Ａが自力で回収をすることを忍容する義務を負うと解すべきである。ＢがＡの回収行為を妨げた場合には，その時にＢによる土砂の所有権の「侵害」があったと認定して，ＡからＢに対する返還請求権が発生すると解すべきことになる。

　なお，物の返還の場合に，目的物の現在の所在地で返還するのか，請求者の住所地に持参するのかで，その費用は大きく異なるが，原則として現在の占有者（返還義務者）の占有取得地で引き渡すものとし（484条1項参照），請求者の住所地までの運搬に要する費用は侵害者の不法行為責任等によって処理するのが妥当であると考える（このように解するときは，返還義務者の負担する費用は，結果的に①②説と④説とでそれほど違わないことになる）。

3 種類

(1) 物権的返還請求権　㋐ 意義と内容　物を占有すべき物権者が目的物を占有していない場合に，その返還を請求する（動産の場合は「引渡請求」，不動産の場合は「明渡請求」と称する）権利を物権的返還請求権という。他人の土地に無断で建物を建てた場合のように，妨害物を構築することで物権者の占有を妨げている場合には，その妨害物の撤去も返還請求権の内容となる（建物の建築による占有侵奪の場合の返還請求を「建物収去土地明渡請求」という）。

㋑ 請求権者　占有権原を有する物権者が原告となる。それゆえ，原則として，抵当権のように占有を内容としない物権については，物権的返還請求権は認められない（ただし，最判平17・3・10民集59巻2号356頁は，第三者の不法占有により優先弁済請求権の行使が困難になるときは，抵当権に基づく妨害排除請求として，その排除を求めることができ，抵当不動産所有者による適切な維持管理が期待できない場合には，抵当権者は，占有者に対し，直接自己への抵当不動産の明渡しを求めることができるとする）。なお，不法占拠者・不法占有者は民法177条・178条の第三者に当たらないから，請求者が物権を有することについて対抗要件を備えている必要はない。

㋒ 請求の相手方　現にその物を占有することによって，違法に物権者の占有を妨げている者が返還義務を負う。その者が侵害状態を惹起した者であることも，責任能力のあることも，故意・過失その他の帰責事由のあることも，必要でない。無権原者Bが目的物を第三者Cに賃貸したり寄託している場合には，所有権者Aは，直接占有者Cに対してAに返還するよう請求できるほか（ただし，「占有補助者」ないし「占有機関」は，独立の占有を有しないから請求の相手方になりえない），間接占有者Bに対してA

に返還するよう請求することも（大判昭13・1・28民集17巻1頁），BのCに対する返還請求権をAに譲渡せよと請求することも（大判昭9・11・6民集13巻2122頁）できる。

なお，**無権原で建てられた建物の実際の所有者と登記名義人が異なる場合**には，土地所有者は，原則として，登記名義人ではなく，実際の建物所有者に対して建物収去土地明渡しの請求をなすべきである（最判昭35・6・17民集14巻8号1396頁，同昭47・12・7民集26巻10号1829頁）。建物を所有することによって土地を占有し，土地所有権を侵害しているのも，妨害物を除去して土地所有者の占有を回復させることができるのも，実際の建物所有者だからである。しかし，この解釈によると，被害者である土地所有者が建物の現実の所有者を探し出す負担を強いられ，登記名義人は建物所有権譲渡を口実にして明渡義務を容易に免れられるという不都合が生ずる。そこで，判例は，他人の土地上の建物所有者が自らの意思に基づいて建物所有権取得の登記をした場合に限ってではあるが，建物を他に譲渡したとしても，引き続き登記名義を保有する以上，土地所有者に対し，譲渡による建物所有権の喪失を主張して建物収去土地明渡しの義務を免れることは，信義にもとり，公平の見地に照らして許されないものとする（最判平6・2・8民集48巻2号373頁）。

(2) **物権的妨害排除請求権**　　(ア) 意義と内容　　騒音・振動，不実登記など，占有の侵奪・留置以外の方法で物権の円満な行使が違法に妨害されている場合に，妨害物の除去や妨害行為の停止などを求める権利を物権的妨害排除請求権という。不動産の占有の妨害の場合には，占有が全面的に妨げられているときは返還請求権が成立し，無断通行や廃棄物放置など一時的または部分的にのみ占有が妨害されているときは妨害排除請求権が成立するもの

とされている。

(イ) 請求権者　現に権利内容の円満な行使を妨害されている物権の保有者が原告となる。

(ウ) 請求の相手方　現に違法な妨害状態を生じさせている者またはその妨害状態を除去することのできる者が被告となる。妨害状態を自ら惹起したことは必要なく，故意・過失や責任能力の存することも要しない。したがって，BがCの所有する土地の上にA所有の動産を無権原で放置した場合，妨害状態を発生させたのはBであって，Aにはそのことについて何らの帰責事由もないが，現時点において違法な妨害状態を作出しているのはA所有の動産であるから，CはBではなくAを被告として妨害排除を請求すべきものとされる（大判昭5・10・31民集9巻1009頁等。ただし，最判平21・3・10民集63巻3号385頁は，AがBの自動車購入代金を立替払した信販会社で，立替金債権を担保するために自動車の所有権を自己に留保しているが，残債務全額の弁済期が到来するまでは占有・使用する権原がBにとどめられている場合に，Aは弁済期到来までは自動車収去義務を負わないとした）。この場合，BがCおよびAに対して不法行為等による損害賠償責任を負うことがあるとしても，それは物権的請求権とは別問題である。

(3) 物権的妨害予防請求権　物権に対する違法な妨害状態が生ずるおそれが強い場合に，その原因を除去して妨害を未然に防ぐ措置を講ずるよう請求する権利を物権的妨害予防請求権という。相手方に危険な行為をしないよう，不作為を請求するのが一般的であろうが，工作物倒壊を防止するための予防工事をせよといった作為請求も認められている。請求の主体および相手方等に関しては，妨害排除請求権に準じて考えればよい。

第3章　物権の変動

I　序　説

1　物権変動の意義

(1)　物権変動とは　　たとえば，家屋を新築したり買い受けたりすれば所有権が取得され（所有権の発生），この家屋を増築すれば所有権の内容が変わり（所有権の内容の変更），さらにこの家屋を取り壊したり譲渡すれば所有権は失われる（所有権の消滅ないし喪失）。この家屋が抵当権の設定を受ければ抵当権が取得され（抵当権の発生），この抵当権に優先する第一順位の抵当権が弁済によって消滅すると，この抵当権の順位が上昇し，これが第二順位であった場合には第一順位となり（抵当権の内容の変更），さらに弁済によってこの抵当権も消滅する（抵当権の消滅）。

このように，所有権とか抵当権などの物権が発生したり，変更したり，消滅することを，一般に物権変動という。物権の主体の側からみると，物権変動とは，物権の得喪（取得・喪失）および変更をいう。

(2)　物権変動の原因　　物権変動を生ずる原因（法律要件）には種々のものがある。まず，契約（売買や贈与など）や単独行為（遺言など）のような法律行為は，権利移転の原因として最も重要である。時の経過によって権利の得喪の効果を生ずる時効や，被相続人の死亡によって相続人への権利の移転を生ずる相続も，物

権変動の重要な原因である。このほか，混同（179条），先占（無主物の帰属。239条），遺失物拾得（240条），埋蔵物発見（241条），および付合・混和・加工（以上を総称して添付という。242条以下）は，権利を原始的に取得させる原因となる。

2 物権取引の安全と公示の必要

(1) 公示の必要　たとえば，ある人がある物について所有権を取得すると，別の人はこの物について同一内容の所有権を取得することができない。これは所有権には排他性があるからである。所有権に限らず，物権には一般にこのような排他性が認められている。したがって，物権取引の安全を図るためには，その目的物の上に誰がいかなる内容の物権をもっているかを一般に知ることができるようにしておくことが必要となる。とくに，近代法の物権は多かれ少なかれ観念化されていて，それ自体を外部から認識することは困難な場合がふつうであるから，物権の現状を外部から認識できるよう何らかの表象で公に示す（公示する）ことが必要である。このような表象を公示方法と呼び，公示方法で物権の現状を公示する制度を公示制度と呼んでいる。

(2) 公示方法の種類　公示方法には，物の種類に応じて三つのものが認められている。①一つは，不動産物権についての「登記」であり，②もう一つは，動産物権についての「占有」または動産譲渡についての「登記」である。③このほか，わが国の判例は，立木や未分離の果実などについて「明認方法」と呼ばれる公示方法を承認した。

3 公示の原則と公信の原則

(1) 公示の原則　公示方法を通じて物権取引の安全を図る方

法には二つある。一つは、物権変動があっても、これに対応する公示方法における変動（たとえば、移転登記や引渡し）が伴わない場合には、物権変動の効果を多かれ少なかれ（その意味については後述）否認することである。たとえば、AからBが土地を買っても、移転登記をしておかないと、その後にAから同じ土地を買って登記をしたCにBは自己の所有権の取得を主張することができず、Cから土地の明渡しを請求されると、Bはこれに応じなければならない。公示方法にこのような効力を認める原則を一般に公示の原則と呼んでおり、「物権の変動は、常に、外界から認識しうる何らかの表象（たとえば登記・登録・占有・標識）を伴うことを必要とするという原則」、などと説明されている。なお、公示方法のこのような効力を、公示力と呼ぶ。

　ところで、近代民法は公示の原則を容易に肯定する（不動産にあっては、登記制度の発展に伴う）が、ただこれを実現する方法、いいかえれば、公示方法における変動を伴わない物権変動の効果を否認する仕方には、二つの方法がある。①その一は、移転登記や引渡しなどのような公示方法の変動がない限り、物権変動はその効力を生じない、とすることであり、この場合、公示方法の変動すなわち移転登記や引渡しなどは、物権変動の成立要件ないし効力要件となっている。ドイツ民法がとる方法である（物権変動が生じるためには、合意のほか、不動産については登記、動産については引渡しが必要とされる）。②その二は、移転登記や引渡しなどのような公示方法の変動がなくても物権変動は当事者間では有効に成立するが、第三者に対しては対抗できない、とする方法であり、この場合、移転登記や引渡しなどは物権変動の対抗要件となっている。フランス民法がとる方法であり、わが国の民法もこのような立場をとった（177条）。

(2) 公信の原則　　公示方法を通じて物権取引の安全を図るもう一つの方法は、実質的な権利を伴わない虚偽ないし空虚な公示方法を信頼して取引をした者を、真に権利が存在したのと同じように保護することである。たとえば、時計を所持していたAからBがこれを買い受け、その引渡しを受けたところ、この時計は実はCのものであり、Aはこれを預かっていたにすぎなかったとしても、BがAの占有を信頼して取引したのであれば、Bは所有権を取得する。公示方法にこのような効力を認める原則を公信の原則と呼んでおり、「物権の存在を推測させる表象（登記・登録・占有等）を信頼した者は、たとえその表象が実質的な権利を伴わない空虚なものであった場合にも、なおその信頼を保護されなければならないという原則」、などと説明されている。なお、公示方法のこのような効力を公信力と呼ぶ。

公信の原則が認められると、物権取引の安全は保護されるが、その反面、真実の権利者が犠牲にされる。だから、公信の原則を認めるべきかどうかの問題は、いわば静的安全の犠牲において動的安全を図るべきかどうかの問題である。近代民法は、動産のように取引が頻繁かつ迅速に行われるものにあっては、公信の原則を容易に承認するが、不動産については必ずしもそうではない。とりわけ、後者については、真実の権利関係をできる限り登記に反映させる制度的な仕組（たとえば、登記官の実質的審査制度）がとられていないと、真実の権利者を犠牲にする場合が多くなるので、公信の原則の採用は困難である。ドイツ民法は、動産、不動産ともに公信の原則を認めるが、フランス民法は動産についてのみ公信の原則を認め、不動産についてはこれを認めていない。わが国の民法も動産についてのみ公信の原則を採用した。ただし、不動産の物権変動に関する民法177条の解釈上、公信の原則を適用し

たのと同様の処理をしようとする学説があることについては，後述する。

4 本章の課題と叙述の順序

以下，本章では，先述のような公示の原則と公信の原則の具体的な適用を学ぶ。まずⅡでは，物権変動を生ずる原因のうちで最も重要な法律行為をとりあげ，それがどのような要件の下で物権変動を生じさせるか，といった問題をやや理論的，抽象的な形で検討する。ついで，Ⅲにおいて不動産の物権変動における公示の原則の適用，Ⅳにおいて動産の物権変動における公示の原則と公信の原則の適用を検討し，Ⅴで特別な公示方法である明認方法による場合にふれる。そして最後に，Ⅵで物権の消滅について述べておく。

Ⅱ 物権変動を生ずる法律行為

1 物権行為と債権行為

(1) 物権変動を生ずる2種類の法律行為　　物権変動を生ずる原因のうち最も重要なものは，法律行為である。しかし，法律行為といっても，終局的に物権の発生や移転を目的としない法律行為（たとえば，雇用とか組合のような債権契約は，債権・債務を発生させるだけで，直接的にはもちろんのこと，終局的にも物権の移転を目指すものではない）は，ここでは無関係であるから，除いて考えてよい。そうすると，ここで問題になる法律行為には2種類あることになる。すなわち，①第一は，売買とか贈与のように，直接的には債権・債務を生じさせる法律行為であるが，終局的には物権の移転を目的とするものである。このように債権・債務を発生さ

せる法律行為を，債権行為とか債権契約とか呼ぶ。②第二は，抵当権とか地上権の設定や移転のように，債権・債務の発生を伴わずに，物権の設定や移転（すなわち，物権変動）だけを目的とする法律行為である。このように物権の発生や移転のみを目的とする法律行為を，物権行為とか物権契約と呼ぶ。

　(2) **問題の所在**　そこで理論的に次の3点が問題となる。すなわち，①その一は，物権変動を生ずる法律行為を成立させるためには，第一の債権契約（ないし債権行為）についてはもちろんのこと（債権契約は諾成契約が原則），第二の物権契約（ないし物権行為）についても，意思表示だけで足りるか，それとも何らかの形式的行為を必要とするか，という問題である（意思主義か形式主義か）。②その二は，物権変動を生ずるためには，この第二の物権契約の場合に物権行為がなされなければならないことは当然のこととして，第一の債権契約による場合についても，債権行為とは別に物権変動だけを目的とする行為（物権行為）がなされなければならないか，という問題である（物権行為の独自性の問題）。さらに，この問題に関連して，債権行為が無効だったり，取り消されて効力を失った場合に，物権変動の効力にどのような影響を及ぼすか，という問題が生じる（物権行為の無因性の問題）。③その三は，物権変動の時期の問題である。以下，これらの問題を順次に検討しよう。

2　意思主義か形式主義か

★　(1) **物権変動を生ずる法律行為を成立させるためには，意思表示だけで足りるか**　この点を比較法的にみると，二つの立法主義がある。①一つは，フランス民法のとる立法主義であり，同法によると，物権変動を生じさせる法律行為の成立には，当事者の意思表

示だけで足りる。これを意思主義と呼んでいる。②もう一つは，ドイツ民法がとる立法主義であり，物権変動を生じさせる法律行為の成立には，当事者の意思表示（合意）だけでは足りずに，そのほか一定の形式的行為，すなわち不動産については登記，動産については引渡しが必要である。

(2) わが国の民法の場合　それでは，わが国の民法ではどうか。民法176条は，「物権の設定及び移転は，当事者の意思表示のみによって，その効力を生ずる」と規定しているから，フランス民法と同じように意思主義をとっていることは，明らかである。

3　物権行為の独自性，無因性の問題

(1)　**物権変動を生ずるためには，債権行為とは別に物権変動だけを目的とする行為（物権行為）が必要か**　★★ この問題はややわかりにくいので，もう一度問題の所在を明らかにしておこう。すでに述べたように，物権変動を生ずる場合には二つある。①一つは，売買や贈与のような場合で，たとえば，AがBに土地を売る契約を結んだとしよう。この契約（債権契約）の結果，AはBに土地を引き渡す債務を負い，BはAに土地の引渡しを請求する権利をもつ。そうして，この契約の結果，Bはやがてこの土地の所有者となる。つまり，この場合には，債権行為（債権契約）があって，それと同時にかその後にかは別として，その結果として物権変動（所有権の移転）が生じる。②もう一つは，抵当権や地上権の設定のような場合で，たとえば，Aの土地にBが抵当権の設定を受ける契約を結んだとしよう。この契約は抵当権という物権の発生を直接の目的とするもの（物権契約）であり，物権行為の効果として抵当権が発生したわけである。この②の場合には，抵当権を発生させるのは抵当権の設定行為という物権行為であるから，物

図1　物権行為が必要とされる例

図2　物権行為の独自性の否定説・肯定説

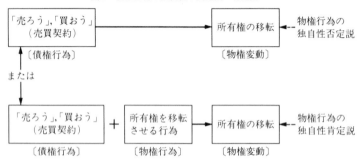

権変動に物権行為が必要とされることはいうまでもない（図1参照）。だから，この②については，別段，理論的問題は生じない。問題になるのは，①の場合である。すなわち，①の例の場合に，AからBへの所有権の移転という物権変動は，売ろう，買おう，という債権契約（売買）の効果として生じるのであろうか，それとも債権契約とは別に，AからBへ所有権を移転させる特別の行為，一般的にいえば物権変動を目的とする物権行為がなされることを必要とするのであろうか（図2参照）。この問題をもう少し条文に即していえば，次のようになる。すなわち，民法176条にいう「意思表示」とは，物権変動を生ずる意思表示のみを意味し，かつ，これが債権債務を生ずる意思表示とは別個，独立になされることを必要とすると解すべきかどうか，ということである。こ

れを肯定する立場を物権行為の独自性肯定説などと呼んでいる（図2）。

(2) **二つの立法主義**　比較法的にみると，フランス民法は，債権行為ないし債権契約の効力として物権変動の効果が生じるものとしており，たとえば，売買のように物の所有権を移転すべき債権を生ずる契約（債権契約）を結ぶと，その債権の効力として所有権の移転という物権変動が生じる（物権行為の独自性を肯定しない）。しかも，このような物権変動を生ずる意思表示には何らの形式をも必要としない（意思主義）ことはすでに述べたとおりである。

以上に対置されるのがドイツ民法である。同法によると，物権変動を生ずる法律行為（物権行為）は債権を生ずる法律行為（債権行為）とは常に別個になされなければならず（物権行為の独自性を肯定），しかもこの物権変動を生ずる法律行為には，すでに述べたように，その旨の合意のほか，不動産については登記，動産については引渡しが必要である（形式主義）。

(3) **わが国の民法の解釈**　さて，わが民法の解釈としてはどうか。論理的には，①物権の移転を目的とする債権契約がなされれば，あらためて物権変動を目的とする物権行為がなされなくても物権変動が生じる，と解釈することも（この場合には，176条の「意思表示」のなかには，物権的意思表示だけでなく債権的意思表示も含まれると解する），②債権契約のほかに物権変動を生ずる特別の物権行為がなされなければならない，と解釈する（この場合には，176条の「意思表示」とは物権的意思表示のことだと理解する）こともできそうである。

ただ，いずれの立場をとるにせよ，民法176条は意思主義をとっているから，物権変動を生ずるためには登記とか引渡しのよう

な特別の形式ないし公示方法を必要としないことは，すでに述べたとおりである。

　以上の点につき，学説は変遷した。すなわち，まず，民法典制定当時から明治の末頃までは，旧民法以来の沿革やフランス民法の影響で①の立場がとられていた。しかしその後，ドイツ民法の影響が強くなり，②の物権行為の独自性を肯定する立場が現れ，有力になった。しかし，大正10年になると，次のように説いて①の立場を強く主張する学説が現れた。すなわち，物権行為の独自性を認めるべきかどうかという問題は，物権変動発生のために特別の公示方法を必要とするかどうかという問題と切り離せないことがらであって，フランス民法流の意思主義をとり物権変動のため公示方法を必要としない立法の下で，公示方法はいらないが物権変動のため特別の法律行為（物権行為）だけは必要だ，とすることは，不可能ではないが，わが民法がこのような沿革と飛び離れた，しかも理屈のみにとらわれて実際の便宜を忘れた迂遠な立法を試みたものとは解しえない，と。

　このような主張を契機に，学説上再び物権行為の独自性を否定する①の立場が有力になり，今日の通説となっている。なお，この立場において，債権契約の結果物権変動が生じることの説明としては，フランス民法のように，債権の効力として物権変動が生じる，という説明と，物権変動を目指す債権行為には同時に物権の変動を目的とする物権的意思表示も含まれている，という説明とが可能であるが，前者のほうが簡明であろうといわれる。以上のように物権行為の独自性を否定する通説の立場に対して，有力な学説はなお物権行為の独自性を肯定する立場に立っている。すなわち，この学説は，理論的な面からだけでなく，実際の取引の面から考えても，売買契約によって直ちに所有権が移転するとは

一般に考えられておらず,登記,引渡しまたは代金の支払などの外部的徴表があって所有権が移転すると考えられているとし,このような外部的徴表を伴う行為の時に所有権移転の意思表示があるのであって,これが民法176条に予定されている行為,すなわち物権行為であると主張している。

判例は,むかしから一貫して,物権行為の独自性を認めない立場に立っている。

ところで,物権行為の独自性を肯定する立場と否定する立場とでは,どのような違いが生じてくるであろうか。①まず第一に,先に述べたように,理論的側面の違いがある。すなわち,物権変動が生じる法律行為の仕組のとらえ方が違っている。ただ,そうはいっても,独自性肯定説でも,債権契約と同時に物権行為がなされる場合があることや,一つの行為のなかに債権行為と物権行為の両方が含まれる場合があることを認めているから,その違いはそれほど大きなものではない。②第二に,物権行為の独自性を否定する立場によると,債権契約の効力として物権変動が生じる(あるいは債権契約のなかに同時に物権的意思表示も含まれている)から,債権契約が無効あるいは取り消されると,物権変動の効力も否定されるのに対して,物権行為の独自性を肯定し,かつその無因性を認めると(その意味については(4)),物権変動の原因となる債権行為が無効あるいは取り消されても,物権変動の効力に影響しないから,取引の安全が保護されることになりそうである。さらに,③第三に,物権行為の独自性を肯定する立場によると,債権契約の時ではなく,通常はそれより後になされる物権行為の時に所有権が移転するのに対して,物権行為の独自性を否定する立場によると,債権契約の時に所有権が移転することになりそうである。しかし,はたして②,③のように解しうるであろうか。ま

ず，次に，②の物権行為の無因性の問題を考察する（③は次の4で考察）。

★　**(4) 物権変動の原因となる債権契約（債権行為）が無効・取消しにより効力を失った場合に，物権変動の効力はどうなるか**　たとえば，AからBが土地を買って登記が移された後に，この売買がAに意思能力がなく無効であったとか，Bの詐欺によりAが売買契約を取り消したとかいった場合に，Bへの所有権移転の効力はどうなるか。物権行為の独自性を肯定しない一般の学説の立場によれば，債権契約の効力として物権変動が生じる（あるいは債権契約のなかに同時に物権的意思表示も含まれている）のであるから，債権契約が無効であればBへ所有権は移転しなかったことになるし，売買契約が取り消された場合にも——所有権ははじめからBへ移転しなかったことになるのか，いったんBへ移転してAへ復帰することになるのかは別として（この問題については後述。なお，121条参照）——所有権移転の効力は否定される。だから，この立場では，別段，理論的問題は生じない。

これに対して，物権行為の独自性を肯定する立場によると，売買によりAからBへ所有権が移転するについては，売買契約という債権行為と所有権の移転を目的とする物権行為の二つがなされていることになるから，A・B間の売買契約（債権行為）が無効あるいは取り消されても，所有権は物権行為によってAからBへ移転したのであるから，その効力が無効になるとは限らない。そこで，この立場では，物権変動の原因となる債権契約（債権行為）——これを原因行為と呼ぶ——が無効・取消しによって効力を失った場合に，物権変動の効力はどうなるか，という問題が生じる。

比較法的にみると，物権行為の独自性を肯定するドイツ民法の

Ⅱ　物権変動を生ずる法律行為

下では，売買とか贈与のような**物権変動の原因となる債権契約**（原因行為）が無効あるいは取り消されても，**物権行為の効力**は——物権行為そのものに無効（前例のＡに意思能力がなかった場合には，物権行為についても意思能力がなかった場合になることがふつうであろう）・取消原因があった場合は別として——，その影響を受けないとされている。これを**物権行為の無因性**などと呼んでいる（反対に，物権変動の効力が原因行為の有効，無効に左右されることを有因という）。ただし，原因行為が有効なことを条件として（不動産所有権譲渡の合意には条件をつけられないが）物権行為がなされたときは，別とされる。

　わが民法上，物権行為の独自性を肯定する学説は，一般に物権行為の無因性を認め，ただ，原因行為が有効なことを条件にしたときにのみ（わが民法上，不動産所有権譲渡の合意を含めて，物権行為に条件をつけることは禁止されていない），有因だとしている。このような考え方を相対的無因説などと呼んでいる。このように物権行為の独自性，無因性を認めると，債権契約が無効あるいは取り消されても物権変動の効力には影響しないから，取引の安全が保護されることになる。しかし，このように，画一的に取引の安全のみを保護することがよいかどうかは，問題とされよう。相対的無因説をとって，有因の特約をひろく認定すれば（たとえば黙示の特約など），このような画一的結果が生じることは防げるが，逆に，物権行為の独自性・無因性説をとった実益が半減する。反対に，物権行為の独自性・無因性説をとらないと，物権取引の安全が全く図れないかというと，そうでもない。なぜなら，対抗要件制度の活用や善意（即時）取得制度の適用により，権利者保護の要請と取引安全の保護を調整することができるからである。だから，物権取引の安全にとって両説がそれほど大きな違いをもたら

すわけではない。

4 物権変動の時期の問題

★★ (1) 売買や贈与など物権変動を目指す債権契約が結ばれた場合に, 物権変動はいつ生じるか　この問題は, とくに売買契約における所有権移転の時期の問題を中心に論じられているので, 売買契約が結ばれた場合に所有権はいつ移転するか, と問題をいいかえてもよい。

(2) 物権行為の独自性の問題と結びつける立場　物権変動の時期の問題は, かつては, 物権行為の独自性を肯定するかどうかの問題から派生する問題だと考えられていた。すなわち, 物権行為の独自性を否定する学説は, 原則として債権契約（たとえば, 売買契約）が結ばれた時に物権変動が生じる（たとえば, 所有権が移転する）, と解し, 判例（最判昭33・6・20民集12巻10号1585頁）も, 売主の所有である特定物の売買においては, その所有権の移転が将来になされるべき特約がない限り, 買主への所有権移転の効力は直ちに生じる, と判示した（ただし, 特約があればそれに従う。最判昭35・3・22民集14巻4号501頁は, 売買契約に, 代金を契約から3日後に支払い, この時までに代金を支払わないときは契約は失効する旨の解除条件がつけられていた場合には, 契約により所有権が当然買主に移転することはない, と判示した）。

これに対して, 物権行為の独自性を肯定する学説は, 登記, 引渡しまたは代金の支払など外部的徴表行為がなされた時に原則として物権行為が成立し, 同時に物権変動が生じる（たとえば所有権が移転する）, と解する。

(3) 物権行為の独自性の問題と切り離して考える最近の学説

しかし, 最近の有力な学説は, 物権行為の独自性の問題と物権

変動の時期の問題とは別個のことがらであるとし，後者を前者から切り離して考えようとしている。すなわち，物権変動の時期は，契約当事者間の関係では契約の内容——それが明らかでない場合には契約の解釈——によって定まる問題であるとし，①ある学説は，特定動産については引渡しをなすべき時，不特定動産については客体が特定しかつ引渡しをなすべき時，不動産については登記または代金支払の時に，所有権が移転する，と解し，②また別の学説は，引渡し，登記または代金支払のうちいずれか先になされた時に所有権が移転する，と解している。③さらに，別な学説は，ほぼ同様の結論を売買の目的物の果実収取権に関する規定（575条1項）から導き，次のように述べている。すなわち，売買目的物の引渡しがあれば買主は果実収取権を取得するが，果実収取権は所有権の一内容であるから，別段の合意がない限り引渡しによって所有権は売主から買主に移転する。引渡しが以上のような効果をもつ以上，引渡しより大きい効果をもつ所有権移転登記も果実収取権の移転すなわち所有権の移転をもたらす。判例は買主が代金支払によって果実収取権を取得することを認めるから，代金支払によっても所有権が移転する。

　以上の学説は，細かな点で違いはあるが，大ざっぱにいって，契約の時に所有権が移転するという特別の意思表示がない限り，後になされる登記，引渡しまたは代金の支払の時に所有権が移転することを主張するものであり，結果だけからみると，物権行為の独自性を肯定する学説とほぼ同様の結論に到達している。

(4) 所有権の移転時期を一点に画することはできない，とする学説（なし崩し的移転説）　　これまで紹介した学説は，物権変動の時期，したがってまた，所有権移転の時期を，一点に画することができる，ということを当然の前提にしている。これに対して，

売買のプロセスにおいて所有権移転の時期をある一点に画することは実益がなく、さらに、物権・債権を峻別せず、かつ登記・引渡しを物権変動の成立要件としていないわが民法の下で所有権移転の時期をある一定の時点に確定することは、理論的にも不可能である、と主張する学説がある。すなわち、この学説によると、わが民法においては、所有権の法的効果と考えられる各種の権能は時を異にして売主から買主に移行し、売買プロセスの開始前に完全に売主に属していた所有権は、プロセス中の浮動状態を経て、プロセス終了後は完全に買主に属するにいたる。プロセスの期間中は、売主も買主もともに完全な所有者でも非所有者でもなく、この期間中の法律関係は、当事者間では契約により、第三者との関係では対抗要件により、処理される。もし、所有権移転の時期をあくまで説明しろというのならば、売買契約の締結、代金支払、引渡し、登記等の過程を通じて、所有権がなし崩し的に売主から買主に移っていく、と説明してもよい。

しかし、このような学説に対しては、所有権移転の時期を一点に画することは、可能であり、かつ必要でもある、という批判が投げかけられている。

III 不動産物権変動における公示

1 序 説

(1) 不動産物権変動と民法177条　　たとえば、AからBが甲土地を買って代金を支払ったが、移転登記を受けないうちにAがCに甲土地を二重に売って登記を移してしまったとしよう(図3)。BはCに対して、自分が甲土地の所有者だと主張して、所有権の確認とAからCへの所有権移転登記の抹消を請求する

図3　二重譲渡と登記

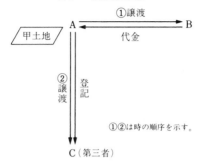

ことができるであろうか。民法177条は，「不動産に関する物権の得喪及び変更は，不動産登記法……その他の登記に関する法律の定めるところに従いその登記をしなければ，第三者に対抗することができない」，と規定している。この規定が不動産の物権変動に公示の原則を適用したものであることは，すでに述べた。ところで，前の例で，売買によってAからBが甲土地の所有権を譲り受けることは物権の取得である。また，この物権の取得につきB・A間は当事者間の関係であるのに対して，CはBにとって第三者とみられる。だから，Bが甲土地の所有権の取得をCに主張するためには，177条により登記をしておかなければならない。ところが，Bは移転登記を受けていないから（むしろ，Cが登記を受けている），先のBの主張は認められないことになる。つまり，Bは敗訴することになる。

　以上の例のように，不動産の物権変動に関する争いは，民法177条の適用によって解決されることになるのである。

　(2)　**課題と叙述の順序**　　上の例は，177条に関する争いの一つの例にしかすぎず，実際にはもっと多様な型の争いが生じる。そこで，本節では，不動産の物権変動に関する争いに，民法177

条がどのように適用されるかを説明することにする。

叙述の順序は次のとおりである。まず、177条にいう登記とは何かにつき、登記の意義、登記簿、登記事項および登記の種類を概観する(**2**)。ついで、そのような登記が対抗要件となることの意味につき、「対抗」の意義、登記を必要とする物権変動、および第三者の範囲について説明し(**3**)、対抗要件以外の登記の効力についても、登記の推定力といわゆる登記の公信力にふれる(**4**)。さらに、仮登記の効力について述べ(**5**)、最後に、登記の手続について、登記請求権、登記の形式的有効要件および実質的有効要件の説明をする(**6**)。

2 公示方法としての登記

(1) **登記の意義** 177条によって対抗要件となる登記とは、不動産登記のことであり、不動産登記とは、不動産に関する権利関係について、一定の国家機関があらかじめ定められた手続に従って一定の公簿に記載すること、またはこのようにしてなされた記載そのものをいう。登記を扱う国家機関を登記所、不動産の権利関係を記載した公簿を登記簿という。登記の手続は不動産登記法(明治32年法24号——旧法と呼ぶ——を改正した平成16年法123号)に定められている。

不動産の登記を担当する登記所は、当該不動産の所在地によって決まる。すなわち、当該不動産の所在地を管轄する法務局もしくは地方法務局もしくはその支局または出張所が管轄登記所となる(不登6条以下)。登記所において登記事務を取り扱う者を登記官という(不登9条)。

(2) **登記簿** 登記簿は、旧法では、土地についての登記簿である土地登記簿と建物についての登記簿である建物登記簿とに法

律上区別されていたが、現行法では、磁気ディスクによるので、そのような区別は不要となり、次のように定められている。すなわち、登記簿とは、登記記録が記録される帳簿であって、磁気ディスク（これに準ずる方法により一定の事項を確実に記録することができる物を含む）をもって調製するものをいう（不登2条9号）。登記記録は、個々の不動産を中心にして（つまり、一筆の土地または一個の建物ごとに）編成される物的編成主義によっている（これに対して、人を単位にして登記簿を編成する立法主義を人的編成主義という）。

登記記録は、表題部および権利部に区分して作成される（不登12条）。表題部とは、登記記録のうち表示に関する登記が記録される部分（不登2条7号）、つまり、当該土地あるいは建物の物体としての状況（たとえば、土地であれば、所在、地番、地目、地積）などが記載される。これによって、その不動産の同一性が表示されるわけである。しかし、表題部には権利に関する事項が記載されないから、これだけでは民法177条の対抗要件としての効力は生じない。このような効力が生じるのは、次の権利部への記載である。権利部とは、登記記録のうち権利に関する登記が記録される部分をいう（不登2条8号）。登記記録の具体的な形式としては、所有権に関する事項は甲区に、所有権以外の権利に関する事項は乙区に記録され（規則4条4項）、それぞれ順位番号、登記の目的、受付年月日・受付番号、原因、権利者その他の事項が記録される。

(3) 登記事項　不動産登記法によって登記の対象となる不動産は、土地と建物である。登記される権利は、土地および建物に対する所有権、地上権、永小作権、地役権、先取特権、質権、抵当権、賃借権、配偶者居住権および採石権の10種類であり（不登3条）、登記されるべき権利の変動は、これらの「得喪及び変更」(177条)、より詳しくいえば、保存（たとえば建物の新築による

物権法編　　第3章　物権の変動

図4　電磁的記録による土地登記簿の例

東京都新宿区北新宿2丁目222－2　　　　　　　　　　　　　　　　　　　　　　　全部事項証明書　　（土地）

【　表　題　部　】（土地の表示）				調製　平成3年10月24日	地図番号　余　白
【所　在】	新宿区北新宿二丁目			余　白	
【①地　番】	【②地　目】	【③　地　　　積　】㎡		【原因及びその日付】	【登記の日付】
222番2	宅地		947 76	余　白	余　白
余　白	余　白		908 71	③錯誤	昭和48年3月22日
余　白	余　白		150 34	③222番2、同番14、同番15、同番16、同番17、同番18、同番19に分筆	昭和48年3月23日
余　白	余　白	余　白		余　白	昭和63年法務省令第37号附則第2条第2項の規定により移記　平成3年10月24日

【　甲　　区　】（所有権に関する事項）				
【順位番号】	【登記の目的】	【受付年月日・受付番号】	【　原　　因　】	【権利者その他の事項】
1	所有権移転	平成3年4月15日　第11111号	平成3年4月12日競売による売却	所有者　台東区上野一丁目1番1号　株式会社エンジョイベンチャー　順位10番の登記を移記
2	所有権移転	平成3年9月27日　第33333号	平成3年9月27日売買	所有者　東京都品川区中延二丁目2番2号　株式会社房州興産　順位12番の登記を移記
付記1号	2番登記名義人表示変更	平成3年11月15日　第34567号	平成3年10月7日本店移転	本店　中野区中央三丁目3番3号
余　白	余　白	余　白	余　白	昭和63年法務省令第37号附則第2条第2項の規定により移記　平成3年10月24日

【　乙　　区　】（所有権以外の権利に関する事項）				
【順位番号】	【登記の目的】	【受付年月日・受付番号】	【　原　　因　】	【権利者その他の事項】
1	根抵当権設定	平成3年11月15日　第34568号	平成3年9月27日設定	極度額　金25億円　債権の範囲　信用金庫取引　手形債権　小切手債権　債務者　中野区中央三丁目3番3号　株式会社房州興産　根抵当権者　中野中央四丁目4番4号　五和信用金庫　共同担保　目録(タ)第4444号
付記1号	1番根抵当権移転	平成4年1月16日　第1001号	平成3年12月20日合併	根抵当権者　名古屋市中区錦二丁目20番20号　株式会社東洋銀行　（取扱店　新中野支店）
付記2号	1番根抵当権変更	平成4年1月16日　第1002号	平成3年12月20日変更	債権の範囲　銀行取引　手形債権　小切手債権
付記3号	1番根抵当権変更	平成4年4月30日　第12345号	平成4年4月30日変更	極度額　金39億円
2	根抵当権設定仮登記	平成4年8月25日　第24680号	平成4年8月25日設定	極度額　金26億1000万円　債権の範囲　銀行取引　手形債権　小切手債権　債務者　新宿区四谷一丁目1番地　有限会社明越産業　権利者　名古屋市中区錦二丁目20番20号　株式会社東洋銀行　（取扱店　新中野支店）

＊　下線のあるものは抹消事項であることを示す。　　　　　　　整理番号　D33333

所有権の保存など），設定（たとえば地上権や抵当権の設定など），移転（たとえば所有権の移転など），変更（たとえば抵当権の順位の変更など），処分の制限（たとえば永小作権の譲渡・賃貸の禁止特約など），および消滅（たとえば地上権や抵当権の消滅など）である（不登3条柱書）。

(4) 登記の種類 (ア) 登記の効力からの区別　登記は，その効力から本登記（終局登記）と予備登記の2種に区別される。本登記は，登記本来の効力である物権変動の対抗力を生じさせる登記である。予備登記は対抗力に直接関係なく，間接的にこれに備えてする登記をいい，本登記を申請するのに必要な手続上あるいは実体法上の条件が具備しない場合に，将来条件が具備されて本登記をするときに備えてあらかじめ順位を保全しておくためになされる仮登記がこれにあたる（不登105条）。なお，登記原因の無効または取消しによる登記の抹消または回復の訴えの提起があった場合に，これを第三者に警告するためになされる予告登記の制度は廃止された。

(イ) 順位の変動にかかわる登記の形式からの区別　順位番号欄に登記の順序に従って独立に順位番号がつけられる登記を主登記，独立に順位番号がつけられることなく，既存の登記の順位番号が枝番号（付記何号として）をつけてそのまま用いられる登記が付記登記である。前者がふつうであり，これがなされると，順位が一つ繰り下がることになる。後者は，たとえば抵当権の移転の際に用いられ，これにより，順位を変えることなく抵当権の移転が登記される。

(ウ) 登記の記載内容からの区別　新たな登記原因に基づいて新たになされる登記（所有権保存登記，所有権移転登記など。記入登記と呼ばれる），錯誤または遺漏により原始的に登記と実質関係と

の間に不一致があった場合に，これを訂正するためになされる更正の登記（たとえば，所有権保存登記の際，登記官が所有者の住所を誤って記録した場合に，これを訂正するためになされる場合），登記と実質関係との間に後発的不一致が生じた場合に，これを変更する狭義の変更の登記（たとえば，転居により住所変更があった場合），既存の登記を抹消する旨の抹消登記（売買契約が無効であったためにすでになされている移転登記を抹消するとか，抵当権が弁済によって消滅したので抵当権設定登記を抹消するなどの場合），いったん存在して後に消滅した登記についてその回復を目的とする回復登記（たとえば誤って抵当権の抹消登記がなされたような場合にこれを回復するためになされる抹消回復登記），などがある。

(5) 登記手続　不動産登記法の定めによれば，「登記は，法令に別段の定めがある場合を除き，当事者の申請又は官庁若しくは公署の嘱託がなければ，することができない」（不登16条）。

不動産の登記には，表示に関する登記（表示の登記）と権利に関する登記（権利の登記）がある（前述(2)）。表示の登記は，権利に関する登記でないが，不動産の現況を適正，迅速に公示することが取引の安全と円滑に資するとともに，課税の対象物件として特定する役割を果たすことから，所有者に申請義務が課されている（不登36条・47条など）。また，登記官が職権ですることができる（不登28条）。

これに対して，権利の登記は，登記権利者と登記義務者の共同申請によってしなければならない（不登60条）が，相続および判決による登記については，登記権利者だけで申請できる（不登62条・63条）。ところが，近時，相続登記がされず，あるいは登記名義人の氏名や住所に変更があったのに変更の登記がされず，所有権の存在が明らかにならない「所有者不明・所在不明の土地問

Ⅲ　不動産物権変動における公示

題」が社会問題となっている。その背景には，日本社会の人口減，地域の過疎化などがあり，土地所有権の価値の変化がみられる（この点については，第4章Ⅲ1(3)参照）。立法的に対策を要する課題となっていたが，令和3年4月21日に成立した法律（令和3年法24）は，この点に関する制度として二つの方法を立法化した。

一つは，相続登記および登記名義人の氏名・住所の変更登記の義務化であり，「民法等の一部を改正する法律」によって改正された不動産登記法の新たな条項による。同法改正条項によれば，所有権の登記名義人について相続の開始があったときは，相続人は，自己のために相続の開始があったことを知り，かつ，当該所有権を取得したことを知った日から3年以内に，所有権移転の登記を申請しなければならず（不登法76条の2第1項），違反に対しては10万円以下の過料が科される（同法164条1項）。氏名もしくは名称・住所の変更の登記については2年以内（同法76条の5），違反に対しては5万円以下の過料（同法164条2項）とされている。

もっとも，3年以内に登記義務を果たすのが困難な場合もある（遺産分割協議が未了など）。そこで法は，相続人である旨の申告の登記（「相続人申告登記」）という手続を設けている。相続人に登記義務が発生した場合に，登記官に対し，相続が開始した旨，および自らが当該所有権の登記名義人の相続人である旨を申し出ることができ（同法76条の3第1項），そうすれば登記申請義務を履行したものとみなされる（同条2項）。その後，遺産分割によって所有権を取得したときは，遺産の分割の日から3年以内に所有権移転の登記を申請しなければならず（同条4項），違反に対しては10万円の過料が科されるものとされている（同法164条1項）。

もう一つは，相続により取得した土地所有権を国庫に帰属させることができる制度の創設である。土地所有権の放棄の可否と関

わって議論され，新たな制度として立法化された（「相続等により取得した土地所有権の国庫への帰属に関する法律」。Ⅵ1(2)，詳しくは第4章Ⅲ7）。

3　不動産物権変動と対抗

★★　(1)　「対抗」とは何か　　たとえば，AからBが不動産を買い受け，代金を支払ったが，移転登記を受けないうちに，Aが同じ不動産をCにも売却して登記を移してしまったとしよう（1(1)の図3参照）。民法177条によれば，不動産物権の変動は登記をしなければ第三者に対抗しえないのだから，BがCに対して自分が所有者だと主張してA・C間の移転登記の抹消を求めても，このようなBの請求は認められないことになる。このような結論そのものには問題がない。

しかし，よく考えてみると，すでに述べたように，民法176条により物権の移転は当事者の意思表示だけで効力を生ずるのだから，所有権の移転時期に関する旧来の通説の考え方によればA・Bがこの不動産について売買の意思表示をした時，近時の有力説が主張する代金の支払，引渡しまたは登記のいずれか先になされた時という考え方をとればBが代金を支払った時に，所有権はAからBに移転しているはずであり，AがCに**所有権を二重に譲渡すること**は不可能ではないか，したがってまた，このような譲渡が有効であることを前提とするAからCへの移転登記も無効ではないか，という疑問が生じる。

この点について，従来の学説（通説）は一般に，176条は当事者間の関係を定めたにすぎず，第三者に対する関係では177条が登記がなければ対抗できないとしているのだから二重譲渡は可能である，と前提し，そのことを論理的に説明するために，177条

Ⅲ 不動産物権変動における公示

の「対抗することができない」という文言につき，いろいろな説明を試みている。主なものをあげると，①第一に，登記がなくても当事者間では完全に物権変動の効力が生じるが，第三者に対する関係では全く物権変動の効力が生じない，とする説明がある（相対的無効説）。しかし，これには，登記のない物権変動も第三者の側から有効と認めることは差し支えないのだから，対第三者関係で全く無効とすることは妥当でない，という批判が強い。②第二に，登記がなくても，当事者間でも第三者に対する関係でも完全に物権変動の効果が生じるが，第三者の側から，登記が欠けているという積極的主張がなされ（否認権説），あるいは，自分も同じ不動産を譲り受けたといったような当事者間の物権変動と両立しない事実の主張がなされると（反対事実主張説），この第三者に対する関係では効力がなかったものとされる，という説明がある。この説に対しては，Ｃが，Ａ・Ｂ間の物権変動を否認するというような特別の意思表示をしないとき，ことにＡ・Ｂ間に物権変動を生じたことを知らないときなどを説明するに適しない，という批判がある。③第三の説は，登記がなくても，当事者間でも第三者に対する関係でも物権変動の効果が生じるが，登記を備えない限り完全に排他性のある効果を生じず，したがって譲渡人も完全な無権利者とはならないから，譲渡人がさらに他の者に譲渡することが可能だと説明する（不完全物権変動説）。この説明に対しても，不完全な物権変動という考え方に曖昧さのあることが指摘されているが，有力な学説はこのような説明の仕方をしてきたといってよい（このあいまいさをつきつめて，176条は萌芽的な相対的物権の移転を規定し，177条が対世効をもつ絶対的物権の移転を規定していると説明する，二段物権変動論が最近唱えられた。この説によると，萌芽的物権ないし相対的物権と名づけられる未登記物権の特質は，物権

的権利内容を相対的・債権的な範囲で前主にしか主張できないことにある，とされる）。④第四の説は，176条と177条が成立した経緯（フランス法では，はじめ176条に相当する規定のみが置かれていたが，取引安全の保護のために，後に，177条に相当する立法がなされた。これらを日本法はワンセットで民法の規定に導入した）などから，難しい理論的説明をする必要はなく，そのような法定の制度だと説明すればよい，とする（法定制度説）。この説も近年有力である。

ただ，以上の各説の違いは，あくまで説明の仕方の違いであって，実際の結論において大きな違いはないようである。たとえば，二重譲受人B・Cがともに登記をしていないときには，どの説をとっても，BもCも相手方に対して自己の所有権の取得を主張しえない（訴えを起こしたほうが敗訴する），とされるし，また，第三者の側から登記のない物権変動の効力を認めることは差し支えない，ともいわれる（ただし，第一説では説明が困難）。

以上のように二重譲渡を可能とするこれらの考え方に対して，他方で，AがBに不動産を売却するとAは無権利者となり，Cへの二重譲渡は不可能となるが，それにもかかわらずCの権利取得が認められることがあるのは，Aのもとにある登記の一種の公信力による，と説明する考え方がある。この説にも，細かくみると，二つの考え方がある。すなわち，①第一の考え方は，CがAのもとにある登記を信頼してAを所有者だと信じ，そのことに過失がない場合，すなわち善意・無過失の場合には，A・C間にも有効な物権変動が生じ，それはA・B間の物権変動と互角であるから，先に登記を備えたほうが優先する，と説く。②第二の考え方は，A・B間の物権変動のみが有効に存在するが，Cが善意・無過失でAと取引に入り，かつ登記を備えると，はじめてA・C間の物権変動が有効なものとなり，その反射としてA・

B間の物権変動は効力を失う，とする。以上のような考え方を，一般に，公信力説などと呼んでいるが，これと従来の考え方とでは，理屈の上だけでなく，実際上も違いが生じる。なぜなら，従来の考え方では，第二の譲受人Cが悪意の場合にも二重譲渡は可能であり（ただし，後述するように，背信的悪意者は「第三者」から除外される〔(3)(ウ)〕），そのようなCが登記を受ければBに優先するのに対して，公信力説の下ではCが善意（そして無過失）であることが要求されるからである。なお，公信力説内部の①説と②説との間では，BもCも登記を受けていない場合に違いが生じる。すなわち，①説では，BもCも自分の権利を積極的に相手方に主張できないことになる（結果的に，通説・判例と同じになる）のに対して，②説ではBの権利取得のみが認められる。

(2) **登記を必要とする物権変動** 民法177条の文言（「物権の得喪及び変更」）からすると，すべての物権変動について登記が対抗要件となっているようにみえる（大連判明治41・12・15民録14輯1301頁は，いわゆる無制限説をとった）。しかし，およそすべての物権変動について対抗要件としての登記が必要とされているわけではない。後述（(イ)(ウ)）するように，対抗要件としての登記を必要とする物権変動は意思表示による物権変動に限られず，広く適用される（相続や時効などによる物権変動にも適用されている）が，177条に基づく対抗要件としての登記が必要なのは，対抗問題が生ずる場合であり，それがいかなる場合かについては，具体的に考察する必要がある。以下，検討する。

(ア) **法律行為** (a) **法律行為による物権変動** 売買とか贈与などの債権契約や抵当権設定などの物権契約によって物権変動が生じた場合に，対抗要件として登記が必要であることは疑いない。典型的な例は，AからB，AからCへの二重譲渡の場合で

あり、この場合には、先に登記を備えたほうが優先する。B・Cとも登記を備えていない場合には、互いに相手方に対し自分が権利者であると主張できない（大判昭9・5・1民集13巻734頁）。

★★　**(b)　法律行為が取り消された場合に、取り消した者が自己の権利を第三者に主張するために登記を必要とするか**　たとえばAがBを強迫して不動産を自己に安く売却させ、後にこれをCに売ってしまったとしよう。Bが強迫を理由にB・A間の売買を取り消し、Cに自己の所有権を主張する（たとえばCに所有権の確認とAからCへの移転登記の抹消を求める）ために、登記を必要とするであろうか。

判例は、二つの場合を区別する。すなわち、①第一は、取消し前に第三者が利害関係を有するにいたった場合である（図5）。この場合Bは、登記なくして自己の権利をCに対抗しうる（大判昭4・2・20民集8巻59頁は、(i)Aの強迫によりBがA所有の不動産上の抵当権を放棄して登記を抹消し、(ii)AがCのために新たに抵当権を設定し、(iii)その後Bが強迫を理由に抵当権の放棄を取り消したケースにおいて、Bは抵当権の復活をその旨の登記なしにCに対抗しうる、とした）。ただし、B・A間の取り消しうべき法律行為がAの詐欺によってなされた場合には、民法96条3項によってBは善意でかつ過失のない第三者Cに対抗しえない（なお、この場合に、Cの保護要件として登記を必要とするかについては、かつての判例・通説は登記必要説をとっていたが、近年、この場合は対抗問題ではない、との理由で登記不要説をとる有力説が現れており、最判昭49・9・26民集28巻6号1213頁がこの趣旨の判例として引用されている）。②第二は、取消し後に第三者が利害関係を有するにいたった場合である（図6）。この場合、判例は、取消しにより物権がAからBに復帰するが、これは177条により登記をしなければ第三者Cに対抗しえない、

Ⅲ 不動産物権変動における公示

図5 取消し前のケース

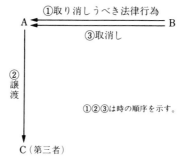

図6 取消し後のケース

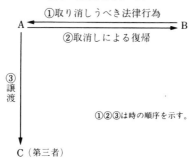

とする（大判昭17・9・30民集21巻911頁は，(i)Aの詐欺によりBがAに土地を売却し，(ii)Cがこの土地のうち第一土地につき抵当権の設定を受けて登記するとともに代物弁済の予約とその仮登記をし，(iii)その後，Bが詐欺を理由に売買を取り消し，(iv)さらにその後Cが第二土地に抵当権の設定を受けるとともに代物弁済の予約をし，それぞれ登記，仮登記

したケースで，第二土地の所有権は取消しによりBに復帰し，はじめからAに移転しなかったことになるが，この物権変動は，177条により登記をしなければ第三者Cに対抗しえない，と判示した)。つまり，判例は，取消しによるAからBへの物権の復帰とAからCへの譲渡により，二重譲渡と同様の関係が成立する，とみているわけである。

他方，学説もまた，判例と同様の立場をとるのが従来の通説であった。このように，取消しの前後で区別する理由は，取消し前の第三者との関係で取消権者はあらかじめ自己の権利を登記しておくことはできないのに対して，取消し後については登記できるのであるから，登記を怠っている者は不利益を受けても仕方がない，という対抗要件主義に求められている。しかし，近時，このような判例および従来の通説に対して疑問や異論を提起する学説が多い。これらを大別すると，二つに分けることができる。①第一は，判例および従来の通説と同じく取消し後の第三者との関係で復帰的物権変動という構成をとりつつ（復帰的物権変動説)，その考え方を修正するものである。そのなかにもいくつかの考え方がある。その一は，取消しの意思表示だけでなく，給付物の返還請求・抹消登記請求の時を基準として，その前に第三者が現れた場合には物権変動の遡及的消滅をきたし（ただし，詐欺の場合には，96条3項による第三者保護がある)，その後の場合には登記の先後による，とするものである。この立場は物権変動の遡及的消滅の範囲をより拡張することになる。その二は，取消しの意思表示ではなく，取消可能となった時（取消権があることを知った時という考え方と，現実に取消しができる状態になった時という考え方がある）を基準として，その前であれば物権変動の遡及的消滅，後の場合には登記の先後による，とする。この立場は，取消可能となれば，取

消しの意思表示をし，登記をすることにより自己の権利を保全できるのにこれを怠ったのだから不利益を受けても仕方がない，とするものであり，対抗要件主義をより徹底したものということができる。②第二は，判例および従来の通説と違って，取消しは，取消し前の第三者との関係でも取消し後の第三者との関係でも，物権変動の遡及的無効をきたす，という民法の原則（121条参照）を維持しつつ（無権利説），第三者の保護を94条2項の類推適用に委ねるものである。すなわち，取り消しうべき法律行為に基づく登記を有効に除去しうる状態にあるのに放置する者は，94条2項の類推適用によって取消しの効果を善意・無過失の第三者に対抗しえない，とする。この説は，取消しによる物権変動の遡及的消滅という論理を貫きつつ，（善意・無過失の）第三者保護を94条2項の類推適用による登記の事実上の公信力によって図ろうとするものだ，といえよう。

　(c) **解除の場合**にも，取消しの場合と類似した問題が生じる。★★
たとえば，AがBから不動産を買い受けたが，Aの代金不払でBが売買契約を解除した場合に，Bは，Aからの買受人Cに対し登記なくして対抗しうるか。

　この問題についても，一応二つの場合を区別して考えてみる必要がある。①第一は，解除前に第三者が現れた場合，前例ではCがBの解除前にAから目的不動産を買い受けた場合，である。解除の効果は原状回復義務を生じさせることである（545条1項本文）が，第三者の権利を害することができないとされている（545条1項ただし書）ので，BはCに自己の権利を主張できないことになりそうである。しかし，なおその場合にCに登記のあることが必要かどうか，必要とするならばその根拠は何か，が問題となる。判例は，かつて，対抗要件を具備していない第三者Cの

所有権は解除したBに対抗しえない，とした（大判大10・5・17民録27輯929頁——ただし，木材売買の例）。そして，その後の最高裁判決も第三者Cには対抗要件が必要だとしている（最判昭33・6・14民集12巻9号1449頁——A，B，Cと不動産が転売された後，A・B間の売買が合意解除されたのに対し，CがBに代位してAに対し移転登記請求した事件。最判昭58・7・5判時1089号41頁——CがBに移転登記請求した事件）。このように，第三者Cに対抗要件としての登記が必要であることは確定した判例であるが，その根拠について最高裁判決は，第三者Cにも177条の適用がある，というだけで，必ずしもはっきりしない。考え方としては，第一に，BがCを訴えた場合においてCが545条1項ただし書の第三者であることを主張するためには登記が必要であり，CがBを訴えて自己の権利を主張するためには177条が適用されてCには登記が必要という考え方と，第二に，いずれの場合にも177条が適用されて登記の有無によって決められるという考え方とがありうる（その違いは，CのみならずBにも登記がなかった場合にBがCを訴えると生じる。第一の考え方では，545条1項本文によりBが勝訴するが，第二の考え方では，B自身登記がないのだから177条によりBは敗訴することになる）が，そのいずれかはいまのところ明確でない。他方，学説は，解除の効果の性質論にかかわらず，結論として，第三者に対抗要件としての登記が必要だとするのが一般的な考え方である。ただし，その理由は，解除の効果の性質論につき直接効果説をとると，第三者Cには保護要件としての登記が必要だということになるのに対して，間接効果説および折衷説によれば，AからBに復帰的物権変動が生じ，それとAからCへの譲渡とが二重譲渡と同様の関係になる，ということになろう。②第二は，解除後に第三者が現れた場合（Bの解除後にCがAから目的不動産

を買い受けた場合）である。この場合には，判例・学説とも，一致して，AからB，AからCへと二重譲渡と同様の関係が生じるとして，177条により登記の有無により決せられる，としている（判例として，大判昭14・7・7民集18巻748頁，最判昭35・11・29民集14巻13号2869頁）。

　(d)　なお，法律行為の無効・取消しにより登記の抹消または回復の訴えの提起があった場合に，旧不動産登記法の下では予告登記の制度があった（これには警告的意味しかなく，第三者が登記を備えればこの者が優先した。大判大5・11・11民録22輯2224頁）が，現行法では廃止された。

　(イ)　相続　(a)　相続は，死亡を原因とする包括承継であるから，被相続人と相続人とは法律上同一人格として扱われ，相続による権利移転を第三者に対抗する，という問題を生じないかにみえる。たとえば，Aの相続人をB，第三者をCとしよう。相続は死亡を原因としてのみ生じるから，A死亡後AがCに不動産を譲渡することはありえないし，A死亡前AがCに不動産を譲渡したのであれば，相続は包括承継であるから，相続人BがCに譲渡したのと同じことになり，BとCとは当事者間の関係と同じになる。だから対抗問題を生じないかのごとくである。このことは，単独相続の場合（相続人が一人の場合）には正しい。しかし，今日では複数の相続人が共同相続するのがふつうであり，このような場合には，いろいろ複雑な問題が生じ，判例は推移し，学説が論じてきた。

　しかし，2018年に，民法（と家事事件手続法）の一部が改正され（平成30年法律72号「民法及び家事事件手続法の一部を改正する法律」），次のような規定が設けられた。

　民法899条の2第1項「相続による権利の承継は，遺産の分割

によるものかどうかにかかわらず，次条〈注－法定相続分の定め〉及び第901条〈注－代襲相続人の相続分の定め〉の規定により算定した相続分を超える部分については，登記，登録その他の対抗要件を備えなければ，第三者に対抗することができない。」。

この規定により，従来判例学説に解決が委ねられてきた「相続と登記」に関わる問題の多くが，立法的に解決されることとなった。

　(b) 特定の相続不動産につき，**共同相続人の1人が単独相続の登記をしてこれを第三者に譲渡した場合に**，他の共同相続人は自己の相続分を登記なしにこの第三者に対抗しうるか。たとえば，Aの不動産を共同相続したB・C（持分2分の1ずつ）のうちBがこの不動産を自己名義に単独相続の登記をしてDに譲渡した場合に，Cは自己の2分の1の持分を登記なしにDに主張しうるか（図7）。

判例は，はじめ登記不要説の立場に立ったが，その後すぐに登記必要説をとり，さらにその後になって，最高裁（最判昭38・2・22民集17巻1号235頁）は，Bの登記はCの持分に関する限り無権利であるとの理由で，他の共同相続人Cは登記なくして自己

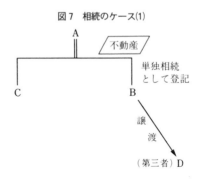

図7　相続のケース(1)

の持分を第三者に対抗できるとの趣旨を判示して、登記不要説の立場をとることを明らかにした。

学説は、登記不要説と登記必要説に分かれていた。登記不要説は、単独所有の登記をしたBはCの持分については無権利者であることを理由とし、登記必要説は、いわゆる「共有の弾力性」（共有は数個の所有権が一個の物の上に互いに制限しあって存在する状態であり、一つが欠けるときは他の物が全部について拡張する性質を有する、とする考え方）を理由とした。

しかし、この問題は、前記改正法の規定により、立法的な解決をみた。改正法899条の2第1項は、法定相続分を超える部分について登記を第三者対抗要件としているから、法定相続分については登記なしに対抗できることになり、設例のCは、法定相続分については、登記なしに第三者Dに対抗できることになる（判例法理と結論は同じ）。もっとも、善意の第三者Dについては、94条2項の類推適用により保護されるべきとの解釈論の可能性はあるであろう（改正前の学説でも、このような解決を提案するものがあった）。

なお、特定の不動産を特定の相続人に「相続させる」遺言につき、判例は、何らの行為を要せずに、被相続人の死亡の時に直ちに当該不動産が当該相続人に承継され、法定相続の場合と同様、登記なしに第三者に対抗しうる、とした（最判平14・6・10判時1791号59頁）。

これに対して、前記改正法899条の2第1項は、「遺産の分割によるものかどうかにかかわらず、……相続分を超える部分については、登記、登録その他の対抗要件を備えなければ、第三者に対抗することができない」と定めて、この判例法理を変更した。すなわち、特定の不動産を特定の相続人に「相続させる」遺言や、

遺産分割の方法，相続分の指定による遺言に基づく法定相続分を超える相続分については，登記が必要とされる。

★★　(c)　特定の相続不動産につき，**共同相続人の1人（B）が持分権を第三者（D）に譲渡し，その後，遺産分割が行われて，他の相続人（C）がこれを単独で相続した場合**（図8），C・Dの優劣関係はどうなるか。遺産分割の遡及効により（909条本文），Cは相続開始の時に遡ってこの相続不動産の所有権を取得することになるが，しかし，第三者の権利を害することができない（909条ただし書）。そこで，DはBの持分についてのBからの取得をCに対抗しうることになるが，その際Dには登記が必要だ，というのが通説である（これは177条の第三者対抗要件の問題ではなく，909条ただし書の第三者保護要件の問題である）。

なお，Dが登記しないからといって，Cは遺産分割により法定相続分を超えて相続した分について，Dに登記なしに対抗できるわけではなく，899条の2第1項により登記を必要とする。

図8　相続のケース(2)

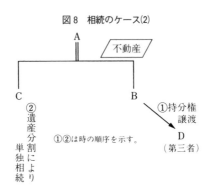

Ⅲ 不動産物権変動における公示

(d) **特定の相続不動産を共同相続人の1人（C）が遺産分割により単独で（あるいは持分を超えて）承継し、その後、他の相続人（B）が持分権を第三者（D）に譲渡した場合**（図9）に、Cは共同相続持分を超える自己の権利取得を登記なしにDに対抗しうるか。判例は、Bの債権者Dが、Bに代位して共同相続の登記をし、Bの持分につき仮差押えをした事件で、遺産分割は、第三者に対する関係では相続人が相続によりいったん取得した権利につき分割時に新たな変更を生ずるのと実質上異ならないこと（すなわち、持分の譲渡と実質上異ならないこと）を理由に、遺産分割による共有持分の得喪変更については177条の適用がある、とした（最判昭46・1・26民集25巻1号90頁）。したがって、Cが共同相続持分を超える権利取得をDに対抗するためには、登記が必要である。

学説も一般にこのような考え方を支持している。

改正法の下でも、899条の2第1項により登記が必要とされるから、結論は現行法理どおりである（根拠条文を177条とすべきか、899条の2第1項とすべきかの、形式的な解釈上の問題はあるかもしれないが、899条の2第1項は対抗要件主義をとったものであり、趣旨は同じと解されよう）。

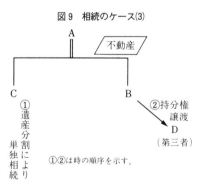

図9 相続のケース(3)

★★　　(e)　共同相続人の1人（B）が相続を放棄した場合で，他の共同相続人Cが特定の相続不動産を単独で承継したが，Bが，相続を放棄しなかったならば有したであろう自己の持分をDに譲渡した場合に，Cが自己の権利取得をDに対抗するためには，登記が必要か。判例は，Bの債権者DがBに代位して所有権保存の登記をし，Bの持分につき仮差押えをした事件で，Cは自己の権利を登記なしにDに対抗しうる，とした（最判昭42・1・20民集21巻1号16頁）。

　学説は一般に，放棄が相続資格の遡及的消滅であること，放棄によっては個々の財産の帰属は確定しないこと，放棄の有無は家庭裁判所で確認できること，放棄できる期間には制限（3ヵ月，915条1項）があるから，短期に結着すること，などを理由に，このような判例の解決を支持している。

　相続放棄については，前記改正法によって改正がなされていない。相続放棄は，従来の判例・学説が指摘してきたような制度上の特徴があり，従来の法理を維持することが適切とされたものである。

　(ウ)　時効取得　　(a)　時効による取得は原始取得とされる。しかし，建物の新築のような場合と違って，時効取得の場合には，権利を取得するBに対して，権利を失う真正所有者Aがいるし，またAが第三者Cに権利を譲渡することもあるので，B・A間の関係，B・C間の関係をどうとらえるか，そしてその場合に対抗要件を必要とするか，という問題が生じる。

★★　　(b)　Aの不動産をBが時効期間占有して時効取得した場合に，**時効取得者（B）が自己の権利取得を真正所有者（A）に主張するために登記を必要とするか**　　判例（大判大7・3・2民録24輯423頁）および学説は，時効取得者と時効完成時の真正所有者との関係を

物権変動の当事者と同視し，登記を必要としない，としており，この点については異論をみない。だから，Ｂは，時効による権利取得を登記なしにＡに主張しうる。

　(c)　**原所有者（Ａ）が不動産を時効取得者（Ｂ）の取得時効完成前に譲受人（Ｃ）に譲渡し，その後にＢにつき取得時効が完成した場合**（図10）に，Ｂが自己の権利取得をＣに主張するために登記を必要とするか。ＣはＢの取得時効完成時の真正所有者であるから，先に(b)に述べたことをあてはめると，ＣはＢにとって「第三者」ではなく「当事者」であり，したがって登記を必要としない（最判昭41・11・22民集20巻9号1901頁）。Ａ・Ｃ間の譲渡がＢの時効完成前であれば，Ｃへの登記の移転が時効完成後であっても同様であり，ＢはＣに対し登記なしに時効を主張しうる（最判昭42・7・21民集21巻6号1653頁）。

　学説上，①通説は上と同様の考え方をとっている。②しかし，後述するように，登記を時効更新事由とみる有力説や時効の遡及効を重視する説があり（(d)），これらによると，ＣがＢの時効完成前にＡから所有権を譲り受けて移転登記をすると，Ｂがその時からさらに時効期間占有しなければ時効取得しない。

図10　時効完成前のケース

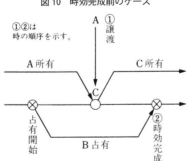

(d) Aが不動産をBの取得時効完成後にCに譲渡した場合（図11）に，Bが自己の権利取得をCに主張するために登記を必要とするか。

判例はこの場合をAからB，AからCへの二重譲渡と同視し，Bは登記しなければCに対抗しえないとする（大連判大14・7・8民集4巻412頁，最高裁判例多数）。もっとも，CがAから移転登記を受けてBが時効による権利取得をCに対抗しえない場合でも，BがCの登記の時から引き続き時効期間占有すれば，Bは時効取得する（最判昭36・7・20民集15巻7号1903頁，Cが抵当権設定登記を受けた抵当権者である場合につき，最判平24・3・16民集66巻5号2321頁——抵当権の存在を容認していたなど抵当権の消滅を妨げる特段の事情がない限り，再度の時効取得の結果，抵当権は消滅する）。このように時効完成後に権利を譲り受けた第三者に対して時効による権利取得を主張するためには登記を必要とする。このような判例の考え方には，Bは取得時効が完成したのに登記を怠っていたのだから不利益を受けても仕方がない，とする対抗要件主義があるが，次のような問題点のあることが指摘されている。すなわち，第一に，取得時効制度の趣旨からいえば，占有が長くなればなる

図11 時効完成後のケース

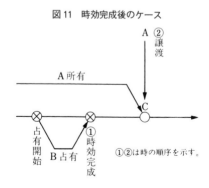

ほど保護されるべきなのに，判例の考え方によると，時効完成後直ちに登記しておかないと保護を打ち切られるおそれがある。第二に，時効取得者は多くの場合善意であるから，いつ時効が開始したのか，したがってまた，いつ時効が完成したのか，知らないことが多く，それゆえ，時効完成後直ちに登記をせよというのは無理である。第三に，善意の占有者と悪意の占有者とを比較すると，悪意者のほうが時効完成が遅れるから有利になることがあって，不当である（たとえば，Bの占有開始から17年めにAからCへの不動産の譲渡・移転登記がなされ，20年経過後にB・C間で紛争が起こったとすると，Bが善意であれば，10年めに時効が完成するから，Cは時効完成後の第三者となり，登記のないBはCに対抗できないのに対して，Bが悪意であれば，20年めに時効が完成するから，Cは時効完成時の真正所有者となり，Bは登記なしに時効取得を主張しうる）。

そこで，学説から種々の考え方が提案されている。大別すると，三つに分けることができよう。①第一は，登記を不要とする説である。これは細かくみると，さらにいくつかの考え方に分かれる。(i)その一は，占有尊重説であり，わが民法は占有の継続のみを取得時効制度の基礎とし，登記を要件としていないから，時効の効果を優先させるべきこと，時効制度の趣旨は起算点がいつかをせんさくすることではないことなどをあげ，具体的な方法として，時効取得が争われている時から遡って（逆算して）時効期間が過ぎているかどうかを問題にすればよいとして起算点をずらせることを提案する（逆算説。そうすれば，Cは常に時効完成時の真正所有者となり，当事者間の関係となるから，登記は不要となる）。しかし，このような考え方は，判例によって否定された（大判昭14・7・19民集18巻856頁，最判昭35・7・27民集14巻10号1871頁等）。なお，この占有尊重説のうえに立って，B勝訴の判決確定後は，第三者

に対抗するために登記が必要,とする学説もある。(ⅱ)その二は,対抗問題限定説であり,占有のみを取得時効の要件とし,登記に更新効を認めていないわが民法の下では,時効による原始取得は登記なしに第三者に主張しうる,という。②第二は,登記尊重説であるが,この説もいくつかの考え方に分かれる。(ⅰ)その一は,登記に一種の時効更新的効力を認める考え方で,時効完成後にAからCに登記された場合には（いったんCがBに勝つが），その時からさらに時効期間を経過するとBは時効取得する,とする判例の考え方を時効完成前にも及ぼし,時効完成前AからCに登記された場合にも,さらに新たに時効期間を経過しなければ時効取得しない,とする。なお,この説は,近時,次述する第三説の影響を受けて,二重譲渡型および無権限占有型についてはこの結論を維持し,越境型については逆算説（したがって登記不要説）を妥当としている。(ⅱ)その二は,時効の遡及効（144条）を理由とするもので,時効取得者Bの所有権の取得は,自主占有の開始・継続という実体を伴っているから起算日に所有権を取得したものとしての実質を有するとし,ただそれは177条の第三者の登場を許容するとして,Bは,登記しなければ,Aからの譲受人（それがなされたのが時効完成前であろうと完成後であろうと）Cに対抗しえない,という。もっとも,Cの登記からさらに時効期間Bが占有すれば,BはCに登記なしに時効を主張しうるし,CがAから譲り受けたときにBの時効取得を知っていた場合には,「背信的悪意者」として扱われるべきだという。③第三は,事案類型説とでも呼ぶべき考え方であり,抽象的な占有尊重か登記尊重かという形で解決すべきではなく,事案類型に応じた解決を求め,たとえば,二重譲渡型（AがBに譲渡し,その後AがCに譲渡して移転登記したが,Bが時効期間占有していたので,登記なしに時効

を主張する，という事案の型）の場合には，端的に177条の問題として解決すべき（したがって，登記のないBはCに対抗しえない）であり，これに対して越境型（BとCとが土地の境界を争っている事案）の場合には，177条の問題として処理すべきではない，という。

㈢ その他　(a) 競売による物権変動は登記しなければ第三者に対抗しえない（ただし，買受人が代金を納付したときは，嘱託による移転登記がなされる。民執82条1項1号）。

(b) 公用収用による所有権取得も登記しなければ第三者に対抗しえない。

(c) 農地買収による所有権取得についても登記を必要とする，というのが一般の考え方である。

(3) 第三者の範囲　民法177条によると，不動産の物権変動は登記をしないと「第三者」に対抗しえないが，この「第三者」とはいかなる範囲の者をいうのだろうか。第三者ということばを文字どおりに解すると，ある法律関係の当事者およびその包括承継人以外のすべての者と解せるようにみえるが，177条の「第三者」とはそのような制限されない範囲の者をいうのか（無制限説），それとももっとせまい制限された範囲の者をいうのだろうか（制限説）。

㈠ 無制限説から制限説へ　初期の学説・判例は，177条が単に「第三者」と規定しこれを制限する文字がないことから，無制限説をとった。しかし，無制限説によると，たとえば，偽造の書類で真の権利者A所有不動産の登記名義を受けたBに対しAが登記の回復を請求しても，BはAに登記がないことを理由にこれを拒めるとか，Aの家屋を権限なく破壊した不法行為者Bに対しAが損害賠償を求めても，BはAの登記の欠缺を理由に

これを拒める，といったように不当な結果が生じる。そこで，不動産取引の安全の保護を図ろうとする177条の趣旨からこの問題を考え直す必要が生じ，判例は制限説をとるにいたった（大連判明41・12・15民録14輯1276頁）。事件は，Aから建物を買ったと主張するBが建物を自分で建築して所有者になったと主張するCに対し所有権の確認を求めた（BにもCにも登記なし），というものであるが，大審院は，制限説をとることを明らかにしたうえで，第三者とは，当事者もしくはその包括承継人にあらずして不動産に関する物権の得喪および変更の「登記欠缺を主張する正当の利益を有する者」を指す，と判示した。そうして，その後の判例も制限説によっている。

　学説も，この連合部判決以降，制限説が通説となった。第三者の範囲を制限する基準については，①判例と同じく「登記欠缺を主張する正当の利益を有する者」とする説，②「当該不動産に関して有効な取引関係に立った第三者」とする説，あるいは，③「当該物権変動を認めるとすれば，内容がこれと両立しないため，論理上当然に否認されなければならない権利を有する者」とする説などがある。しかし，こう述べても第三者の範囲は必ずしも明確にならない（ただし，①②説よりも③説のほうが第三者の範囲をより限定するであろう）ので，具体的な場合を考察しておく必要がある。

　(イ)　登記しないと対抗できない第三者——登記の欠缺を主張する正当な利益を有する者　　(a)　物権取得者　　同一不動産上に所有権，地上権，抵当権などの物権を取得した者は「第三者」にあたる。たとえば，①AからBが不動産の所有権を譲り受けても（あるいは地上権や地役権などの用益物権や抵当権の設定を受けても），登記しないと同一不動産につき所有権を譲り受けたCに対抗で

きない。②同じく，Bは，登記しないと同一不動産上に地上権の設定を受けたCに対抗できず，Cが登記すると，Bは地上権の負担のついた所有権を譲り受けたことになる。③さらに，Bは，登記しないと同一不動産上に抵当権の設定を受けたCに対抗できず，Cが登記し，抵当権を実行すると，Bの所有権は失われる。

　(b) 賃借人　　同一不動産の賃借人は第三者にあたる。たとえば，①AからBが，Cの賃借している不動産を買ったとしよう。Cが賃借権の対抗要件（605条の賃借権登記，借地借家10条1項による建物登記，または借地借家31条1項による建物の引渡し）を備えていれば，CがBに賃借権を対抗しうることはいうまでもないが，Cが賃借権の対抗要件を備えていなくても，BがCの賃借権を否認して不動産の明渡しを請求するためには，Bに登記が必要である（大判昭6・3・31新聞3261号16頁）。②これに対して，BがCに賃料を請求したり，解約の申入れや解除をする場合にも，登記が必要か。判例は，賃料請求の事件で登記必要説をとり（大判昭8・5・9民集12巻1123頁——Aが同一不動産をDに二重に売買した場合に，CはB・Dに賃料二重払の危険を負うことになることを理由とする），その後，解約申入れ（最判昭25・11・30民集4巻11号607頁）や賃料不払による賃貸借契約解除の事件（最判昭49・3・19民集28巻2号325頁）でも，登記必要説をとった。学説は分かれている。多数の学説は，判例と同様，この場合にも登記が必要とし，そう解しないと，Cは賃料二重払の危険を負ったり，最終的に所有権を取得しないかもしれないB（Bが未登記なのは代金不払のためであることがあり，そのような場合には，Aから売買契約を解除されるかもしれないし，二重譲受人Dが登記を備えるかもしれない）によって賃貸借を解除されたり解約されたりしてCの立場が不確実になって妥当性を欠く，としている。この立場は，第三者の範囲の基準

については，前記((3)(ア)）①説か②説をとっている。これに対して，登記不要と解する有力説がある。この説は，第三者の範囲の基準につき前記③説の立場に立ちつつ，いま問題の賃料請求等は，不動産物権ないしそれに準ずる権利の成立を争うのではなく，それを認めたうえでの権利主張であること，賃料請求等はむしろ債権者としての主張であって，債権譲渡の対抗要件（債務者への通知または債務者の承諾——467条）を備えるべきこと（判例は反対で，Bに登記がありさえすればCへの賃貸借承継の通知は不要とする。最判昭33・9・18民集12巻13号2040頁），賃料の二重払の危険は受領権者としての外観を有する者に対する弁済の規定（478条）によって防げること，などを主張している。しかし，前説からは，この説では解約の申入れや解除の場合に妥当な結論が導けない，などという批判がなされている。

(c) 差押債権者等　同一不動産を差し押さえた債権者（差押債権者）や配当加入を申し立てた債権者（配当加入申立債権者）が第三者に含まれることは，前掲の大審院連合部明治41年12月15日判決でも明らかにされており，異論はない。だから，たとえば，Aから不動産を譲り受けたBが，債権に基づいて同一不動産を差し押さえたCに対して第三者異議の訴え（民執38条1項）により執行の不許を求めるためには，登記が必要である。このほか，仮差押債権者や破産債権者なども同様である。それでは，単なる一般債権者はどうか。多数の学説は，一般債権者はいまだ不動産上に物的支配を相争う関係にないことなどを理由に第三者に入らない，とするが，一般債権者も債務者の不動産を一般担保として引当てにしているから正当な利害関係を有すること，一般債権者が差押えまたは配当加入をしても債権がとくに強くなるわけではないから両者を同様に考えるべきこと，などから一般債権

者を登記なしには対抗しえない第三者に含める有力な学説がある。

(ウ) **登記なしに対抗できる第三者——登記の欠缺を主張する正当な利益を有する第三者にあたらない者**　　(a) **悪意者ないし背信的悪意者**　　不動産登記法は，民法177条の「第三者」から除外される二つの場合を明文で定めている。すなわち，①第一は，詐欺または強迫によって登記の申請を妨げた第三者である（不登5条1項）。たとえば，Aの不動産をBが譲り受けて登記しようとするのを，Cが詐欺または強迫によって妨げておいて，後にAからこれを譲り受けて登記をしても，BはCに登記なしに対抗しうる。②第二は，他人のために登記を申請する義務のある者，たとえば，法定代理人，破産管財人，受任者などである（ただし，他人のための登記の原因が自己の登記の原因の後に発生した場合を除く）（不登5条2項）。たとえば，Aから不動産を譲り受けたBの法定代理人CがBに代わって登記を申請する義務があるのに，それを怠ってAからこれを譲り受け，自分自身のために登記をしても，BはCに登記なしに対抗しうる。

(i) それでは，この二つの場合にあたらなければ，**第三者が悪意者あるいは背信的悪意者であっても，登記がないと，この者に対抗できないか。**旧民法典は，登記がなければ善意の第三者に対抗できない，と規定していたが，現行民法典はこの点につき何らの限定もしていない。

学説は，①善意・悪意を問わず登記がなければ第三者に対抗できない，とするのがかつての通説であった（善意・悪意不問説ないし無差別説）。これに対して，②登記は取引の安全を保護することを目的とするのだから，悪意の第三者まで保護する必要はないとして，このような者に対しては登記がなくても対抗できる，とする説（悪意者排除説）も唱えられたが，学説の主流を動かすには

いたらなかった。しかし，その後，③悪意の第三者も自由競争の範囲内にある限り177条の第三者に含まれるが，不動産登記法5条1項・2項に匹敵するような背信的悪意者は第三者から除外される，という考え方（背信的悪意者排除説）が唱えられ，次に述べるように判例もこの考え方をとるようになったこともあって，背信的悪意者排除説が現在の通説となっている。ただし，背信的悪意者を第三者から完全に除外すると，その者からの転得者は権利を取得する可能性が全くなくなることから，有力な学説は，背信的悪意者も第三者にはあたるけれども信義則上対抗力ある地位を失わされる，というような説明の仕方をしている。

判例は，かつては，善意・悪意不問説をとっていたが，その後，次のように背信的悪意者排除説をとるようになった。すなわち，①まず，判例は，一般論として，第三者に不動産登記法5条により登記の欠缺を主張することの許されない事由がある場合その他これに類するような信義に反すると認められる事由がある場合には，この第三者は登記の欠缺を主張する正当な利益を有しないものとし（最判昭31・4・24民集10巻4号417頁——傍論），②ついで，公序良俗違反による無効を理由に第二買主を177条の第三者に該当しないとする判例が現れた（最判昭36・4・27民集15巻4号901頁——AからBへの売買から長期間経過後，他の山林のことでBとの間で争いがありBに恨みを抱いていたCが，Bに復讐する意図の下でAに売買を懇請し低廉な価格でこれを買い受けた事件）。③その後，判例は，第一買主が登記していないのを奇貨としてこれに対して高値で売りつけて利益を得る目的で山林を買った第二買主につき，実体上物権変動があった事実を知る者においてその物権変動についての登記の欠缺を主張することが信義に反するものと認められる事情がある場合には，かかる背信的悪意者は，登記の欠缺を主張する

について正当な利益を有しないものであって，民法177条にいう第三者にあたらないとして（最判昭43・8・2民集22巻8号1571頁），判例のルールがほぼ固まり（最判昭44・1・16民集23巻1号18頁は，実体上物権変動があった事実を知る者，という文言を，実体上物権変動があった事実を知りながら当該不動産について利害関係をもつにいたった者，と修正した），その後同様の立場をとる判例が集積しつつある。なお，このような判例のルールは，二重譲受人間の紛争のようにもともと177条が適用されるタイプのケースにはもちろんのこと，時効取得者と旧所有者から時効の完成後に所有権を譲り受けた者との間の紛争のように二重譲渡と同視されるケースにも適用されている（たとえば，最判平18・1・17民集60巻1号27頁——Bが時効取得したA所有の不動産について，その取得時効完成後にCがAより当該不動産の譲渡を受けて所有権移転登記を了した場合において，Cが，当該不動産の譲渡を受けた時点において，Bが多年にわたり当該不動産を占有している事実を認識しており，Bの登記の欠缺を主張することが信義に反するものと認められる事情が存在するときは，Cは背信的悪意者にあたるというべきである，と判示した。なお，その要件の充足については，少なくともCがBによる多年にわたる占有継続の事実を認識している必要がある，としている）。

　そこで，現在の問題は，いかなる事情がある場合に登記の欠缺を主張することが信義に反すると認められるか，ということであるが，学説は判例をふまえつつ背信的悪意者を類型的にとらえようとしている。この類型的把握の仕方については，学説の間でまだ十分に固まっていないが，第三者Cの側の事情に焦点を置いておおむね次のような類型をあげることができる。すなわち，①Cに不動産登記法5条1項・2項に類する行為あるいはその延長線上にあるような行為がある場合（たとえば，前者の例として最判

昭44・4・25民集23巻4号904頁——不動産の贈与を受けたBが贈与者Aに対し処分禁止の仮処分中，AがBを欺罔して仮処分の執行を取り消させBの登記経由を妨げるのにCが協力したうえ，CがこれをAから譲り受けた場合，後者の例として最判昭43・11・15民集22巻12号2671頁——AがBに不動産を贈与したが，その後争いが生じ，Bを所有者と確認し，AがBに登記を移す旨の和解契約が成立して，そこに立会人として署名したCが，別の件でAに対して訴えを提起し勝訴して，この不動産を差し押さえた場合。なお，学説によっては，この①の場合を第三者が自己の行為と矛盾した態度をとり，信義則に照らしてこれを認めがたい場合と整理する），②Cが不当な利益を得るために，Aと共謀したり，Bに高値で売りつけるためにAから売却済みの不動産を買い受けたなど権利取得の方法が著しく信義に反する場合（前掲最判昭43・8・2），③CがBに対する害意をもって積極的にAに対しBに売却済不動産を自己に売るよう働きかけ，Bの権利を侵害しようとする場合（前掲最判昭36・4・27），である。他方，学説のなかには，第一譲受人Bの側の事情として，Bがすでに所有者として不動産を占有し，使用しているかどうかをあげ，これを重要な要素とするものもある（この説によると，時効取得者がいることを知りつつ旧所有者から所有物を譲り受けたような場合には，背信的悪意者と評価されやすいことになろう）。④なお，Bの取得時効完成後，旧所有者Aから当該不動産の譲渡を受けた者Cが背信的悪意者にあたるとされる場合があるが，この場合につき，判例は，取得時効の成否については，その要件の充足の有無が容易に認識・判断することができないことにかんがみると，Cにおいて，Bが取得時効の成立要件を充足していることをすべて具体的に認識していなくても，背信的悪意者と認められる場合があるというべきであるが，その場合でも，少なくとも，CがBによる

多年にわたる占有継続の事実を認識している必要がある,と解した(前掲最判平18・1・17)。

　(ii)　それでは,**背信的悪意者(C)からの転得者(D)については
どうか**(図12の⑦)。A・C間の契約が公序良俗違反と評価される場合には,Dは権利を取得することができないが,そうでない場合には,DがBに対する関係で背信的悪意者と評価されない限り,177条にいう第三者に含まれる,と解するのが学説・判例(最判平8・10・29民集50巻9号2506頁)である。

　(iii)　他方,**背信的悪意者にあたらない者(C)からの転得者(D)
が背信的悪意者であった場合にはどうか**(図12の⑦)。この場合には,二つの考え方がある。①第一は,Cが背信的悪意者でなくても,DがBに対する関係で背信的悪意者であれば,Bの登記の欠缺を主張できない,とする考え方である(相対説)。この考え方は,具体的妥当性を重視した考え方であるが,転得者各人について背信性の有無が争われる可能性がある点で法的安定性が損なわれるおそれがある。②第二は,Cが背信的悪意者でない以上,それ以降の転得者はたとえ背信的悪意者であっても第三者に含まれる,

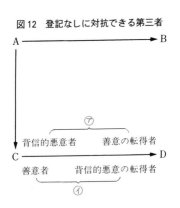

図12　登記なしに対抗できる第三者

とする考え方である（絶対説）。この考え方は，法的安定性を重視するものであるが，きわめて不当な結果が生じる可能性がある。そこで，Dが背信性を遮断するために善意のCを道具（「ワラ人形」）として使った場合には，背信性は遮断されない，と解している。

(b) 客観的に通行地役権として使用されていることが明らかな承役地の譲受人　通行地役権の承役地が譲渡された場合において，譲渡の時に，その承役地が要役地の所有者によって継続的に通路として使用されていることがその位置，形状，構造等の物理的状況から客観的に明らかであり，かつ，譲受人がそのことを認識していたかまたは認識することが可能であったときは，譲受人は，通行地役権が設定されていることを知らなかったとしても，特段の事情がない限り，地役権設定登記の欠缺を主張するについて正当な利益を有する第三者にあたらない（最判平10・2・13民集52巻1号65頁）。

(c) 実質的無権利者　同一不動産上に何ら実質的権利をもたない者（無効な法律行為によって物権を取得した者，無権利者から物権を取得した者等）には，登記なしに対抗できる（最判昭34・2・12民集13巻2号91頁）。

(d) 不法行為者，不法占拠者　A所有の建物を譲り受けたBが未登記の間に，Cが不法に壊した場合，あるいは不法に占拠する場合に，Cに損害賠償を請求し，あるいは明渡しを請求するためには，登記を必要としない（最判昭25・12・19民集4巻12号660頁）（ただし，Cが二重譲受人であるときには登記が必要）。

(e) 転々移転した場合の前主または後主　不動産がA→B→Cと転々移転した場合に，Cからの登記請求（423条による代位請求）に対しAはCの登記の欠缺を主張しえないし，CはA・B

間の移転につきその登記欠缺を主張しえない。いずれも，登記欠缺を主張する何らの正当な利益もないからである（最判昭 39・2・13 判タ 160 号 71 頁）。

(f) 一般債権者　多数の学説は，一般債権者には登記なしに対抗しうる，としているが，反対の有力説がある（前述）。

4　登記の推定力と公信力

(1) 登記の推定力　登記は物権変動の対抗要件であって，効力要件ではないから，物権変動があったからといって必ずしも登記がなされるとは限らない。しかし，実際には，物権変動があれば登記がなされるのがふつうである。そこで，学説は一般に，登記に推定力を認め，判例もまた，反証がない限り登記に記載されたとおりの権利関係があると推定すべきものとした（最判昭 34・1・8 民集 13 巻 1 号 1 頁）。なお，推定には，法律上の推定と事実上の推定があるが，判例は事実上の推定と解しているようである（最判昭 46・6・29 判時 635 号 110 頁。事実上の推定の場合には，登記の記載の真実性を争う者が真偽不明の状態まで立証すれば，推定は破れる）。

(2) 登記の公信力　わが国の制度では，登記には公信力がない（解釈論として登記に一種の公信力を認める学説があることについては，前述 3 (1)）。だから，実体関係にあわない登記を信頼して取引をしても，登記に記載されたとおりの法律効果は認められない。

しかし，判例は，実体関係にあわない登記がある場合において，真実の権利者側にその不実の登記を放置していたという帰責性があり，第三者側にその登記を信頼して取引したという善意・無過失の要件が備わっている場合には，94 条 2 項を類推適用して，その第三者を保護するようになっている。これにより，一定の範囲で登記に一種の公信力を認めたのと変わらない結果が導かれて

いる。

5 仮登記の効力

(1) 仮登記がなされる場合　物権変動の対抗力を生ずるのは，本登記（終局登記）であるが，この本登記をする手続上・実体上の条件が備わっていない場合には，後になされる本登記に備えて仮登記をすることができる。すなわち，仮登記は，①不動産登記法3条各号に掲げる不動産に関する権利（所有権，地上権，永小作権，地役権，先取特権，質権，抵当権，賃借権，採石権）について保存等があった場合において，登記申請のために登記所に提供しなければならない情報であって省令で定められるもの（同法25条9号の申請情報——登記義務者の登記識別情報とか登記原因証明情報とか，その他法令で提供すべきものとされている情報——と併せて提供しなければならないものとされているもののうち法務省令で定めるもの）を提供することができないとき（不登105条1号），および，②同法3条各号に掲げる権利の設定，移転，変更または消滅に関して請求権を保全しようとするとき（不登105条2号）に，これをすることができる。たとえば，債権担保のためにあらかじめ代物弁済の予約とか停止条件付代物弁済契約を結んで，所有権移転請求権保全の仮登記をしておくことがある（仮登記担保）が，これなどはその例（②の例）である。

(2) 仮登記の効力　仮登記の効力は，将来本登記がなされた場合に備えて順位を保全しておくことである。すなわち，仮登記をした場合には本登記の順位は仮登記の順位による（不登106条）。たとえば，①AからBが所有権移転請求権保全の仮登記を受けていた不動産を，②AからCが譲り受けて移転登記を受けていても，③Bの仮登記が本登記に改められると，Bの所有権取得が

優先してCに対抗しうるものとなる。なお，この場合に，順位保全の効力が生じるのは，本登記の対抗力が仮登記の時に遡るからなのか（対抗力遡及説），それとも単に順位が遡るからなのか（対抗力非遡及説ないし順位遡及説），問題となる。両説の相違は仮登記を本登記に改めるまでの果実をどちらが取得できるかに関し，前説ならB，後説ならCとなるが，学説は後説が有力である。判例はかつては前説をとっていたが，近年では対抗力遡及ということばを避けるとか，BからCへの使用・収益の返還請求を否定するなど，後説に近づきつつあるようである。

ところで，先の例で，BはAに対して仮登記を本登記に改めるのに協力するよう請求できる権利があるはずであるし，またCに対しては本登記の抹消を請求できるはずである。不動産登記法によれば，所有権についての仮登記を有するBがAと共同申請（あるいは判決）により本登記に改めるには，Cの承諾またはこれに代わる判決が必要であり，Bのために本登記がなされると，職権でCの登記が抹消される（不登109条）。

6 登記の手続

(1) 登記請求権　(ア) 共同申請原則　権利に関する登記は原則として当事者の申請に基づいてなされるが（不登16条1項・60条），それは登記権利者（権利に関する登記をすることによって登記上，直接に利益を受ける者，不登2条12号）と登記義務者（反対に，直接に不利益を受ける者，不登2条13号）の共同申請が原則である（不登60条）。このように登記の申請に登記義務者を加えるのは，登記をすることによって不利益を受ける者を加えることによりできる限り登記が真の実体関係を反映するようにしよう，という配慮に基づく。以上の例外は判決，相続または法人の合併による登

記で，これらの場合には登記権利者だけで申請することができる（不登63条）。登記の申請がなされると，登記官は，申請人の申請権限の有無については調査する（不登24条）が，原因関係まで審査しないで，それが形式的要件に適合している限り（申請の却下事由は不登25条各号に定められている）登記の記録をする（形式的審査主義。反対に，原因関係まで審査する立法主義を実質的審査主義という）。

★★　(イ)　**登記請求権の根拠**　ところで，共同申請すべき場合に，登記義務者が登記に協力しないときには，登記権利者は登記義務者に対し登記手続に協力すべきことを請求することができるか。これは当然認められる。この登記権利者の権利を登記請求権というが，登記請求権の根拠については，考え方が分かれている。考えられる根拠は三つある。①第一は，物権の効力すなわち物権的登記請求権であり，②第二は，物権変動の過程をそのまま登記に表す必要があるという登記法上の要請に従い，物権変動の事実そのものから生ずる登記請求権であり，そして，③第三は，当事者間の登記に関する契約上の合意すなわち債権的登記請求権である。判例はこれら三つの根拠を三つとも認めている。たとえば，第一の例としては，実質的権利者が不正登記の名義人に対して有する抹消登記請求権（例－大判明43・5・24民録16輯422頁）などがあり，第二の例としては，買主が目的不動産を転売した後でも売主に対して登記請求権を失わないことなどをあげており（例－大判大5・4・1民録22輯674頁），さらに，第三の例としては，登記に関する特約（たとえば中間省略登記，例－大判大11・3・25民集1巻130頁）などをあげている。学説は，③の債権的登記請求権があることは当然として，①の物権的登記請求権と②の物権変動の事実から生ずる登記請求権については，①の物権的登記請求権で一

元的に説明できるとするもの，②の物権変動の事実から生ずる登記請求権で一元的に説明すべきとするもの，①②の両方を認めるもの，などに分かれている。しかし，これらは説明の違いであって，登記請求権を認めることについては，意見が一致しているとみられる。

(ウ) 登記引取請求権　　以上とは反対に，登記義務者が登記しようとするのに対して登記権利者が登記に協力しない場合に，登記義務者は登記権利者に登記を引き取れと請求することができるか。判例はこれを認める（最判昭36・11・24民集15巻10号2573頁）。これを登記引取請求権と呼んでいる。登記引取請求権を認める実益は，売主から固定資産税の負担を取り除くことにある。

(2) 登記の有効要件　　登記が公示方法として効力を生ずるためには，形式的要件としてそれが不動産登記法所定の手続的要件を満たしていること，および実質的要件として実体関係に適合していることが必要である。

(ア) 形式的有効要件　　(a) 登記官の過誤による遺漏等　　権利に関する登記に錯誤または遺漏があったことを登記官が発見したときは，遅滞なく，その旨を登記権利者および登記義務者に通知しなければならず，登記の錯誤または遺漏が登記官の過誤によるものであるときは，登記の更正がなされなければならない（不登67条1項2項）が，登記の効力はどうなるか。この問題は，結局，錯誤や遺漏につき何らの責めるべき点のない真の権利者を保護して静的安全をとるか，それとも登記の公示機能を重視して登記官の過誤や物理的滅失の負担を真の権利者に負わせることにより動的安全をとるか，という問題に帰するが，判例は，いったん登記簿に記載された登記が新登記簿への移記などのさい登記官の過誤で遺漏したという旧不動産登記法上の事件で前者の立場をと

り，登記によって一度発生した対抗力は，登記官の過誤による遺漏（大判昭10・4・4民集14巻437頁）や登記簿の滅失（最判昭34・7・24民集13巻8号1196頁）によっては失われない，と解した。学説はむしろ反対で，登記の記載がなくなれば第三者に対する対抗力の基礎もなくなるとし，登記は継続して存在することを必要とする，と説明している。なお，以上とは別に，登記が第三者の不法行為（偽造の書類で申請したなど）や登記官の過誤によって不法に抹消された場合には，判例（大連判大12・7・7民集2巻448頁）・学説とも，対抗力は失われない，と解した。登記の抹消は抹消登記によってなされるが，不法になされた抹消登記に効力を認めると，抹消登記という登記に公信力を認めた結果となる，というのがその理由である。

(b) 二重の登記　旧不動産登記法の下では，わが国の不動産登記制度は物的編成主義をとり，しかも一不動産については一用紙が備えられる，という一不動産一用紙主義がとられていたから，一つの不動産について二重に保存登記がなされることはないはずであった。しかし，何らかの理由で（はじめ二重に表示の登記がなされ，続いてそれぞれについて保存登記がなされることにより）二重の保存登記がなされることが起こった。この場合にはどちらかの登記が有効で他は無効となるが，どれを有効としどれを無効とするかについては，次のような考え方が唱えられた。すなわち，①第一は，手続的な登記の先後の順序により先の登記が有効，後のが無効とする考え方であり（このなかにも，さらに表示の登記の先後によるという考え方と，保存登記の先後によるという考え方とがある），②第二は，いったん二重登記がなされたら手続的順序で有効・無効は決まらず，実体法的観点から決められるべきだとする考え方である。判例は①の考え方をとった（大判明38・6・7民録11輯

906頁）が，先の登記が実質的有効要件を欠いて無効の場合には，後の登記だけが効力を有するとした（最判昭34・4・9民集13巻4号526頁）。現行法の下ではどうなるか。電子情報による申請が2以上された場合に，それが同時であるとき（申請の前後が明らかでないときには，同時とみなされる。不登19条2項）には，同一の受付番号が付され（不登19条3項），登記も同一の順序となる。したがって，両者の効力は実体法的観点から決められることになろう。

(c) その他の手続的瑕疵　登記の手続は適法になされなければならないが，いったんなされた登記については，実体的権利関係に符合しているかどうかによって，その有効性を判断すべきだというのが学説，判例の傾向である。

(イ) 実質的有効要件　(a) 登記に対応する実体がない場合

原則として無効である。たとえば，建物が実在していないのに実在しているものとして保存登記がなされた場合，建物が滅失していないのに滅失したものとして抹消登記がなされた場合，権利変動が全くないのにあるものとして移転登記がなされた場合，権利名義人が全く権利を有していない場合などは，いずれも登記は無効である。ただし，登記の記載と実体との間に多少の不一致があっても，両者の間に同一性が認められ，その登記が公示機能としての役割を果たしていると認められる場合には，有効である（例―最判昭31・7・20民集10巻8号1045頁）。

(b) 旧登記の流用　最初有効であった登記が実体関係を欠くようになった後において，最初の実体関係と別個類似の実体関係が生じた場合に，最初の登記を後の実体関係の登記として用いる（流用する）ことができるか。たとえば，滅失した建物の登記を新築建物の登記に流用したとか，被担保債権の弁済によって抵当権が消滅したのに抵当権登記をそのままにしておいて後に再び

同じ内容の抵当権を設定して旧登記を用いた場合に，これらの登記の効力はどうか。旧不動産登記法下での考え方であるが，新築建物への流用については常に無効（例―最判昭40・5・4民集19巻4号797頁），抵当権登記の流用については，流用前に現れた第三者に対する関係では無効，流用後に現れた第三者に対する関係では有効（例―大判昭11・1・14民集15巻89頁），というのが一般の考え方である。

　(c) 登記が現在の権利状態と一致しているが物権変動の過程と一致しない場合——中間省略登記の効力　　たとえば，不動産がAからB，BからCへと譲渡された場合に，登録免許税を節約するなどの目的のために登記をAからCへ直接移転することがある。旧不動産登記法の下でこのような中間省略登記が有効かどうかが問題となった。登記は物権の現状を表すだけでなく，その過程をもできる限り忠実に反映すべきだとする考え方によると，中間省略登記の効力は否定されることになろう。かつての判例はそう解した。しかし，中間省略登記が慣行的に行われたこと，中間者Bの同意があればその者の利益（Bは，一方Cに譲渡した後でもAに対して登記請求権があり，他方Cに対しては代金が支払われない限り登記の移転を拒む利益——同時履行の抗弁権——がある）を考える必要がないことから，判例は，A・C間の中間省略登記に中間者Bが同意した場合には，有効と解するようになった（大判大5・9・12民録22輯1702頁等）。そうして，さらに，中間者Bの同意なしに中間省略登記が行われた場合でも，登記上利害関係を有する第三者が現れた後においては，Bが中間省略登記の抹消を求める正当な利益がないときには中間省略登記の抹消を求めることができないとし（最判昭35・4・21民集14巻6号946頁），また，中間者Bの同意を必要とするのは中間者の正当な利益を守るためで

あるから，第三者の側からBの同意の欠缺を理由に中間省略登記の無効を主張することはできない，と判示した（最判昭44・5・2民集23巻6号951頁）。学説はおおむねこのような判例の考え方を支持しているが，中間者の同意の有無にかかわらずいったんなされた中間省略登記は常に有効と解する説もある。

現行法の下では，登記の申請に際して，その申請情報とあわせて「登記原因を証する情報」（売買契約書など）を提供しなければならなくなった（不登61条）から，中間省略登記の申請は事実上できなくなったといわれた。しかし，実務上の要請から物権変動の過程を忠実にあらわすという原則を崩さずに中間省略登記と同様の効果をもたらす方法（買主の地位の移転，第三者のためにする契約）が認められるようになっている。

(d) 登記が現在の権利状態と一致しているが物権変動の原因と一致しない場合　たとえば，贈与によって所有権が移転したのに売買を登記原因とした場合でも，所有権移転の効果を生ずる点では同じなので，有効であり（大判大5・12・13民録22輯2411頁），虚偽表示など無効な登記原因に基づいてなされた登記を回復するのに，抹消登記によらずに移転登記によった場合でも，元の名義人に登記が戻る点では同じなので，有効（最判昭30・7・5民集9巻9号1002頁）と解されている。

Ⅳ　動産物権変動における公示

1　序　説

(1)　動産の物権変動と対抗要件　たとえば，AからBが甲機械（動産）を買って代金を支払ったが，引渡しを受けないうちにAがCにこれを二重に売って引き渡してしまったとしよう

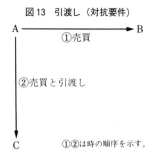

図13 引渡し（対抗要件）

①②は時の順序を示す。

（図13）。BはCに対して、自分が甲機械の所有者だと主張して、所有権の確認と機械の引渡しを求めることができるか。民法178条は、「動産に関する物権の譲渡は、その動産の引渡しがなければ、第三者に対抗することができない」、と規定して、動産物権変動の対抗要件が「引渡し」であることを定めているから、このBの請求は認められないことになろう。これが民法が定めている動産物権変動における対抗の問題であるが、そもそもこのような原則が適用される動産とは何か、また、引渡しとはどのような行為をいうか、といったいくつかの問題が生じる。

動産の譲渡はまた、民法が定めた引渡しとは別に、一定の要件の下で、「動産譲渡登記ファイル」に登記をすれば、第三者に対抗できる（「動産及び債権の譲渡の対抗要件に関する民法の特例等に関する法律」）。このような登記ファイルに登記できる主体は誰か、どのような動産に適用されるか、引渡しと登記との関係はどうか、など考察すべき問題がある。

(2) 動産の物権変動と善意（即時）取得　たとえば、AからBが甲機械を買って引渡しを受けたが、再びAが、これをBから借りて占有しているうちに、これをAのものだと信じているCに自分のものとして売ってしまったとしよう（図14）。BはC

Ⅳ 動産物権変動における公示

図14 善意（即時）取得制度

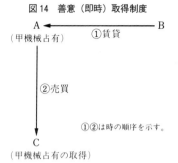

に対して，この機械が自己のものだとして返還を請求することができるか。192条によると，「取引行為によって，平穏に，かつ，公然と動産の占有を始めた者は，善意であり，かつ，過失がないときは，即時にその動産について行使する権利を取得する」，と規定しているので，Aの甲機械に対する占有を信頼してAを所有者と信じ甲機械を善意・無過失で買って占有を取得したCは，その所有権を取得することになろう。これはAのもとにある占有に公信力が与えられた結果である。このような制度を善意取得制度とか即時取得制度とか呼んでいるが，その適用の要件については考察すべき問題がいろいろある。

(3) 叙述の順序　そこで，以下では，まず，動産物権変動の対抗要件の問題を考察し（2，3），続いて，動産の即時取得制度について，説明を加えることにする（4）。

2　動産物権変動の対抗要件(1)――「引渡し」

(1) 178条が適用される動産の範囲　178条は，不動産の物権変動に関する177条に対応する規定で，動産に関する物権の譲渡に適用される。民法上動産とは，土地およびその定着物（これ

が不動産である。86条1項）以外のすべての物をいう（86条2項）が，しかし，動産ではあっても，特別の対抗要件制度を備えているものとか，性質上引渡しを対抗要件とするのにふさわしくないものについては，本条は適用されない。すなわち，①登記された船舶，登記された建設機械，登録された自動車，登録された航空機等は，それぞれの制度の登記または登録を対抗要件とする。②不動産の従物たる動産（たとえば，建物に備え付けた畳・建具）は，不動産の移転につき登記がなされれば，それによって公示される。③金銭は所有と占有が一致するという性質をもっているので，金銭所有権の移転は現実の占有の移転によって行われ，したがって本条の適用される余地はない，と解されている。

なお，平成29年改正前民法は，「無記名債権は，動産とみなす」との規定を置いていた（86条3項）が，改正法は，この規定を削除し，無記名債権の規律に代えて，第3編債権・第1章総則・第7節有価証券に関する規定（520条の2以下）のなかで，無記名証券として規律することとした（520条の20──相違は，たとえば，動産として扱われる無記名債権の譲渡は意思表示が効力発生要件，引渡しは対抗要件であるのに対して，無記名証券として扱われる改正法によれば，引渡しは効力発生要件とされる，など。担保物権法編第2章Ⅲ4(2)参照）。

(2) 物権の譲渡　178条は動産に関する「物権」と規定するが，具体的に適用を受ける物権は所有権である。また，質権が債権譲渡とともにその随伴性によって移転する場合には，対抗要件として目的物の占有の移転が必要である。「譲渡」には，所有権の譲渡のみならず，取消しまたは解除による権利の復帰も含まれる。

(3) 引渡し　対抗要件は「引渡し」である。引渡しとは占有の移転をいうが，占有移転には四つの態様がある（図15）。すな

IV 動産物権変動における公示

図15 引渡し（占有移転）の四態様

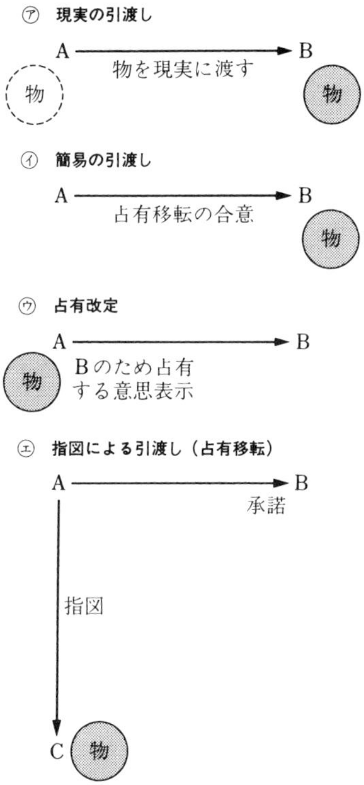

⑦ **現実の引渡し**

A ─── 物を現実に渡す ──→ B
(物)   物

④ **簡易の引渡し**

A ─── 占有移転の合意 ──→ B
                        物

⑨ **占有改定**

A ─────────────→ B
物 Bのため占有
    する意思表示

㊤ **指図による引渡し（占有移転）**

A ─── 承諾 ──→ B

│指図
↓
C 物

わち、⑦第一は現実の引渡しであり（182条1項）、これは文字どおり物に対する現実的支配を移すことであるから、引渡しとして対抗要件になることはいうまでもない。④第二は簡易の引渡しである（182条2項）。たとえばAからBが借りて所持している物をBが買い取る場合には、占有を移転する旨の合意だけでBは占有の移転、すなわち引渡しを受けたことになる。Aにいちど返してもういちど引渡しを受ける必要はないわけである。⑨第三は

85

占有改定である（183条）。たとえば，Aが占有している物をBに売ってBから借りて所持しておく場合には，Aは，今後Bのためにその占有代理人として占有する，という意思を表示しさえすれば，Bは占有を取得する（このBの占有を間接占有といい，物を所持しているAの占有を直接占有という）。いちどBに現実の引渡しをしてもういちど借りる必要はない。占有改定が178条の引渡しにあたるかどうかは，物の直接の占有が相変わらずAのもとにあるので一応問題となるが，判例はふるくからこれを肯定し（最高裁の判例として，最判昭30・6・2民集9巻7号855頁），学説もまた同様である。このように占有改定でもBの対抗要件が満たされるとすると，Aのもとにある占有を信頼してAから買い受けた第三者Cは178条によっては保護されない。しかし，後述するように192条の即時取得制度があるから（4），これによってCの保護が可能となる。㊃第四は指図による占有移転である（184条）。AからBが，AがCに預けている物を買った場合には，AがCに対し今後Bのために占有するよう命じ，Bがこれを承諾したときには，Bは占有を取得する（Cが直接占有，Bが間接占有を有する）。いちどCが物をAに返してAがこれをBに渡し，Bが改めてCに預ける必要はないわけである。指図による占有移転もまた引渡しになるから，仮にAが物をDに二重に譲渡しても，すでに指図による占有移転を受けているBはDに対抗しうる（最判昭34・8・28民集13巻10号1311頁。Cに対しても対抗要件——指図による占有移転——を備えないと対抗できないかについては，次に述べる）。

  (4) 第三者の範囲　不動産物権変動に関する177条の場合と同様に考えてよい，とするのが一般の考え方である。ただ，先の
★　指図による占有移転の場合に関して，**直接占有者（C）もまた第三**

者に含まれるか，したがってまた，指図による占有移転を受けないとBはCに対抗できないか，が問題とされている。判例は，Cが賃借人の場合と受寄者の場合とを区別し，賃借人の場合には，Cは引渡しがなかったことを主張するにつき正当な法律上の利害関係を有する第三者であるとし（例－大判大4・4・27民録21輯590頁），受寄者の場合には，Cは所有者の請求がありしだいいつでも返還しなければならないのだから第三者にあたらない（例－最判昭29・8・31民集8巻8号1567頁），と解している。これに対して，学説は，賃借人であっても受寄者であっても誰に返還すべきかについて重大な利害関係をもっているから，ともに指図による占有移転が必要とするのが多数説であり，反対に少数説は，動産の賃借人や受寄者は目的物の上に物的支配を取得しようとするものではないから，ともに指図による占有移転を必要としない（誰に返還すべきかについては利害関係があるが，Cの保護は478条の受領権者としての外観を有する者に対する弁済の規定で図られる），と解している。

3 動産物権変動の対抗要件(2)――「登記」

(1) 動産譲渡登記制度の立法理由　動産譲渡のもう一つの対抗要件の方法は，「登記」であり，これは平成16年に法制化され，翌年3月から施行された。このような登記制度が創設されたのは次のような事情に基づく。

金融取引の進展は，資金調達の方法を必要とするが，その中心は，かつてもいまも不動産（抵当権を設定するなどして資金を借りるなど）である。しかし，近年，中小企業などを中心に債権や動産を利用して資金調達を可能とするニーズが強まり，債権については，すでに債権譲渡特例法（「債権譲渡の対抗要件に関する民法の特

例等に関する法律」平成10年）が制定され，債権譲渡登記制度が導入された。動産については，一部の特定の動産について抵当制度が認められているほか，このような目的に資するのは譲渡担保であった（動産質は，占有を債権者に移すため，中小企業者が動産を利用しつつ資金調達をするニーズは満たしにくい）が，すでに述べたように，民法が定める動産物権変動の対抗要件たる「引渡し」は外部から認識できにくいために，公示方法としては不完全であり，動産を譲渡担保として資金を貸し付けることには，リスクが伴った。そこで，債権譲渡特例法を改正し，動産譲渡登記制度を創設して，個別の動産や集合動産を担保化して（譲渡担保）金融の道を開き，さらには動産を特定目的会社に譲渡しそれを証券化して（動産の流動化）資金調達を可能とするようにしたのが，「動産及び債権の譲渡の対抗要件に関する民法の特例等に関する法律」（動産・債権譲渡特例法——動産債権譲渡特と略称する——，平成16年）である。もっとも，この制度の適用範囲は，譲渡担保や動産の証券化・流動化に限られるわけではなく，動産譲渡一般の制度として設けられた。

(2) 動産譲渡登記制度が適用される範囲と特定　　この制度は，法人が動産（当該動産につき貨物引換証，預証券および質入証券，倉荷証券または船荷証券が作成されているものを除く）を譲渡した場合に，適用される。動産は，個別の動産でも，在庫商品のような集合動産でもよい。動産の特定の方法は，個別の動産の場合には，たとえば，その動産の型式，製造番号などその動産を他の動産と区別するに足る特質を省令により登記事項とすることにより，また，集合動産の場合には，動産の名称，種類に加えて，その動産の保管場所の所在地および名称などを登記事項とすることにより，特定される。

(3) 登記による対抗と登記の存続期間　当該動産の譲渡につき動産譲渡登記ファイルに譲渡の登記がされたときは，当該動産について，民法 178 条の引渡しがあったものとみなされる（動産債権譲渡特 3 条 1 項）。

本法による登記は，民法 178 条の引渡しと同じ効力を有するから，引渡しと本法による登記があった場合には，早いほうが他に対して対抗できることになる。

登記の存続期間は，原則として 10 年を超えることができない（動産債権譲渡特 7 条 3 項）。

(4) 登記所・登記事項証明書・登記事項概要証明書・概要記録事項証明書　指定法務局等（債権譲渡登記と同様，東京法務局が指定されている）に，磁気ディスク（これに準ずる方法により一定の事項を確実に記録することができる物を含む）をもって調製する動産譲渡登記ファイルを備える（動産債権譲渡特 7 条 1 項）。動産譲渡登記ファイルに記録されている事項を証明した書面を登記事項証明書というが，これは，譲渡人・譲受人その他当該動産の譲渡につき利害関係を有する者のみがその交付を請求できる（動産債権譲渡特 11 条 2 項）。動産譲渡担保の設定の情報が自由に知られることにより譲渡人の資産状態が外部から自由に把握されるのを防ぐためである。しかし，何人も，指定法務局等の登記官に対し，登記事項の概要を証明した書面（「登記事項概要証明書」）の交付を請求できるし，また，本店等所在地法務局等にはその概要が通知され，登記事項概要ファイルが備えられるので，そこの登記官に対し，そこに記録されている事項を証明した書面（「概要記録事項証明書」）の交付を請求できるから，それが交付されれば，動産の譲渡（担保）があったかどうかの概要がわかるので，相手方に登記事項証明書の開示を要求するなどして，取引の対象となってい

る動産の法的状況を知ることができる。

4 動産の即時取得(善意取得)

(1) 即時取得制度の意義　動産取引は日常頻繁に行われているが,時には,処分権限のない者が占有している物をその者の所有物と信じて取引することがある。たとえば,AがBから借りている物とか,AがBに売却してBから預かっている物を,Aが自己のものとしてCに売ってしまったような場合である。このような場合に,民法は,取引の安全を考えて動産の占有に公信力を認め,Cは権利(この例では所有権)を取得するものとした(192条)。これが即時取得制度である。即時取得は,民法上,占有権の効力として規定されているが,これは沿革(中世ゲルマン法の,物に対する現実的支配が権原となるゲヴェーレから,フランス民法等を経由して,占有権の効力としてわが民法に規定された)の名残であって,今日では取引の安全のための制度と考えられている。したがって,Cの権利が保護されるのは,Cの取得した占有の効果によってではなく,Cの前主Aの占有に対するCの信頼を保護するためである。このような観点から192条の解釈には適当な制限を加えなければならない。

即時取得の要件は,①取引の客体が動産であること,②A・C間が取引による承継取得であること,③前主Aが無権利ないし無権限であること,④譲受人Cの取得が平穏・公然,善意・無過失であること,⑤Cが取引の客体の占有を取得すること,である。以下,まずこれらの即時取得の要件を考察し,ついで効果について述べ,最後に,盗品・遺失物の特則についてふれておく。

(2) 動産　192条が適用されるのは取引の客体が動産の場合である。動産の意味・範囲については,178条が適用される動産

の範囲について述べたことがここでもあてはまる。登録を受けていない自動車について，判例は即時取得の適用を認めた（最判昭45・12・4民集24巻13号1987頁——事案は登録が抹消された自動車の事例。これに対して登録自動車には適用がない。最判昭62・4・24判時1243号24頁）。工場財団に属しその財団目録に記載された工場備付けの動産には抵当権の効力が及び，譲渡が禁止されているが，財団から分離され，譲渡された場合には，192条が適用される（工抵5条2項）。

(3) 承継取得——「取引行為によって」　即時取得は取引の安全を保護する制度であるから，まず，A・C間には取引行為（売買，贈与，代物弁済など。競売も含むというのが判例——最判昭42・5・30民集21巻4号1011頁——である）がなければならない（192条）。たとえば，他人の動産を自己の物と誤信して占有しても即時取得の規定の適用がないことはいうまでもないが，そのほか，他人の山林を自己の山林と誤信して伐採し，動産となった立木を占有しても適用がないし（大判大4・5・20民録21輯730頁等。その者から動産となった立木をさらに譲り受けた者は即時取得する（立木4条5項参照）），相続によって相続財産中にある他人の動産を包括承継しても適用されない。ただし，無権利者から立木や稲立毛を譲り受けて明認方法を施した場合に即時取得の適用があるかについては，判例上疑問があり，肯定に解する学説もあるが，一般の学説は明認方法にそこまでの効力を認めるべきでない，として否定している。

次に，即時取得制度は無効な取引行為を有効とする制度ではないから，A・C間の取引行為自体は有効でなければならない。この取引行為が，意思能力を有しなかったために無効であったとか，あるいは行為能力の制限，錯誤，詐欺，強迫等によって，取り消

された場合には，即時取得は適用されない。

(4) 前主の無権利ないし無権限　Aの無権利ないし無権限の態様にはいろいろある。たとえば，AがBから物を借りていた（賃借人）とか預かっていた（受寄者）とか担保にとっていた（質権者）場合，AがBから物を買ったがこの売買が無効であったとか取り消された場合（なお，この取消原因が通謀虚偽表示や詐欺の場合には，Aからの譲受人Cの保護は94条2項や96条3項によることもできる），Aが物をBに売り占有改定してその後Cに二重に売った場合，代理人Aが代理権限に基づいて処分したもののなかに他人Bの動産が含まれていた場合，他人の動産を自己の名で処分する権限のある者Aが処分した動産のなかに他人Bの物が含まれていた場合，などである。Aが所有権留保付売買の買主の場合には，Aに処分権限がないかどうか，所有権留保の性質をめぐって問題になりうるが，判例（最判昭47・11・21民集26巻9号1657頁）は，即時取得を適用する。なお，制限能力者や無権代理人の処分については，それぞれの制度で解決されるべきであって，即時取得は適用されない（即時取得を適用すると，それらの制度は無意味となる）。

(5) 平穏・公然，善意・無過失　平穏・公然は推定される（186条1項）。しかし，そもそも即時取得制度は取引の安全を保護する制度であって，AからのCの占有の取得は取引行為によらなければならないから，平穏・公然の要件は常に満たされることになり，この要件は無意味といえる。善意も推定される（186条1項）。無過失についてはどうか。占有者が占有物の上に行使する権利はこれを適法に有するものと推定される（188条）から，CがAの占有を適法と考えたことは過失のないものと推定される（最判昭41・6・9民集20巻5号1011頁）。動産・債権譲渡特例法

によって登記されている動産も即時取得の対象となるが，登記の有無を調べなかったことは，無過失の判断に影響を与える可能性がある。

(6) 占有の取得　(a) 現実の引渡し　AからCが占有を取得する（「占有を始めた」）態様にはいくつかの型があるが，現実の引渡しがこれにあたることはいうまでもない。

(b) 簡易の引渡し　これも占有の取得にあたる。

(c) 占有改定　**AからCが動産物権を譲り受け，占有改定によって占有を取得することがあるが，このような占有改定は192条の占有の取得にあたるか。**このような問題が生じるのは，主に次の三つの場合である（図16）。すなわち，①第一は，AがBから物を借りて占有しているのをAの物と信じたCが，Aからこれを買って占有改定によって占有を取得したような場合である（無権限処分型）。これは動産の賃借人などが無権限で処分した場合に生じる。②第二は，Aが物をBに譲渡して占有改定をしておき，ついでCに二重に譲渡して占有改定した場合である（二重譲渡型）。これは動産の譲渡担保を二重に設定したような場合に生じる。そして，③第三は，それらの複合であり，AがDから借りて占有していた物をBとCに二重に譲渡した場合である（複合型）。

判例は，192条により所有権を取得しうるためには，一般外観上従来の占有状態に変更を生ずるような占有を取得することを要し，かかる状態に一般外観上変更をきたさないいわゆる占有改定の方法による取得をもっては足らない，という理由で占有改定による即時取得を否定してきた（大判大5・5・16民録22輯961頁，最判昭32・12・27民集11巻14号2485頁，同昭35・2・11民集14巻2号168頁）。

これに対して，学説は分かれている。すなわち，①第一は，占

図16 占有改定と即時取得

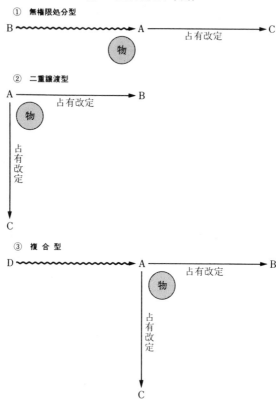

有改定でも即時取得する、とする肯定説である。この説は、取得者の信頼の保護を強調し、前主Aの占有こそ必要であっても、取得者Cの占有の取得は即時取得の本来的要件ではないから、Cが対抗要件たる引渡し（そこには占有改定が含まれる）を受けていれば、即時取得するとし、他方、Bについては、Cが占有改定によって間接占有を取得したことでBの信頼は裏切られ、また間

接占有は消滅する,とする。しかし,この説は今日少数説にとどまっている。②第二は,判例と同様,占有改定では即時取得しない,とする否定説である。この説は,原権利者ないし第一買主との利益のバランス上外観からはっきりしない占有改定では不十分とし,BもCもともにAを信頼して物を所持させている関係にあるから,物がAのもとにある限りBのAに対する信頼は裏切られておらず,Bの権利は存続している,と主張し,さらに即時取得を認めると,物がAからBに返還ないし引き渡されても,Cが即時取得を主張してBに物の引渡しを求めると,Bはこれを引き渡さなければならなくなる不都合を指摘する。この説は今日の多数説である。③第三は,折衷説であって,占有改定でも即時取得するが,現実の引渡しを受けるまではその取得は確定的でなく,現実の引渡しを受けることによって確定的になる,とする説である。この説は,前主Aの占有に対するCの信頼の保護を強調して占有改定でも即時取得することを認める点で肯定説の立場に立つが,しかし,AがBに返還ないし引き渡した後でもCがBに引渡しを求めうる不都合を避けようとする点では否定説の結論と同じである。以上三つの説の具体的な結論の相違をみておくと,表2のとおりである。④このほか,最近では,この問題を無権限処分型,譲渡担保の二重設定型,複合型の類型に分けて,それぞれの類型に応じて利益衡量して判断する立場も現れている。この立場は結論として,ほぼ否定説と同様の解決を導いているが,ただ,譲渡担保の二重設定型の場合には,目的物が現実にCに引き渡された時点でCが善意・無過失でなくなっていても,Bを第一順位の譲渡担保権者,Cを第二順位の譲渡担保権者と解することができる,としている。

(d) **指図による占有移転** 指図による占有移転はどうか。判 ★★

表2 占有改定と即時取得

物の現実の所在	B, Cいずれが勝つか		
	肯 定 説	否 定 説	折 衷 説
A	C	B	原告負け・現実占有した者勝ち
B	C	B	B
C	C	C（現実占有時善意必要）	C（契約時善意必要・現実占有時悪意可）

例は、かつては、否定に解するものが多いといわれていたが、最高裁は肯定説をとり、指図による占有移転を受けることにより192条にいう占有を取得したものと判示した原判決を正当とした（最判昭57・9・7民集36巻8号1527頁）。学説は、肯定説が圧倒的多数であり、真正の権利者の信頼は形のうえでも裏切られているとか、指図による占有移転は第三者たる所持人に対する命令が必要だから、占有の移転を外部から認識しうる、とかいった理由があげられている。しかし、近時、指図による占有移転が問題になる場合を紛争類型に分けて、原所有者Aと取得者Dの物に対する密接度から解決を導く立場が現れている（図17）。すなわち、この立場は、ⓐAからBが預かっている物をBがCに譲渡して占有改定をし、CがこれをDに譲渡して指図による占有移転をした場合と、ⓑAからBが預かっている物をBがさらにCに預けて現実の引渡しをし、BがこれをDに譲渡して指図による占有移転をした場合とを区別する。そうして、ⓐの場合には、物はなおBのもとにあるので、一方、AのBに対する信頼は形のうえでは裏切られていないし、他方、BからCへの譲渡は外観か

図17 指図による占有移転と即時取得

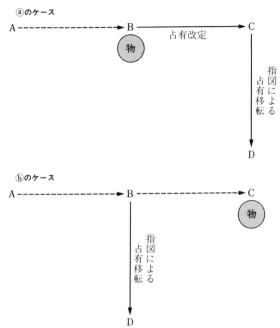

ら認識不可能である。さらに，CがDに指図による占有移転をしても間接占有がCからDに移転するだけで直接占有者Bを介したAの間接占有はなお並存する。だから，Dの即時取得は否定される。これに対して，ⓑの場合には，BからDへの指図による占有移転でDが間接占有者となり，Bは代理占有関係から離脱し，したがってBを介したAの占有もなくなるから，Dの即時取得を認めてもよい，とする。

(7) 即時取得の効果　即時取得によって取得者は動産の上に行使する権利を取得する。それはふつうは所有権と質権であるが，

即時取得者への所有権の移転が担保のためであるときには，譲渡担保権が取得されるにすぎない。この即時取得による取得は原始取得であるから，前主についていた権利の制限は原則として消滅する。

即時取得によって権利を取得した者は真正の権利者に不当利得の返還義務を負うか。即時取得制度の趣旨は取引の安全を図って取得者に利得を保有させることにある，という理由でこれを否定に解するのが判例・通説である。しかし，取引の安全のためには形式的に権利の帰属を決めれば足り，実質的に利得を保有させる必要はない，として有償取得の場合には返還を否定し，無償取得の場合には不当利得による返還を肯定する有力説がある。

(8) 盗品・遺失物の特則　　盗品や遺失物は所有者の意思に基づかないでその占有を離れた物なので，2年間はその回復（返還）を請求しうるものとして，所有者の保護を図った（193条）。受寄者や質権者が盗まれたときや遺失したときにも同じである。回復請求できる期間の所有権の帰属については，判例は原所有者とし，学説にもこれに賛成するものがあるが，通説は取得者と解している。ただし，この期間中の所有権の帰属を問うことは無意味だとする説もある。

回復請求は無償でできるが，ただ，占有者が競売，公の市場またはその物と同種の物を販売する商人から善意で買い受けたときには，占有者が支払った代価を弁償しなければ回復請求できない（194条）（なお，占有者が，代価の弁償があるまでその物の引渡しを拒むことができる間，当該物の使用収益権限をもつことを認めた判決として，最判平12・6・27民集54巻5号1737頁）。もっとも，占有者が古物商，質屋営業者である場合には，1年間は無償で返還請求できる（古物20条，質屋22条）。

V　立木等の物権変動と明認方法

1　序　説

(1)　立木等の取引　　立木は土地の定着物であるから不動産であり（86条1項），土地から独立していないから不動産たる土地の一部と解されることになる。稲立毛や未分離の果実についても同様である。しかし，立木をこのように常に土地と一体に扱うことは不便な場合がある。たとえば，山林所有者が土地から切り離して立木だけを伐採道具を有している材木業者に伐採目的で売買しようとすることがあるであろうし，未分離の果実もまた土地や親木とは別に収穫目的で売買する必要のあることもあろう。しかし，このように立木等を土地から独立して取引の対象にするためには，公示方法がなければならない。

(2)　明認方法　　このような目的のために慣習上認められてきたのが，たとえば，立木の幹を削って名前を墨書するとか立札を立てる，等の方法であり，このような公示方法を明認方法と呼んでいる。

(3)　課題と叙述の順序　　以下では，このような明認方法による物権変動を，立木，未分離の果実・稲立毛・桑葉，温泉について，考察する。

2　立　木

(1)　独立の取引性　　立木を土地と切り離して所有権および抵当権の目的とするために，明治42年に「立木ニ関スル法律」が制定された。同法によると，生立中の樹木の集団について所有者が立木登記簿に所有権保存の登記を受けると，地盤から離れた独

立の不動産となり（立木1条・2条），その所有権の譲渡および抵当権の設定，移転が可能となり，それは立木登記簿によって公示される。このような方法は，借地林業者が，他人の土地の上で長期にわたって樹木を植栽し，かつこれを担保にしようとするときに用いられる，といわれるが，実際にはあまり行われないようである。

以上のような立木法の登記を受けない立木であっても，明認方法を施すことによって土地とは独立に取引の対象とすることが慣行上認められてきた。このような方法は，林業者が樹木のみを買い受けて間もなく伐採する，という場合に用いられる，といわれる。

★　**(2) どのような措置が明認方法として認められるか**　一般的にいうと，第三者をして権利の譲渡を明認させるのに足りる行為であり（大判大9・2・19民録26輯142頁），具体的には，樹木の皮を削って所有者名を墨書した（大判大10・4・14民録27輯732頁）とか，山林内に炭焼小屋をつくって伐採に着手した（大判大4・12・8民録21輯2028頁）とか，立木に自分の名前を表示した刻印を押し現場に標札を立てた（大判昭3・8・1新聞2904号12頁）等の行為が，明認方法として認められた。このような明認方法は，第三者が利害関係をもつ時まで存続していなければならない（大判昭6・7・22民集10巻593頁）。

★　**(3) 明認方法による物権変動の種類と対抗**　**明認方法によって公示される物権変動の種類は何か**。①第一に，立木所有権の譲渡である。たとえば，AがBに立木所有権を譲渡して明認方法を施し，その後AがCに山林土地を譲渡して登記した場合には，BはCに対して立木所有権を対抗できる（同趣旨，前掲大判大10・4・14）。②第二は，立木所有権の留保である。たとえば，Aが立

木の所有権を自己に留保し，地盤たる土地だけをBに売却したところ，Bが山林を立木をも含めた一体としてCに売り渡し登記を移した場合には，Aは明認方法を施さない限り立木所有権の留保をCに主張しえない（同趣旨，最判昭34・8・7民集13巻10号1223頁）。③第三は，立木所有権の復帰である。たとえば，AがBに伐採期間を定めて立木所有権を譲渡し，この期間経過後は立木所有権がAに復帰する旨約しておいたところ，期間経過後BがCにその立木を譲渡した場合には，AがCに対して立木所有権の復帰を対抗するためには明認方法が必要である（同趣旨，大判昭8・6・20民集12巻1543頁）。解除や取消しによる立木所有権の復帰についても同じように解されるであろう。

ところで，このような立木に関する物権変動をどう法律構成するか。判例・学説は，一般に，立木所有権は意思表示のみで移転し，これを第三者に対抗するためには明認方法を必要とする，と解しているが，意思表示があるだけの状態では当事者間に債権関係があるにすぎず，明認方法が施されたときにはじめて立木が地盤から切り離されて独立した物となる，と主張する学説もある。

(4) 伐木　立木が生立していたときに，明認方法を講じていた者があれば，その者が優先する。二重譲受人のいずれも明認方法を講じていなかった場合には，互いに相手方に対抗できない，というのが判例である（最判昭33・7・29民集12巻12号1879頁）が，学説では，立木の変形物たる伐木の引渡しをもって代えうる，とする説などが唱えられている。

3　未分離の果実・稲立毛・桑葉

(1) 独立の取引性　未分離の果実，稲立毛，桑葉等は，立木と同じように，地盤たる土地および親木から切り離して，独立に

取引することが認められている（たとえば，未分離のみかんにつき，大判大5・9・20民録22輯1440頁。稲立毛につき，大判昭13・9・28民集17巻1927頁）。

(2) 明認方法　　判例は，引渡しがあったことの明認方法が必要として，明認方法のほかに引渡しを要求するものが多い（前掲大判大5・9・20，同昭13・9・28等）。しかし，引渡しといっても観念的でしかないから，これは不要ではないか，という指摘が学説の一部からなされている。明認方法の具体的な内容としては，取得者の名前を墨書した立札を立てるなど，目的物の所有権を取得した事実を第三者に周知させるに十分な仕方でなされることが必要である。

(3) 物権変動　　所有権の譲渡，留保，復帰である。

4　温　泉

(1) 独立の取引性　　近代的所有権制度によると，地下から湧出する温泉は土地所有権の一部になるはずである（207条）が，これを地盤（源泉地盤）の所有権と切り離して独立に権利（源泉権ないし温泉専用権）の客体とする慣習が地方によっては存在する（大判昭15・9・18民集19巻1611頁）。この慣習上の権利は地下の泉脈にまでは及ばず，源泉地盤から引湯する湯口に存在するので，湯口権とも呼ばれている。従来，温泉権が源泉地盤とは別個独立の権利とされる根拠は，一般には慣習（旧慣）に求められていたが，近年，多大の資本を投下して温泉掘削を行うことが少なくなく，その結果得られた源泉が地盤の土地よりもはるかに高い経済的価値を有することから，そこに実質的根拠を求める考え方も唱えられている（仙台高判昭63・4・25判時1285号59頁）。

(2) 明認方法　　判例は，温泉組合ないし地方官庁への登録，

立札その他の標識，温泉所在の土地自体に対する登記などが，それぞれの地方の慣習により明認方法になりうる，としている（前掲大判昭 15・9・18，温泉擁護建物に表示板を取り付けた事例として，前掲仙台高判昭 63・4・25）。

Ⅵ　物権の消滅

1　物権の消滅原因

(1)　序　　物権の消滅とは，物権そのものがその存在を失うことであって，物権変動の一つである。その原因および態様には，いろいろのものがあるが，物権に共通の消滅原因には次のようなものがある。

(2)　物権に共通の消滅原因　　第一は，目的物の滅失である。たとえば，家屋が火災で焼けたなどという場合には，家屋所有権は消滅する。第二は，消滅時効である。所有権は時効消滅しない（ただし，他人が時効取得すれば，その反射として消滅する）が，所有権以外の物権は，原則として 20 年の消滅時効にかかる（166 条 2 項）。占有権は占有の事実そのものから生じるから，占有を失えば占有権もなくなり，消滅時効を問題にする余地はない。第三は，放棄である。物権の放棄とは，物権を消滅させることを目的とする単独行為である。それは物権変動の一般原則に従い，意思表示のみによって効力を生じるが，不動産所有権の放棄は，登記を抹消しなければ第三者に対抗できない。従来，一般にこのように解されてきたが，民法や不動産登記法に規定はなく（ただ，民法 239 条 2 項は，「所有者のない不動産は，国庫に帰属する」と定めるのみ），所有者不明土地問題の解決のための方法の一つとして，土地所有権の放棄の可否と放棄に代わる新たな制度が検討され，令和 3 年

4月21日「相続等により取得した土地所有権の国庫への帰属に関する法律」が制定された。同法は，相続土地につき，国庫への帰属の承認申請ができる要件と承認の要件等を定めている。

放棄の意思表示は，所有権および占有権の場合には，特定人に対してなされる必要はないが，それ以外の物権の場合には，放棄によって直接利益を受ける者に対してなされる必要がある。放棄は自由であるが，公序良俗に反してはならないことはもとより，他人の利益を害する場合にも許されない。たとえば，借地上の家屋に抵当権が設定されている場合には，借地権を放棄しても抵当権者には対抗できない。

2 混 同
(1) 序　　混同とは，併存させておく必要のない二つの法律上の地位が同一人に帰することをいうが，民法は物権編の総則に特別の規定（179条）を置いている。

(2) 混同による消滅　　①所有権と地上権，抵当権などの他の物権とが同一人に帰した場合には，他の物権は消滅する（179条1項本文）。②所有権以外の物権とこれを目的とする抵当権などの他の権利とが同一人に帰した場合には，抵当権などの他の権利は消滅する（179条2項前段）。

(3) 混同によって消滅しない場合　　次の場合には，二つの権利を存続させておく意味があるので，混同による消滅は生じない。すなわち，①第一に，所有権と他の物権とが同一人に帰した場合であって，その物またはその物権が第三者の権利の目的となっている場合である（179条1項ただし書）。たとえば，A所有地に一番抵当権を有するBがAからこの土地を取得しても，この土地にCの二番抵当権が設定されている場合には，Bの抵当権は消

滅しない。また，A所有地に地上権を有するBがAからこの土地を取得しても，Bの地上権にCの抵当権が設定されている場合には，Bの地上権は混同によって消滅しない。②第二は，所有権以外の物権とこれを目的とする他の権利とが同一人に帰した場合であって，所有権以外の物権が第三者の権利の目的である場合または所有権以外の物権を目的とする他の権利が第三者の権利の目的である場合である（179条2項後段）。たとえば，Aの地上権の上に一番抵当権を有するBがAからこの地上権を取得しても，この地上権にCが二番抵当権を有する場合には，Bの一番抵当権は混同によって消滅しない。また，Aの地上権の上に抵当権を有するBがこの地上権を取得しても，Bの抵当権がCの転抵当権や質権の目的となっているときには，Bの抵当権は混同によって消滅しない。

第4章　各種の物権

I　序　説

　本章では，民法の定める10種類の物権のうち，担保物権を除く6種類の物権を扱う。物権法の体系は，社会関係の実質からみると，物の所有，物の利用，および物の担保価値の利用の三つの局面を含むが，ここでは，前二者に関する権利を考察するわけである。

　(1)　**所有権とその他の物権**　そのうち所有権は，最も基本的な物権である。所有権は，動産・不動産の区別を問わず，物に対する全面的・包括的な支配権として成立し（完全かつ円満な物権），物権法秩序の中心に位置する。その他の物権は，原則として他人の所有権を前提としてのみ成立し（他物権），その物支配の権能も，所有権と比べれば一面的・部分的なものでしかない（制限物権）。ただし，上の6種類中に含まれる占有権は，物の事実的支配状態（占有）の保護のためにその事実に基づいて認められる権利（法律効果）であるので，他の物権とは性質を異にする。

　なお，「第2編　物権」中の権利ではないが，平成30年の民法（相続法）改正によって，用益物権的な性質を持ち，登記もなされる配偶者居住権が創出された（1028条以下，不登3条9号・81条の2)。しかし，この権利は相続法中の制度であるので，本章では扱わない。

(2) 用益物権と土地賃借権の「物権化」　他の4種類の物権は、すべて用益物権であり、土地の利用のためにのみ認められる。主として植林や建物所有を目的とする地上権（265条以下）と、耕作や牧畜を目的とする永小作権（270条以下）がその代表である。これらの物権的土地利用権は、権利者が比較的長期（268条2項・278条参照）にわたって他人の土地を直接に利用できる権利と構成され、種々の点で所有権に準ずる強い効力を強行的に認められている。他人の土地を利用するためには、他に賃借権等の債権的利用権もあるが、民法上の賃貸借では、賃借人には賃貸人に対する利用の請求権しかなく（601条）、その権利の存続期間も平成29年改正前は比較的短期なものとされたうえ（改正前604条。20年以下）、賃貸人からの解約の余地もひろく認められているから（617条・618条・619条1項参照）、土地利用権としての強さには、大きな差異がある。

　しかし、自己の所有地を他人に利用させて使用料を得ようとする場合に地上権や永小作権を設定するかどうかは、土地所有者の自由である。これらの土地利用権による物権的拘束を避けたい土地所有者は賃貸借契約を締結すればよく、実際にも、わが国の土地利用権の大部分は賃借権となってきた。しかも、その際土地所有者は、契約自由の原則と自己の優位な立場を利用してできるだけ有利な契約内容を定めようとしたから、賃借人たる借地人や小作人の地位は一層脆弱なものとなり、社会経済上の観点からも憂うべき問題（建物を建築・所有するための借地をめぐる問題や農地の小作問題）を惹起することになった。その結果、民法施行後ほどない時期から、建物保護法（明42）、借地法（大10）、農地調整法（昭13）および第二次大戦後の農地法（昭27）などの土地賃貸借特別法が逐次制定され、賃借人の法的地位の保護・強化が図られ

てきたのである。

　これらの立法による土地賃借権の強化は，あたかも用益物権のもつ諸属性の一部を強行的に賃借権にも付与するような内容を有しているので，通常，「賃借権の物権化傾向」と呼ばれる。そして，借家法（大10）による建物賃借権の保護・強化も，その一環として説明されることが少なくない。ただし，第一に，賃借権が物権になったわけではないうえ，「物権化」の在り方にも，目的物（宅地・建物・農地）の違いに応じた内容上，性質上の差異があること，他方，第二に，たとえば借地法上の借地権（賃借権および地上権）のように，本来の用益物権以上の強い保護を与えられているものもあること（Ⅳ1(2)参照）に注意を要しよう。

　また，近年では，強くなりすぎた借地権・借家権が，かえって土地・建物の有効利用を妨げているという批判も提起され，平成3年に新しい借地借家法が制定された。同法の眼目は，借地権・借家権の保護についての従来の基本的な枠組を見直し，一定の「合理化」措置（普通借地権の存続期間の変更，正当事由の明確化など）を行うとともに，終了時期の明確な新しい借地・借家類型（3種類の定期型の借地権〔Ⅳ1(2)参照〕および2種類の期限付建物賃貸借）を導入したことにある。それにより，借地や借家がより柔軟かつ多様な形で利用されるようになることが期待されたのである（ただし，既存の借地・借家関係には，重要な事項につき従前の借地法，借家法の規定が適用される。借地借家附則4条以下。なお，事業用借地の平成19年改正にも注意）。さらに平成11年には，更新のない定期借家権が創設された。他方，農地の賃貸借については，すでに昭和50年以来，市町村の関与する事業制度の枠内で設定された賃借権（更新のない定期の農用地利用権）を，農地法による存続保護の例外とする制度が設けられている（現行法は，農用地利用増進

法〔昭55〕を平成5年に大幅改正して、新しい名称を付された農業経営基盤強化促進法である)。

なお、残る2種類の用益物権中の地役権 (280条以下) は、当事者の意思によって近接地相互間の利用の調節を図るための制度であり、土地利用権としての性格は稀薄である。むしろ、所有権の章中の相隣関係の規定 (209条以下) との親近性が留意されてよい。

(3) 入会権と慣習法上の物権　最後に、入会権は、村落団体の構成員が共同して山林原野等を利用することを内容とする権利であり、慣習に基づいて成立する。山林原野が他人の所有に属する場合 (294条) と、村落団体の所有に属する場合 (263条) との2種類があり、後者は、同時に共同所有の特殊な形態 (総有) をなしている。なお、慣習法上の物権としては、他に温泉専用権 (湯口権) と流水利用権 (水利権) が判例で認められている (第1章2(2)、第3章Ⅴ4参照)。

Ⅱ　占　有　権

1　占有制度の意義と根拠

(1) 序　　人は、さまざまな物を自己の支配内に置き、それを使用しながら社会生活を営んでいる。そうした物に対する事実上の支配は、一般には、所有権・地上権・賃借権などの権原＝本権に基づく場合が多いであろうが、常にそうだとは限らない。物に対する観念的な権利関係と事実的な支配状態とは、おのずから別個に成立しうるからである。占有制度は、このような物に対する事実的支配の外形＝「占有」をそれ自体として保護するものである (180条参照)。

では、なぜ物の事実的支配たる占有を、法律上の根拠や権原の

有無と切り離して独自に保護するのであろうか。これは、ふるくから激しく論じられてきた問題で、その答えも多様である。従来のわが国で一般に指摘されてきた点としては、「各個人の物支配の現状を保護して自力救済禁止の原則を実現することにより、社会の平和と物権的な物支配秩序を維持する」という目的をまずあげることができよう。とくに、占有制度の存在意義を、占有訴権を中心としながら多少とも一元的に説明しようとする場合には、この点が強調されたようである。所有権その他の本権を証明する負担の免除とか、債権的権原（賃借権や使用借権など）に基づく利用者の保護とかの点の指摘も、発想としては、それと同じ考え方に属するものといってよい（なお、4(1)(ア)参照）。

しかし、民法が占有に付与する法律効果の内容は、(2)でみるように多種多様で、種々の異なった性質のものを含んでいる。また、占有の要件に関する180条以下の規定も、その諸効果のすべてについて同一の意味をもつとは限らない。こうした点を考慮すれば、それらの諸効果を一括して占有制度の意義を論ずることは、実際上もきわめて困難であるし、適当でもないことになろう。それゆえ、今日の学説では、占有の効果の多様性を認めたうえで、各効果の淵源や社会的機能の相違に応じてこの制度を多元的に理解しようとするものが、むしろ多数になっている。

(2) 占有を要件とする法律効果とその沿革　民法第2編「第2章　占有権」の第2節に「占有権の効力」として規定される効果としては、①占有には本権が伴うという権利の推定（188条）、②善意の占有者の果実取得権（189条）と③占有物の滅失・損傷に対する責任の軽減（191条）、④動産の即時取得（192条〜194条）、⑤家畜外動物の所有権の取得（195条）、⑥占有物返還時の費用償還請求権（196条）、⑦占有の侵害に対する救済としての占有訴権

(197条～202条)がある。このうち、②、③、⑥は、物権的請求権を行使する本権者とその相手方たる占有者との間の実体的な利害調整を図るもので、共通した性質をもつから、大きく5種類の効力が規定されているとみてもよい。が、さらに、次の(3)で示すように、民法のその他の箇所にも、占有を要件とする種々の法律効果が規定されている。

このように、占有に伴う法律効果が多様であるのは、基本的にはその沿革に由来する。民法の占有制度は、沿革的にみると、ローマ法のポセッシオ（possessio）とゲルマン法のゲヴェーレ（Gewere）との双方にその起源をもち、もともと一種の混淆的性格を有しているからである。

すなわち、ポセッシオにおいては、物支配の事実をその法律的根拠（たとえば所有権の存在）から切り離し、事実それ自体として保護することに主眼があり、占有訴権がその中心に置かれていた。わが民法中の本権者と占有者との実体的な利害調整を図る規定（前記の②③⑥）も、主としてローマ法に由来するものとされる（ただし、ゲルマン法からの影響もある）。占有制度の存在意義に関する先の一般的説明は、この沿革に即してみた場合によくあてはまるといえよう。それに対して、ゲヴェーレは、物支配の事実を権利（物権）の表章ないし現象形態とみたうえで、これを保護するものであり、そこでは、物支配の事実と権利の存在とが密接不可分の関係に置かれていた。「占有権の効力」のうち、権利の推定、即時取得および家畜外動物の取得（前記の①④⑤）は、ここに淵源をもつ規定であり、占有という「衣」のあるところに権利ありとする考え方を基礎としている。

(3) 占有制度の社会的機能　　もっとも、他方では、占有に伴う法律効果の多様性は、この制度に期待される社会的機能の多元

性と結びつけて理解することもできる。ⓐその第一は，事実的支配たる占有をそれ自体として保護する占有保護機能で，とりわけ占有訴権によって体現される。ⓑ第二は，占有者の事実的支配を一定の条件の下で法律的支配に昇格させる本権取得的機能である。部分的に本権に準ずる取扱いを認める場合（(2)の②③⑥のほか，717条・718条参照）と，全面的に本権の創設を許す場合（(2)の⑤のほか，取得時効＝162条以下，無主物先占＝239条）との二つがあり，占有に伴う諸効果のかなりのものがこれに含まれる。ⓒ第三は，占有者が「物権者の外観」をもつこと（権利の推定）を基礎として，これに対する第三者の信頼を保護する本権表章・公示機能である。動産物権変動の対抗要件（178条＝占有の公示力）と即時取得（192条＝占有の公信力）がその中心であり，物権取引の安全のために重要な役割を果たしている（他に，295条・342条・344条・352条，借地借家31条，農地16条等）。

　(4)　占有および占有権と本権の関係　　ところで，以上のような諸効果の実質的要件となっているのは，「占有」という事実状態そのものであって，「占有権」という権利ではない。民法は，占有に種々の法律効果が認められることから，あたかもその背後に占有権という一個の「権利」が存在するかのような理論構成をとっているが，上のように理解したほうが正確であろう。占有権が民法上では物権の一種とされながら，他の物権とは全く性質を異にする（たとえば，排他性も，優先的効力もない）のも，このことによる。

　他方，占有権と占有すべき権利とは，明確に区別される。後者は，所有権・賃借権などの，占有を適法ならしめる観念的な権利であって，本権とも呼ばれる。たとえば，時計を詐取された所有者は，占有すべき権利（本権）があるのに占有権を失い，詐取し

た者は，占有すべき権利がないのに占有権を取得するのである（ただし，所有者が占有回収の訴えを提起した場合につき，**5**(1)参照）。

2 占有の成立と態様

(1) 占有の意義と成立要件　(ア) 占有とは何か　民法180条は，これを，「自己のためにする意思をもって物を所持すること」と定めている。占有者が「占有の意思」を放棄したり，「占有物の所持」を失うと占有権が消滅する（203条本文）のも，このことに対応する。

このように民法が，占有（権）の成立要件として，物の事実的支配たる所持（占有の体素）に加えて占有者の一定の意思（占有の心素）を要求したのは，フランス民法に依拠した旧民法の規定と民法制定当時のドイツの学説の影響による。すなわち，ローマ法では，単なる所持と，占有訴権を生ずる所持＝占有とが明確に区別されていたため，これを近代民法に継受するに際してその区別の標準をどう理解するかが問題となり，主として19世紀のドイツでさまざまな議論が行われた。当初は，「所有者としての意思」を必要とすると説かれた（フランス民法典はこの段階に対応する）が，しだいにより軽微な意思で足りるとする学説が登場し（支配者意思説，自己のためにする意思説など），最後には，「所持の意思」以上の特別の意思を要しないとする説が有力となる（意思を問題とする主観説に対して，客観説と呼ばれる）。19世紀末以降のドイツ民法やスイス民法は，最後の考え方を採用しているが，わが国の民法は，その一つ前の段階に位置していたのである。

(イ) 自己のためにする意思の理解　しかし，今日では，民法制定時の考え方に拘泥する必要はないから，判例・学説は一般にこの意思をひろく解釈し，直接・間接に自分が事実上の利益を受

ける立場で物を所持するときは常に自己のためにする意思がある，としている。

すなわち，①この意思の有無は，物の所持を生じさせた原因（ないし権原）の性質に従って客観的に判断されるから，所有権譲受人や賃借人はもとより盗人なども，そのような者であるというだけでその意思がある。②受寄者・受任者・財産管理人などのように他人の利益のために物を保管する者も，自己の責任で物を所持している限り，とくに区別する理由はない（今日の通説）。また，③この意思は，一般的・潜在的にあればよいし（知らない間に郵便受に郵便が投入された場合など），④継続していなくてもかまわない。⑤多少問題となるのは，意思能力のない者や，代表機関を欠く法人の場合であるが，この場合にも概念的に「意思がない」とすべきではなく，その占有を保護する必要があるときには何らかの形で占有の成立を認めようとする見解が有力である。

ところで，意思の要件をここまで緩和して考えるのであれば，むしろその要件を端的に無視するか，または所持のなかに解消すべきだとする見解が当然に生じてくる。ただし，民法の明文の規定との関係で問題があるうえ，事実上の支配だけでは占有といえない場合も存すること（たとえば，後述する占有補助者の場合〔(2)㈠〕）などから，この有力説は，いまだ多数説とはなっていない。

㈦　所持　　社会観念上，物がその人の事実的支配下にあると認められる客観的関係があればよく，必ずしも物を直接把持していることを要しない。たとえば，旅行中の者の留守宅にある家財道具，借家人が建物に居住している場合の敷地についても，当然にその者の所持が成立する。また，空家の所有者が隣家に居住し，その建物への出入りを日常的に監視できる状況にあるときは，表札や施錠がなくても占有があるとされた（最判昭27・2・19民集6

巻2号95頁)。地方公共団体＝市が道路を一般交通の用に供するために管理し，事実的に支配している場合には，市は，道路法上の道路管理権を有するか否かにかかわらず，当該道路の敷地について占有権を有する（最判平18・2・21民集60巻2号508頁）。

ただし，数軒で共同使用する私道の一部を一人が事実上不要物の置場として利用している場合のように，物の支配が一時的ないし仮のもので，他人の干渉を排斥しうる状態にないときには，所持は成立しない。結局，いかなる場合に所持ありといえるかは，問題とされる占有の効果と客体となる物の性質（山林，原野などで問題が多い）とに応じて，個別的に判断するしかないのである。

なお，所持は，他人（占有代理人または占有補助者）を介してもすることができる（(2)参照）。

(2) **代理占有と自己占有**　(ア) **意義**　占有は，占有者が物を直接所持する場合（自己占有）のほか，占有代理人に物を所持させることによっても取得できる（代理占有。181条）。たとえば，建物が賃貸されている場合，建物を直接所持し，占有しているのは借家人である（直接占有者）が，賃貸人（所有者）もまた，借家人の占有を介してその建物を間接的に所持し，占有するものとみなされる（間接占有者）。物を他人に貸したり預けたりしている者（本人と呼ばれる）も，社会観念上では物に対する事実的支配をなお維持しているとみられるから，そのような者にも占有の諸効果を認めることが妥当だからである。この制度は，こうして，ある意味では「観念的な」占有を承認することにより，①保護される「占有者」の範囲を拡張すると同時に，②動産物権変動の対抗要件としての引渡しを簡易化するうえで（第3章Ⅳ2(3)，後出3(2))，重要な役割を果たしている。

なお，民法は，この場合の直接占有者を「代理人」と称してい

る（181条・183条・184条・204条等）が，占有の「代理」は，物の事実的支配関係に関する制度で意思表示にかかわるものではないから，99条以下の法律行為の代理とは性格が異なっている。

　(イ)　代理占有の要件　　①独立して物を所持する占有代理人（直接占有者）が，②本人（間接占有者）のためにする意思を有し，かつ，③本人と占有代理人との間に一定の関係（占有代理関係）があることが必要である（204条1項参照。なお，同項1号の要件は，一般には不要と解されている）。

　このうち，①は，家事使用人等の占有補助者との相違点をなすもので，(エ)で詳論しよう。他方，②は，自己占有におけるのと同様に，その所持を生じさせた原因（ないし権原）の性質に従って客観的に判断されるから，結局は，③の要件のなかに解消される。そこで，③の内容が問題となるが，要するに，外形的にみて占有代理人が本人の占有すべき権利に基づいて所持しており，本人に対して返還義務を負う関係だ，と考えればよい。総則の定める本来の代理関係がある場合だけでなく，賃貸借・寄託・質権・地上権等では，当然にこうした関係が成立する。のみならず，占有はあくまで物支配の外形に依拠するものであるから，仮にそれらの契約や権利が無効であっても，代理占有は成立すると解すべきである（なお，5(2)も参照せよ）。

　(ウ)　代理占有の効果　　本人は，占有代理人の所持する物の上に固有の占有権を取得する（間接占有。それは，自主占有であることが多い）が，同時に，占有代理人の占有（直接占有。原則的に他主占有である）について生じた事由により，一定の影響を受ける。すなわち，①占有の善意・悪意，②占有侵奪の有無などは，占有代理人について決せられ，③占有代理人に対する権利の行使（たとえば，真の所有者が取得時効を更新するためにした明渡請求）は，本

人に対しても効力をもつ。もっとも，占有代理人が善意でも本人が悪意のときは，悪意の占有とみるべきであろう（101条3項参照）。

　㈡　**占有補助者・占有機関との区別**　　もっとも，同じく他人に物を所持させているときでも，その者が家事使用人や店員などの場合には，代理占有は成立しない。これらの者は，いわば雇主の手足ないし機関として所持するにとどまり，独立した占有者としての保護を与える必要がないからである（雇主が自己占有者として扱われる）。その根拠は，通常，これらの者には「独立の所持」がないことに求められるが，むしろ，本人の側の意思の要件（占有代理人に占有させる意思。204条1項1号参照）を欠く点を重視する有力説もある。生計責任者たる夫との関係での妻や子，法人との関係でのその代表機関なども，一般に同様の扱いを受ける。

　ただし，実際の所持者が占有補助者（占有機関）かどうかは，概念上一律に定まるのではなく，問題となっている占有の効果を考慮しながら，具体的・個別的に判断することを要する。たとえば，雇主が賃借店舗に使用人を住みこませている場合には，使用人は，通常的には雇主の占有の範囲内で店舗を占有するものと解されるから，家主からの建物明渡しや損害賠償請求の相手方とはならない（最判昭35・4・7民集14巻5号751頁）。しかし，使用人がその店舗で家族と同居し，かつ，建物の居住用部分についての賃料を負担しているなどの「特段の事情」がある場合には，別の判断がなされる余地もありえよう。また，その店舗から勝手に持ち出された物の返還を求めるような場合には，使用人にも占有訴権を認めてよいとする見解も有力である。これらの点は，夫との関係での妻についても同様であり，判例にも，事情に応じて妻に独立の占有者としての資格を認めたものが少なくない。とくに妻

については，今日では，むしろ原則的に共同占有者とみるべきだとする主張も強いことに注意すべきである。

(3) 占有の態様　　占有には種々の態様があり，その区別は，主要には取得時効その他の本権取得的機能（**1**(3)参照）との関係で意義を有している。

(ｱ) 自主占有と他主占有　　権原の性質上，占有者に「所有の意思」のある占有を自主占有，そのほかの占有を他主占有という（185条参照）。取得時効（162条），無主物先占（239条），物の滅失・損傷に対する占有者の責任（191条ただし書）などについて実益がある区別である。

「所有の意思」の有無は，自己のためにする意思と同様に，占有取得の原因たる事実（ないし権原）によって客観的に判断される。たとえば，物の買受人や盗人はそのことだけで自主占有者となり，賃借人や受寄者などの占有代理人は当然に他主占有者となるのである。仮に売買や賃貸借が無効であった場合でも，同様である（最判昭45・10・29判時612号52頁，同昭45・6・18判時600号83頁）。また，解除条件付売買で解除条件が成就したときでも，それだけでは買主の占有が他主占有に変わるものではない（最判昭60・3・28判時1168号56頁）。

しかし，他主占有者が，①「自己に占有をさせた者に対して所有の意思があることを表示し」，または，②「新たな権原により更に所有の意思をもって占有を始める」場合には，他主占有は自主占有に変わることができる（185条）。②は，たとえば，賃借人が賃借物を買い受けた場合などである。その売買契約が結果的に無効であってもかまわない（最判昭51・12・2民集30巻11号1021頁，同昭52・3・3民集31巻2号157頁）。相続がここでいう「新たな権原」にあたるかどうかについては，かつての判例は否定説を

とったが，今日の判例・学説は，他主占有者の相続人が現実に占有を承継する際に所有の意思を有したとみられる場合には，自主占有への転換が生ずることを認めている（最判昭46・11・30民集25巻8号1437頁。もっとも，ここでは傍論であった）。ただし，相続がそれ自体として新権原となるのではなく，具体的な所有の意思の存在を相続人の側で客観的に証明しなければならないことに注意を要しよう（詳細は，3(4)参照）。

(イ) その他の態様　　まず，①占有者の善意，悪意が区別される。占有すべき権利がないのにそれがあると誤信する場合が善意占有，占有すべき権利のないことを知りまたはその存在に疑いを有している場合が悪意占有である。②このうち善意占有は，その誤信に過失があったかどうかにより，さらに過失なき占有と過失ある占有に分かれる。たとえば，登記簿等による実地調査を怠ったため，他人の土地まで自己所有地と信じて占有した場合は，過失ある占有である（関連する判例あり）。これらの区別の実益は，取得時効，即時取得，果実取得権（善意の場合のみ）などに現れる。

そして，③占有が善意・無過失で，平穏かつ公然になされている場合を瑕疵なき占有，そのうちの一つでも欠けている場合を瑕疵ある占有という（187条2項参照）。とくに取得時効における占有の承継との関係で意味をもつ概念である（3(3)参照）。

(ウ) 推定規定　　もっとも，占有者は，所有の意思をもって善意，平穏かつ公然に占有するものと推定されるから（186条1項），占有者の側でそれを証明する必要はない。ただし，「所有の意思」は，占有に関する事情により外形的客観的に定められるべきものであるから，占有者が，①その性質上所有の意思のないものとされる権原に基づき占有を取得した事実（他主占有権原），または，②所有者であれば通常はとらない態度を示したり，所有者であれ

ば当然とるべき行動をとらなかったなどの事情（他主占有事情）が証明されるときには，上の推定は覆される（最判昭58・3・24民集37巻2号131頁）。なお，無過失については，即時取得の場合（最判昭41・6・9民集20巻5号1011頁。第3章Ⅳ4⑸参照）を除いて，こうした推定はなされないと解されている（通説・判例）。

また，ある時点に引渡しを受けたことと現在占有していることとが証明されれば，占有はその間継続していたものと推定される（186条2項）。とくに取得時効との関係で重要な意味をもつ。

3 占有権の取得

(1) **原始取得と承継取得**　占有は，原始的に取得することも，前主から承継的に取得することもできる。たとえば，遺失物拾得や無主物先占は前者の例であり，判例では，猟師が狸を岩穴に追いこみ入口を石でふさいだときに，占有の原始取得を認めたものがある（大判大14・6・9刑集4巻378頁）。しかし，実際上より重要なのは，前主の占有が当事者間の合意により同一性を保ちながら新占有者に移転される承継取得である。

(2) **承継取得の方式**　民法には，①現実の引渡し（182条1項），②簡易の引渡し（182条2項），③占有改定（183条），④指図による占有移転（184条）の四つの場合が規定されているが，その内容は，第3章Ⅳ2⑶ですでにみたので，ここでは省略する。なお，そのうち，②〜④では，合意だけで占有の移転が生ずるが，それは，一定の範囲で「占有の観念化」が承認されていることに基づくものである（2⑵⑺参照）。

(3) **占有承継の効果**　占有を承継取得した承継人は，一面では前主の占有を継続するものとみられる。しかし，他面，占有が物の事実的支配を基礎として成立することを考えれば，承継人は

自ら新たな占有を原始取得したとみることもできる。占有の承継人は，いわば二面的な地位をもつわけであり，民法も，とくに取得時効との関係を考慮して，そのことを認めている。

すなわち，占有の承継人は，その選択に従い，自己の占有のみを主張してもよいし，自己の占有に前主の占有をあわせて主張してもよい（187条1項）。ただし，前主の占有を併合主張する場合には，その瑕疵（悪意・有過失など）をもまた承継する（187条2項）。この場合，承継される瑕疵は最初の占有者のそれであって，中間占有者の瑕疵は問題とならないとするのが判例である（最判昭53・3・6民集32巻2号135頁。ただし，学説では反対説も強い）。

(4) 相続による占有取得とその効果 ㋐ **占有承継の特殊性**

ところで，(2)でみた場合のほか，占有は，相続によっても承継取得される（判例・通説）。民法には規定がないが，これを認めないと，相続人がいまだ相続財産を所持していない場合の占有訴権の行使や，被相続人の占有とあわせた取得時効の主張などにつき不都合が生ずるうえ，それを肯定することが社会観念上も妥当だからである。この場合の占有の移転は，相続による所有権の移転と同様に，相続開始の知・不知や相続財産の実際の所持の有無とはかかわりなく法律上当然に生ずるから，純粋に観念的なものである（最判昭44・10・30民集23巻10号1881頁参照）。

㋑ **相続人の占有の二面性**　相続による占有の承継が法律上当然に生ずることを重視すると，相続人は，被相続人から承継した観念的占有権から離れて自己の占有を独自に主張することはできないことになる。ふるい判例はこの立場をとり，相続人は187条1項の「承継人」にあたらず，被相続人の占有の瑕疵を当然に承継するとした。相続は185条の「新たな権原」には含まれないとされた（**2**(3)㋐参照）のも，同じ考え方に基づいている。

しかし，相続人が現実に相続財産の所持を取得した場合には，相続人は，他の方式での占有承継の場合と同様に，その事実によって新たに自己の固有の占有をも取得するとみることができる。物支配の事実を基礎とする占有制度の趣旨からすれば，相続人の占有のこうした二面性を率直に認めるべきであろう（通説）。その後，最高裁も旧判例を改めて，相続人が自己の占有のみを主張することを是認している（最判昭 37・5・18 民集 16 巻 5 号 1073 頁）。

(ウ) **相続と新権原**　先にみた，相続が 185 条の「新たな権原」にあたるとする判例（前掲最判昭 46・11・30。前述 2(3)(ア)）も，上の考え方の延長上に位置する。つまり，相続人の現実の占有をそれ自体として独立して評価すれば，被相続人の占有が他主占有であっても，相続人の占有は自主占有とみうる場合（具体的には，相続人が現実の占有開始の時点で所有の意思を有したことが客観的に明らかである場合）が当然に生じてくるのである。ただし，そのためには相続人の側で，「その事実的支配が外形的客観的にみて独自の所有の意思に基づくものと解される事情」を証明しなければならない（最判平 8・11・12 民集 50 巻 10 号 2591 頁）。その認定には，かなり困難な問題もあり，理論構成等につき学説にも争いがある。仮にこれをひろく認めると，たとえば被相続人に使用貸借で土地を使用させていた土地所有者が，思わぬときに相続人から取得時効の抗弁を受けるという事態なども生じてきうるからである。

(エ) **その他の問題**　そのほか，観念的には遺産の共同占有者となった共同相続人の一人が遺産の全部を単独相続したものと信じて占有してきたという場合にも，上と同様の問題が生ずる。判例は，単独占有者たる相続人の誤信に合理的な理由があるときには，その占有が遺産の全部についての自主占有となりうるとする（最判昭 47・9・8 民集 26 巻 7 号 1348 頁）。他方，相続財産の現実の

占有者が相続人以外の者（たとえば被相続人の内縁の妻）である場合における相続人（観念的占有者）との関係については，前者を後者の占有補助者とした判例もある（最判昭28・4・24民集7巻4号414頁）が，むしろ占有代理関係に準ずるものとみて，前者にも直接占有者としての保護を認めるべきであろう（有力説）。

4 占有の効果

ここでは，「占有権」の章に定めるもののうち，即時取得（第3章Ⅳ4参照）を除く諸効果を考察する。

(1) 占有訴権　(ア) 意義　占有者は，他人に占有を妨害されたときは，その占有が正当な権利に基づくものか否かにかかわらず，「占有の訴え」によって妨害の除去を請求できる（197条以下）。物がある人の支配下にある以上，その物支配の現状は一応正しいものと推定され，仮にその他人が真実の権利者であるときにも，自力をもってその現状を覆すことは許されないのである。自力救済の禁止による社会の平和秩序の維持，占有者にとっての本権の証明の負担の免除，債権に基づく占有者の保護などが，この制度の目的・機能とされる（1(1)参照）。

もっとも，法律に定める手続によったのでは違法な侵害の除去が不可能または著しく困難となるような緊急かつ特別の事情がある場合には，必要な限度内で本権者（占有者）による自力救済が例外的に許容されることもある（最判昭40・12・7民集19巻9号2101頁参照）。

(イ) 占有訴権の内容と性質　物支配の円満な状態の維持・回復と侵害行為によって生じた損害の賠償とを目的として，次の3種の訴えが認められている。それが「訴権」と呼ばれるのは沿革上の理由によるもので，いずれも実体上の権利である。

(a) 占有保持の訴え　　占有を奪われるまでにはいたらないが，占有を妨害されているときに，妨害の除去・停止と損害の賠償とを請求できる（198条）。たとえば，占有する土地の上に他人が勝手に土砂を搬入した場合とか，隣家の松の木が倒れてきた場合などである。

(b) 占有保全の訴え　　たとえば，隣家の松の木が倒れてきそうな場合など，将来占有を妨害されるおそれがあるときに，隣家の所有者等に対し，妨害予防の手段を講ずるか，またはありうべき損害の賠償のための担保を供することを請求することができる（199条）。

(c) 占有回収の訴え　　占有を奪われたときは，その物の返還と損害賠償を請求できる（200条1項）。たとえば，動産を奪われたり，居住する建物から実力で追い出された場合などである。ただし，物権的返還請求権とは異なって占有を「奪われたとき」でなければならないから，物を詐取された場合，賃貸借終了後も賃借人が占有を継続する場合などには，この規定は適用されない（占有の移転に元の占有者の意思関与があったからである）。もっとも，占有補助者が自ら独自の占有を始めたときは占有の侵奪が成立する（最判昭57・3・30判時1039号61頁）。

占有訴権は，一般に物権的請求権の一種と説明され，円満な占有状態の維持・回復の請求については相手方（占有の侵害者）の故意・過失を要しない。しかし，その請求に伴う損害賠償請求権は，性質的には不法行為（709条）に基づく債権的請求権であって，便宜上ここにあわせて規定されたにすぎないから，その要件および効果も一般の不法行為の原則に従うと解されている。

(ウ) 占有訴権の当事者　　占有者はもとより占有代理人も，自己の名において独立に占有訴権を行使できる（197条）。他方，訴

えの相手方は，現に占有を侵害している者である。ただし，占有回収の訴えは，占有侵奪者からその事情を知らないで占有を取得した善意の特定承継人（たとえば盗品の買受人）に対しては行使できない（200条2項）。その後に占有が悪意の特定承継人に移転しても，同様である（大判昭13・12・26民集17巻2835頁）。占有回収の訴えは，社会の物支配秩序が実力で破壊された場合にその破壊状態の痕跡が存在する限りで認められる，というのがその趣旨であり，物権的返還請求権とのいま一つの相違点をなしている。

(ニ) 除斥期間　　上の最後の点と同様の趣旨から，占有の訴えを提起できる期間は，占有の侵害もしくはそのおそれのある間か，または侵害の終了後1年以内に限られる。とくに妨害が工事によって生じたとき（たとえば，Ａの借地に入りこんでＢが勝手に塀をつくろうとするとき）は，着工の時から1年内で，かつ工事の完成する前に訴えを提起しなければならない（201条1項・2項）。占有回収の訴えは，占有を侵奪された時から1年以内である（同条3項）。一度生じた物支配の攪乱状態も，一定期間経過後は社会の新たな事実状態として落ち着くので，その後はもはやその排除を許すべきでないからである。なお，この期間制限は，損害賠償の請求にも適用される。

(ホ) 交互侵奪と自力救済　　では，Ａの占有を侵奪したＢから，後にＡが実力でそれを奪い返した場合はどうなるか。たとえば，Ａが以前Ｂによって盗まれた小舟を発見して，Ｂの手許から黙って持ちかえったような場合である（したがって，Ａの行為が通常許容される自力での占有回復の範囲を超えることが前提である）。大審院の判例には，占有訴権では占有者の善意・悪意は問題とならないから，ＢはＡに対して占有回収の訴えを提起できるとしたものがある（大判大13・5・22民集3巻224頁）が，最近の学説の大　★★

勢は，Aの奪還がBの侵奪行為から1年以内（つまり，Aが占有回収の訴えを提起できる期間内）である場合には，Bの占有回収の訴えは認めるべきでないとする（下級審判決にも同旨のものが多い）。①仮にBの訴えを認めても，Aは改めて占有回収の訴えを提起できるから，訴訟手続上不経済である，②Bの占有はAとの関係ではいまだ社会的に承認されたものといえないうえ，③むしろAの最初の占有状態の継続が認められることになるのだから（203条ただし書参照），Aによる奪還はあるべき秩序の回復行為とみなされる，などの点がその理由である。

　しかし，そう解すると，結局，侵奪後1年間はAの自力救済を許容する結果になる。Aが本権者である場合はまだよいとしても（なお，次の(カ)の後段も参照），Aが無権原占有者でBが本権者であるようなときには，実際の結果自体にも疑問が残ろう。それゆえ，占有訴権の主たる意義を自力救済禁止の原則の実現に求める立場からは，上記の通説に対する有力な反対論も提起されている。

★★　**(カ)　本権の訴えとの関係**　　①占有訴権は物の事実的支配に基づく妨害除去の請求権であるから，所有権・地上権などの本権に基づく訴え（本権の訴え）とは何ら関係がない（202条1項）。したがって，たとえば占有を侵奪された所有者は，占有回収の訴えと所有権に基づく返還請求の訴えの双方を，同時にでも，別々にでも提起できるし，その一方で敗訴した後に他方を提起してもよい。また，②二つの訴えが全く別個のものである以上，占有の訴えにおいて裁判所が本権の有無を考慮して判断を下すことも許されない（202条2項）。たとえば，真の所有者であるAが無権原占有者たるBから占有を侵奪した場合でも，Bの占有回収の訴えは，Aの本権に関する主張（抗弁）とは無関係に認められることになる

のである（以上，通説）。

しかし，この考え方を厳格に貫くと，とくに訴訟法の見地からは問題がなくはない。というのは，上の①の例では，占有訴権に関する特別の訴訟制度がないにもかかわらず，ある物の返還請求という同一の目的につき二つの訴えを別々に認めることになるからである。そこで，この場合には訴訟の目的となるべきことがらは一つであって，それにつき二つの請求権が認められているにすぎないから訴訟も一本化すべきである（仮に一方のみを主張して敗訴すれば，その既判力の効果により他方の訴えはもはや許されない。新訴訟物理論の立場），という反対説が有力に唱えられている。

他方，②の例の場合には，Aが後に本権の訴えを提起して勝訴すれば，占有は結局Aに帰属せしめられるのに，占有の訴えではAの本権に基づく主張を一切認めないのは不都合ではないか，が問題となる。そこで判例は，単なる攻撃防御方法としての本権の主張は認められないが，Aが本権に基づく反訴を提起することは許されるとし（最判昭40・3・4民集19巻2号197頁。場合によっては両方の訴えが認容されうる），学説の多数もこれを支持する。しかし，そうすると，先の(オ)の場合と同様に，結局は本権者の自力救済を許容する結果になるので，占有保全の訴えと物権的妨害排除請求権とが衝突する事案以外では反訴も認めるべきでない，という批判説もある。

(2) 権利の推定　　占有者は，占有物に対し適法な占有権原（本権）を有するものと推定される（188条）。たとえば，所有権を主張する占有者が占有している事実を証明すれば，その者は所有者と推定され，それを争う者の側で占有者に所有権がないことを立証しなければならない。推定される権利は，186条1項との関係からも所有権である場合が多いであろうが，占有の態様によっ

ては占有を伴う他の権利(質権や賃借権など)であることもある。占有者は大多数の場合に本権者であるという前提に立って,占有に本権の公示・表章機能を付与しているわけである。

ただし,不動産に関する権利で登記によって公示されるものについては,登記の推定力(第3章Ⅲ4(1)参照)が優先するので,上記の推定は,未登記の場合にしか適用されない(通説)。また,売買や賃貸借など相手方との契約に基づいて権利を有すると主張する者は,その相手方(たとえば売主や賃貸人)に対しては上の推定規定を援用できず,有効な契約の存在についての挙証責任を負う(最判昭35・3・1民集14巻3号327頁)。

(3) **善意占有者の果実取得権** (ア) たとえば所有権・賃借権などの果実収取権限を伴う本権がないのにこれを有すると誤信していた善意の占有者は,占有物から生ずる果実を取得することができる(189条1項)。これらの者は果実を取得し消費するのがふつうだから,後になって果実まで本権者のほうに返還せよというのは,酷にすぎるからである。占有者の無過失は要求されない。また,果実には,天然果実と法定果実のほか,占有物を利用したことによる利得(たとえば家屋に居住した場合の,賃料相当額の居住の利益)も含まれる(大判大14・1・20民集4巻1頁)。

(イ) **悪意の場合** これに対して,悪意の占有者は,現に存する果実を返還したうえ,すでに消費した果実,および,過失によって滅失・損傷したり収取を怠った果実の代価を償還しなければならない(190条1項)。暴行,強迫または隠匿による占有者は,たとえ善意でも同様の扱いを受ける(190条2項)。また,善意の占有者が本権者からの回復請求の訴えを受けて敗訴したときは,その訴えの提起の時から悪意であったものとみなされる(189条2項)。

なお，売買の目的物から生ずる果実については，別に民法575条の特則がある。

(ウ) **不当利得との関係**　ところで，これらの規定は不当利得 ★ の規定（703条・704条）の特則と解されるが，その厳密な意味や適用範囲については議論が多い。まず，①果実がいまだ消費されず現存している場合にも，善意の占有者はその返還を免れるか。通説はこれを肯定するが，189条1項は消費された果実の返還義務を免除したにすぎないとする反対説もある。次に，②これらの規定（とくに189条）は，法律行為の無効・取消しや契約の解除などにより物を返還すべき場合にも適用されるか。判例はこれを肯定しており（たとえば，前掲大判大14・1・20は売買契約の取消しの事案である），学説でも，物の現物返還が問題となるときは――契約法上の特則がある場合は別として――もっぱら189条以下が適用されるという考え方が強いようである。ただし，他方で反対説も多い。不当利得の理解の仕方ともあいまって，盛んに議論されている点である。

(4) 占有者と回復者とのその他の関係　占有者と目的物を回復する本権者との間に賃貸借・寄託などの法律関係がある場合には，両者の関係はそれに従って規律されるが，両者間にそのような法律関係がない場合のために，以下の規定が設けられている。

(ア) **占有物の滅失・損傷に対する責任**　占有者がその責めに帰すべき事由（故意・過失）によって占有物を滅失・損傷した場合には，悪意の占有者および他主占有者は，その損害の全部を賠償する義務を負う。しかし，所有の意思のある善意の占有者は，その行為により「現に利益を受けている限度」でのみ賠償すればよい（191条）。自己の所有物と誤信している占有者に全損害を賠償させるのは酷であるので，不当利得の原則（703条）に従って

(イ) 占有者の費用償還請求権　①占有者が占有物の保存や管理に要する必要費を支出したときは，原則として常に，回復者に対しその償還を請求できる。たとえば，家屋の雨もりの修繕費，家畜の飼育費，公租公課などである。ただし，占有者が果実を取得した場合には，通常の必要費は占有者の負担となる（196条1項）。これに対し，②土地の土盛りや通路の舗装，店舗の内装替えのように占有物の改良のために支出した有益費については，それに伴う占有物の価格の増加が現存する場合に限り，回復者の選択に従って，支出した費用額または現存の増価額のいずれかの償還を受けることができる（196条2項本文）。ただし，悪意の占有者の有益費償還請求に対しては，回復者は裁判所に猶予期間の付与を求めることができ（196条2項ただし書），それが認められると占有者は留置権を失うことに注意を要する（295条1項ただし書参照）。

(5) 家畜外動物の取得　さる・きじ・うぐいすなどの家畜外の動物が飼主のもとから逃げ出した場合に，他人の物だということを知らないでこれを捕獲した者は，逃げた時から1ヵ月内に飼主からの返還請求を受けないときは，その所有権を取得する（195条）。無主物先占（239条）と遺失物拾得（240条）との中間的取扱いを定めたものといえよう。

5　占有権の消滅

(1) 自己占有の消滅事由　占有（権）は物の事実的支配を基礎として成立するものであるから，その消滅についても，他の物権一般とは異なる特殊な事由が定められている。すなわち，占有は，目的物の滅失の場合のほか，占有者が占有の意思を積極的に

放棄するか,または占有物の所持を失うことによって消滅する(203条本文。**2**(1)参照)。ただし,占有者がいったん所持を失っても占有回収の訴えを提起して勝訴したときは,占有は消滅することなく継続していたものとみなされる(203条ただし書および判例・通説)。

(2) 代理占有の消滅事由　さらに代理占有の場合には,以下の事由によって本人の占有(間接占有)が消滅する(204条1項)。すなわち,①本人が占有代理人に占有させるという意思を放棄したこと(同項1号),②占有代理人が本人に対し,以後自己または第三者のために占有するという意思を表示したこと(同2号),③占有代理人が所持を失ったこと(同3号),である。ただし,たとえば賃貸借が終了した場合のように,本人と占有代理人との間の法律上の占有代理関係が消滅しても,代理占有そのものは当然には消滅しない(204条2項)。代理占有も物支配の外形に依拠するものであるから,貸主・借主という外形が存続している限り,その消滅を認めるべきではないからである(通説。なお,**2**(2)(イ)参照)。

6　準 占 有

(1) 意義　占有制度は,物の事実的支配の外形を保護する制度であるが,そうした事実的支配の外形は,物の直接的支配を内容としない財産権についても成立しうる。たとえば,債権者でない者が債権証書を所持している場合や,地役権者でない者が地役権を行使している場合がわかりやすいが,同様の状態は,抵当権・先取特権・著作権・特許権・商標権・漁業権・鉱業権などについても考えられる。そこで民法は,自己のためにする意思をもって財産権を行使する場合には準占有が成立するものとし,これに占有に準ずる保護を付与している(205条)。「財産権の行使」

とは，社会観念上その財産権がある人の支配内にあるようにみえる客観的事情の存することである。

(2) 効果　　占有訴権その他の諸効果が認められるが，即時取得の規定は準用されない（判例・通説）。即時取得は，動産取引の安全のために，とくに動産の占有に公信力を認めた制度だからである。また，債権の準占有者に関しては，やはり取引安全の見地から，別に平成 29 年改正前民法 478 条の規定が設けられていて，重要な役割を果たしてきた。この規定の趣旨も，債権の準占有者の保護ではなく，その者を債権者ないし債権の受領権者と信頼して弁済した債務者を保護することにある。そこで改正民法 478 条は，改正前規定の「債権の準占有者」という文言を「受領権者……以外の者であって取引上の社会通念に照らして受領権者としての外観を有するもの」（表見受領権者と呼ばれる）に改めて，同条の趣旨を明確にしている。

Ⅲ　所　有　権

1　序　説

(1) 所有権の意義と性質　　所有権は，所有者が所有する物（有体物）を，法令の制限内において自由に使用・収益・処分する権利である（206 条）。他人の物の使用・収益だけができる用益物権や，他人の物の担保価値のみを把握する担保物権と異なって，物に対する全面的支配権である点に，その最も基本的な特質がある（Ⅰ(1)参照）。しかも，所有権は，使用権・収益権・処分権等の単なる束や集合ではなく，それらが渾然一体となった支配権と観念されるので（渾一性），所有者のもとでその諸権能が分解されることはない。もちろん，所有者が他人のために地上権等を設定す

ると，所有権はその範囲で制限され，物の支配権としての実質を大きく減ずるが，建前としては，地上権その他の用益的権利は原則的に有限のものであるので（Ⅳ2(2)等参照），所有権は，一定の時期には再び円満な状態に復帰する（弾力性）。所有権それ自体は，存続期間を限定されることも，消滅時効にかかることもないのである（恒久性。166条2項参照）。

(2) 近代的所有権とその歴史的性質　もっとも，所有権がこのような法律的性質をもつ権利になったのは，近代社会に入ってからのことである（それゆえ，近代的所有権と呼ばれる）。封建社会においては，とくに土地の所有関係は物権重層的な構造をもっており，それが身分制による政治的支配秩序と不可分に結びついていた。領主の上級所有権と農民の下級所有権の併存（分割所有権）は，その象徴である。また，物支配の権原は，ゲルマン法のゲヴェーレにおけるように，物の現実的＝事実的支配を伴ってはじめてその存立を認められる一方で，種々の共同体的拘束にも服していた。封建制から近代社会への移行を画した市民革命がこうした状態を最終的に払拭し，そこに新しい「自由な所有権」の観念が，ローマ法に依拠しつつ創出されたのである。

すなわち，近代社会における所有権は，一切の政治的・身分的・共同体的拘束から解放された，自由で包括的な物支配権となる（分割所有権はもはや認められない）。それは，動産・不動産を問わず成立する，物の経済的価値に対する純粋に私的な権利である（私的性質）。しかも，物の経済的価値は，近代社会（＝資本主義社会）ではすぐれて交換価値＝商品としてとらえられたから，その権利の存立は現実の物支配の有無とは無関係に承認され（観念性），その保護の在り方も，物権的請求権に具現されるごとく，対世的かつ絶対的なものとなる（誰に対してでも主張できるという意味での

絶対性)。そして，さらに市民革命期の権利宣言のなかでは，所有権は国家によっても絶対的に尊重されるべきことが，また強調されたのである（不可侵性という意味での絶対性)。

(3) 現代社会における所有権　しかし，所有権の自由を絶対視するこのような考え方は，資本主義の発達に伴うさまざまな社会問題の発生により，しだいに修正を余儀なくされていく。たとえば，土地・建物の所有者と利用者が分裂する場合には，所有権の自由は利用者の権利や自由の制約要因として作用したし，また，資本制工場生産の発達とその集中・独占化は，生産手段の所有権の自由が契約自由の原則と結合して，企業による労働者の支配や商品市場の支配のための制度に転化することを明らかにしたからである。不動産利用者の保護のための賃貸借特別法（I(2)参照)，各種の労働関係法，経済法等は，こうした問題に対処して所有権の自由（ないしは所有者にとっての契約の自由）を制限するために登場してきたのである。

このような所有権の自由の制限は，産業・技術が格段に高度化し，緊密な都市社会が形成された今日では，一層増大する傾向にある（2(2)参照)。最初の現代憲法であるワイマール憲法（153条）は，所有権も絶対・無制限の権利ではなく，社会公共の観点からする内在的義務を伴うことを規定したが，その精神は，わが国憲法（29条）や民法（1条1項）の解釈に際しても参考とされてよい。とくに戦後高度成長期以降のわが国では，土地所有権の制限の強化が重要な課題となってきた。というのは，その過程で人口が増加を続け，地価が持続的に上昇したことともあいまって，土地所有権とその自由に対する根強い執着が存在し，それが往々にして社会的・公共的な土地利用の実現を妨げていたからである（2(3)(イ)参照)。

他方，最近には，人口減少と縮退型社会への移行の始まりに伴い，土地・建物の利用・管理の低下や放棄現象（空き家・空き地や耕作放棄農地，所有者不明土地の増加等）が顕在化している。人口の大都市集中の下で，それはとくに地方で顕著である。この新しい問題状況への対処も，土地・建物の所有権に対する新しい制限の論理と新しい制度的対応を必要とする。令和2年の土地基本法の改正（**2**(3)(イ)参照），令和3年の民法および不動産登記法等の改正（以下，令和3年改正という），および「相続等により取得した土地所有権の国庫への帰属に関する法律」（相続土地国庫帰属法。**4**(2)(ア)②参照）の制定は，とりわけ所有者不明土地問題への対処（発生の抑制・解消と利用の円滑化等）を掲げつつ，その制度的対応の具体化を図ったものである（第3章Ⅲ**2**(5)も参照）。なお，「所有者不明土地」には，不動産登記簿等からは所有者が直ちに判明せず，または判明しても連絡がつかない土地（広義の所有者不明土地。国土の約2割とされる）と，住民票や戸籍等による追跡調査を行っても所有者またはその所在を確知できない土地（狭義の所有者不明土地。全体の約0.4％とされる）とがある。令和3年改正民法の規定の適用が問題となるのは，基本的には後者＝狭義の所有者不明土地（および建物）である。

2　所有権の内容

(1)　所有権の保障とその制限　　所有権の内容は，法令の制限内において，物を自由に使用・収益・処分することである（206条）。使用とは物の即物的利用，収益とは物の果実の取得を意味する。物を他人に使用させて使用料（法定果実）を得ることも，収益である。同様に，処分には，物の物理的処分（消費・改造・毀滅・放棄など）と，法律的処分（譲渡や用益物権・担保物権の設定，

物に対する権利の放棄など）の双方が含まれる。ただし，いずれの権能も「法令の制限内」に限定されるわけで，その趣旨は，今日では，憲法29条の規定と関連づけて理解されている。

すなわち，所有権は，財産権の最も重要なものとして憲法上の保障を受け（憲29条1項），それを公共のために用いるときには「正当な補償」が付与される（憲29条3項）が，その権利の内容は，「公共の福祉に適合するやうに」法律で定められる（憲29条2項。なお，民法1条1項も参照）。この場合の「法律」とは，狭義の法律またはその委任する命令に限られるから，民法206条の「法令」も，それと同義のものと解されよう。ただし，その実際の適用にあたっては，「公共の福祉」の具体的内容が何であるか，また，同じ「所有権」でもその社会経済的実質や性格には多様性があることをどう考えるか，などの点にさらに留意しなければならない。

(2) 所有権制限の目的と態様　　一般に，行政法による制限が多い。

(ｱ) 目的　　その目的とされる社会的利益によって区分すると，①社会一般の保安や安全のための制限（防火・防災，衛生，公害防止等），②公共の施設（道路・鉄道・河川等）の建設・維持のための制限，③自然・環境・景観や文化財保護のための制限，④特定の産業（たとえば鉱業）の維持・開発をも含めた経済政策の遂行のための制限（各種の産業・経済法），⑤国土の合理的利用や良好な都市環境の維持・形成のための制限（国土利用計画法・都市計画法・建築基準法・公害防止や環境保全関係法等）などがあり，とくに近年では，③以下の規制が増えている。

(ｲ) 態様　　制限の態様としては，所有権や使用権の強制取得（公用徴収），特定の侵害に関する忍容義務の法定，一定の利用方

法の制限・禁止（たとえば都市計画法・建築基準法による建築規制），積極的な作為義務の法定（たとえば公害防止施設の設置義務）などがある。

他方，私法上の制限としては，民法1条3項に基づく所有権濫用の個別的制限のほか，賃貸借特別法による不動産所有権の制限，区分所有建物についての特別の規制（**6**参照）などがある。令和3年改正で民法第2編第3章第3節中に導入された所在等不明共有者の共有持分権に対する諸制限（**5**参照）と，同編同章に新設追加された所有者不明土地・建物管理命令（第4節264条の2以下）ならびに管理不全土地・建物管理命令（第5節264条の9以下。**7**参照）の制度も，所有権に対する私法上の新たな制限といいうるものである。

(3) 土地所有権の内容と特殊性　　(ア) 内容　　もっとも，土地所有権については，土地の物理的な特性のゆえに，その内容ないし範囲に関する特別の定めが本来的に必要になる。

その一つは，土地の所有権は境界を越えて隣地には及ばないことを前提としたうえで，隣接土地所有権相互の利用関係の調節を行うことであり，**3**でみる相隣関係の規定がこれにあたる。

いま一つは，上下の範囲の問題で，民法207条に規定があり，土地の所有権は法令の制限内でその土地上の空間および地下に及ぶ，とされる。したがって，たとえば他人の土地上に送電線を架設したり，地下にトンネルを掘るためには土地所有者の承諾を必要とし（269条の2の区分地上権は，そうした場合のために設けられた制度である。後述IV4），勝手にそのような行為を行うと，違法な侵害として妨害排除の対象となる。ただし，この上下の範囲にはおのずから合理的な限界があるとみるべきであるから，航空機の通常の上空通過などは土地所有権の侵害とはならない。また，大深

度地下の公共的使用に関しては特別法がある。

なお、地上の湧水または地下水の利用は、通常的には、他人の権利を害しない限度で土地所有者の権能に属するが、温泉の利用は、土地所有権とは別個の慣習上の物権（温泉専用権）の目的となっている場合が多く、新規の掘削もそれとの関係で一定の制限を受けることがある（温泉3条以下）。また、鉱業法3条所定の鉱物にも、土地所有権は及ばない（鉱業2条・7条）。

(イ) 土地所有権の特殊性とその制限　　ところで、土地所有権は、物ないし商品の私的支配権としても、かなり特殊なものである。というのは、土地の所有権は、その位置と個性を特定された有限の自然的所与＝地表の一部の私的独占にほかならないからである。しかも、他面では土地は、すべての人間にとってその利用が不可欠なものであり、かつ、利用されてはじめて価値をもつ。また、土地は他の土地と連続して存在するから、不適切な土地の利用や管理不全は、周囲の土地利用や生活環境に悪影響を及ぼす（土地所有権の外部不経済）。ここから、他の物（労働生産物たる商品）の所有権とは異なる土地所有権の特殊性が生じてくる。

その第一は、土地にあっては所有権以上に利用権が重視され、尊重されるべき理由があるということである。近代資本主義社会では、土地所有権は土地利用権によってその自由を制限されるのがむしろ本則であるとする見解（近代的土地所有権論）が有力に説かれるのも、このことによる（なお、Ⅰ(2)参照）。第二は、土地所有権が他の財産権に比べてはるかに強い社会的・公共的性格をもつことである。先にふれたワイマール憲法（155条）にも、すでにこのことを示す規定が置かれていたが、土地所有権のこのような性格は、高度に都市化・工業化した現代の社会では一層強まっている。(2)でみた所有権の制限の多くが土地所有権にかかわるこ

とに示されるように，社会公共の立場から土地所有権の自由を制限することが現代土地法の重要な課題となるのであり（**1**(3)の中段参照），平成元年に制定された土地基本法にもその基本的な理念が定められている。加えてさらに，人口が減少し土地利用ニーズが低下する今日の日本では，土地の所有者等（利用権者を含む）に適正な利用と管理を求めることも重要となる。先にふれた令和2年の同法改正は，そのことを大きな狙いの一つとして行われた（**1**(3)の後段参照）。土地の登記等権利関係の明確化，所有権の境界の明確化に努めることも，「土地所有者等の責務」とされる（同法6条）。

3 相隣関係

(1) 序　(ア) 意義　土地は原則として他の土地と隣接しているから，ある土地の利用は，不可避的に，近隣の他の土地の利用に何らかの影響を及ぼさざるをえない。そこで，隣接する土地所有権相互の利用を調節するために設けられているのが，相隣関係の規定である。

相隣関係の規定によって，土地所有権は，隣接地の土地利用を円満ならしめるための種々の制限を受けるが，それは，立場をかえれば所有権の拡張とみることもできる。その意味では，相隣関係は，当事者の立場の互換性を前提にしたうえで，隣接地との関係における土地所有権の内容を具体的に法定する制度である。ただし，別の慣習や合意があればそれによることもできる（慣習の例として，217条・219条3項・228条・236条。また，合意の限界につき，Ⅵ**1**(3)(ア)参照）。なお，Ⅵでみる地役権も，隣接地相互の利用の調節を図るために類似の機能を果たしうる（たとえば通行地役権）が，これは当事者間の契約で設定される別個の物権であって，

相隣関係(たとえば210条以下の隣地通行権)とはその性質を異にする。

(イ) 民法の規定と現代的適用　相隣関係に関する民法の規定は，(2)以下でみるようにかなり詳細である。ただし，令和3年改正前の規定は明治中期の社会を前提としたものであるので，建設技術が発達し都市化の進んだ今日の実態からみると，内容的には時代遅れのものが多く，現代社会で生ずる新しい問題に十分対処できないところがある。たとえば，建物の中高層化に伴う日照妨害や風害等の問題は，その一例である。これらも，当事者の立場に互換性がある範囲内では，一種の相隣関係とみることができるが，その範囲を超える場合には，新しい問題解決の方法が必要となろう((6)(ア)参照)。他の各種の生活妨害や公害の問題も，これと同様である。

しかし，民法の規定の実際上の意味がなくなったわけではないから，社会生活の実態の変化と考えあわせて，その趣旨を可能な範囲で現代に生かしていくことが必要である(たとえば，(2)(ニ)前段でみる「法定導管路」の考え方の登場)。また，とくに市街地の利用に関しては，建築基準法その他の特別法によって，いわば相隣関係の制度に接続するような各種の特別の規制も行われている((6)(ア)参照)。そして，令和3年改正では，まさに相隣関係の制度の趣旨を今日の社会の要請に適合させるべく一連の規定の改正と新設が行われた((2)(ア)，(ニ)，(5)参照)。

なお，相隣関係に類似する関係は，相接合する建物の間でも考えることができ，民法旧208条にその規定が置かれていたが，今日では建物の区分所有として別の規制を受けている(後述**6**)。

(ウ) 地上権等への準用　民法は，相隣関係の規定を地上権にのみ準用している(267条)が，相互の土地利用の調節というそ

の趣旨を考えれば，永小作権や土地賃借権等にも準用ないし類推適用されると解するのが妥当である。判例も，民法213条の隣地通行権を土地（農地）賃借人に認めており（最判昭36・3・24民集15巻3号542頁。単なる占有者は不可とする），下級審裁判例では，建物建築を目的とする土地の使用借権者が行う通路工事のために民法209条の隣地使用権を認めたものもある（東京高判平18・2・15判タ1226号157頁。類推適用という。また，東京地判平30・10・26 2018 WLJPCA10268019 も参照）。

(2) 隣地使用に関するもの　(ア) 隣地使用・立入権　令和3年改正前の旧209条でも，土地所有者は，境界またはその付近で塀や建物の建築とか修繕を行うため，場合による償金の支払を負担として，必要な範囲内で隣地の使用を請求することができた。ただし，隣人の承諾がなければ住家に立ち入ることはできない。改正法は，これに以下のような改正を加えている（以下，改正前の規定を旧○条，改正後の規定を新○条と表記）。

①使用の請求権ではなく，「使用することができる」権利と位置づけた（新209条1項本文）。旧規定の下では，使用を請求しても隣地所有者が承諾しない場合は，承諾に代わる判決を得る必要があるとされていたが，土地所有者は，③に記す手続を行えば，直接に使用を開始できることになる（ただし，隣地所有者が土地使用を拒んでいるときに自力で使用を強行することは，自力救済となり許されない）。

②使用目的について，㋐旧規定の文言に「建物その他の工作物の……収去……」を追加し，新たに㋑境界標の調査または境界の測量，㋒枝の切除権の行使（新233条3項。(5)参照）を明記した（新209条1項1号～3号）。㋐は，旧規定の解釈（例示列挙と解された）でも容認されていた点の明文化である。㋑㋒は，類型的に必

要性が高い場合の追加である。

③隣地の使用にあたっては，隣地の所有者および使用者（隣地所有者等）のために損害が最も少ない「日時，場所及び方法」を選ぶ必要があり（新209条2項），かつ，あらかじめ「その目的，日時，場所及び方法」を隣地所有者等に通知しなければならない（同条3項本文）。この義務に違反した使用権の行使は不適法となり，不法行為責任を生じさせる。ただし，「あらかじめ通知することが困難なときは」，事後通知も許される（同項ただし書）。たとえば自然災害で工作物等の緊急の収去・修繕が必要になった場合であるが，所有者やその所在等が不明である場合も，これにあたると解されそうである（もっとも，新233条3項2号・3号の規定の定め方との整合性に疑問も残りうる）。

④住家への立ち入りの制限，隣地所有者等に損害を与えたときの償金の支払義務は，改正前と同じである（新209条1項柱書ただし書・同条4項）。

(イ) 隣地通行権　他人の土地に囲まれて公道に出られない土地（袋地），および池沼・河川・水路・海または高い崖を経てしか公道に出られない土地（準袋地）の所有者は，公道に出るため，その土地を囲んでいる他の土地（囲繞地たる隣地）を通行できる（210条）。通行の場所と方法は，その通行権を有する者のために必要な範囲内で，かつ他の土地の損害が最も少ないものでなければならないが，必要があれば，通路を開設することもできる（211条）。ただし，通行権者は，通路の開設のために生じた損害に対する償金のほか，通行によって生じる他の土地の損害に対して償金を支払う義務を負う。後者は1年ごとの支払が可能である（212条）。

もっとも，袋地または準袋地が土地の分割や一部の譲渡によっ

て生じたときは，通行権は，もとの土地の他の部分（残余地）の上にしか認められない（213条。償金も不要である）。袋地が生ずることがわかっている以上，通行路の必要性も当然予期できたはずだからである。判例によれば，この規定は，一筆の土地の全部が同時に分筆され，複数の者に分譲された場合の譲受人相互間にも適用される（最判昭37・10・30民集16巻10号2182頁）が，学説には，賛否両説がある。また，袋地または残余地が第三者に譲渡されるなどした場合の通行権の帰趨についても，学説には種々の議論があるが，最高裁は，残余地の特定承継の事案につき，従前の通行権が新所有者との間で存続・承継されるとする（最判平2・11・20民集44巻8号1037頁）。

(ウ) 隣地通行権の拡張適用など　では，①すでに公道への通路があるものの，その土地の利用のためには不適当ないし不十分だという場合はどうなるか。判例には，既存の通路が土地の産出物（石材）の搬出に不適当である場合につき，210条の隣地通行権を認めたものがある（大判昭13・6・7民集17巻1331頁）。また，②現代社会では自動車の通行を前提とする210条の通行権も要求されるが，その成否と通行権の具体的内容は，自動車による通行を認める必要性，周辺の土地の状況，その通行権が認められることにより他の土地の所有者が被る不利益等の諸事情を総合考慮して判断される（最判平18・3・16民集60巻3号735頁）。

しかし，③建物の増築や建替えを希望する袋地所有者が建築基準法等の接道要件を満たすために，従来より幅員の広い通路の通行権を主張することはできないとされる（最判昭37・3・15民集16巻3号556頁，最判平11・7・13判時1687号75頁。後者は，敷地の重複使用の問題も指摘する）。これは，実際にも紛争の多い問題で，学説には，建築基準法等の規定に応じた幅員拡張の余地を認める

べきだとする意見が強い（下級審判決の態度も区々である）。なお，④建築基準法による位置指定を受けた道路（私道）の通行について日常生活上不可欠の利益を有する者は，通行を妨害するその敷地所有者に対して妨害排除と将来の妨害禁止を求める人格権的権利を認められる（最判平9・12・18民集51巻10号4241頁。「通行の自由権」とも呼ばれる）。

㈣　電気・ガス・水道等の設備設置権および設備使用権　ところで，通行路の問題とは別に，隣地を通らなければ電気・ガス・上下水道等の導線や導管（ライフライン）を引けない土地がある（導管袋地）。民法にはこれに関する規定がなかった（下水道法には特則がある）が，これらは今日の都市生活にとって不可欠のものであるから，210条以下や220条・221条等の規定の趣旨を類推して，導管袋地所有者のための導管等設置権（ないし法定導管路）を認めるべきことがつとに説かれてきた。それを肯定した下級審判決も数多く，判例にも，導管袋地である宅地の所有者が他人の設置した給排水設備を使用する権利を220条・221条の類推適用によって認めたものがある（最判平14・10・15民集56巻8号1791頁）。令和3年改正は，そのような「継続的給付を受けるための」設備設置権および設備使用権を定める2ヵ条を新設した。

①土地所有者は，他の土地に設備を設置し，または他人所有の設備を使用しなければ電気・ガス・水道水等の「継続的給付」を受けることができないときは，必要な範囲内で，他の土地に設備を設置し，または他人所有の設備を使用することができる（新213条の2第1項）。前者が設備設置権，後者が設備使用権である。権利行使者の所有地は物理的な袋地である必要はなく，他の土地も隣接地に限られない。

②それらの権利を行使する者は，他の土地または他人所有の設

備（以下，他の土地等）のために最も損害が少ない「場所及び方法」を選ぶ必要があり（同条2項），かつ，あらかじめ「その目的，場所及び方法」を他の土地等の所有者および使用者に通知しなければならない（同条3項）。新209条2項・3項（前出(ｱ)③参照）と同趣旨の規定であるが，事後通知の特則はない。対象土地に対する制約が大きい一方，緊急性のある場合を想定しがたいからである。

③権利の行使に際しては，他の土地（隣地とは限らない）を使用する必要があるので，そのための・土・地・使・用・権が認められ（新213条の2第4項前段），その土地使用権の行使については，新209条の隣地使用・立入権の行使態様に関する規定（同条1項ただし書および2項～4項。前出(ｱ)の③④参照）が準用される（新213条の2第4項後段）。

④設備設置権の行使者は，その行使によって生じる他の土地の損害に対して償金を支払う義務を負う。この償金は，1年ごとの支払が可能である（同条5項）。設備使用権の行使者は，他人所有の設備の使用開始のために生じた損害に対して償金を支払う（同条6項）ほか，設備の設置・改築・修繕・維持に要する費用を，その利益を受ける割合に応じて負担する（同条7項）。

⑤設備設置権を行使しなければ継続的給付を受けることができない土地が土地の分割や一部の譲渡によって生じたときは，設備の設置は，もとの土地の他の部分のみに認められる（新213条の3。④の前段の償金は不要である）。隣地通行権に関する213条と同旨の規定であり（前出(ｲ)後段参照），本条の解釈・適用にあたっても213条に関する判例や学説が参照されてよい。

(3) 水流に関するもの　(ｱ) 排水　土地の高低に伴う自然の排水は許容され（214条），場合によって高地の所有者が低地で

必要な工事を行うこともできる（215条・217条）が，人工的排水は，原則として認められない（隣地へ直接に雨水を注ぐ構造の屋根等の設置の禁止＝218条，貯水・排水等のための工作物の破壊や閉塞による隣地への損害の防止義務＝216条・217条）。

ただし，高地の所有者が浸水地を乾かしたり余水を排出するために，低地を使用しなければ公の水流または下水道に達することができない場合には，例外が認められる（余水の排出・排水のための低地通水権）。その際には，低地にとって最も損害の少ない場所・方法を選ぶべきである（220条）が，一定の費用を分担して他人の設けた通水用の工作物を使用することもできる（221条）。

(イ) 流水の利用　溝，堀その他水流の敷地の所有者は，水流が所有地内を貫流する場合には，その所有地内に限って水路や幅員を変更することができる。対岸が他人の所有地である場合には，その権利はない（219条）が，必要に応じてせきを設けることができる。ただし，生じた損害に対しては償金を支払う義務を負う（222条）。

(4) 境界に関するもの　(ア) 境界標および囲障設置権　土地所有者は，隣地の所有者と共同して，境界標（土地の境界を表示するもの）および囲障（所有者を異にする二棟の建物間の空地上の垣根や塀）を設置することができる。その費用は，原則として両者が半分ずつ負担する（223条〜228条）。

(イ) 境界線上の工作物　境界線上の境界標・塀・障壁・溝などは，相隣者の共有と推定され（229条），この共有物については，一方の意思だけでの分割は認められない（257条）。ただし，一棟の建物の一部をなす境界線上の障壁，および，高さの異なる二棟の隣接する建物を隔てる障壁の低い建物を超える部分は，上の共有の推定を受けない（230条1項・2項本文）。共有の障壁について

は，相隣者の一人が場合により償金を負担してその高さを増す工事をすることも可能である（231条・232条）。

(5) 竹木の切除等に関するもの　竹木の枝が境界線を越えたときの処理について令和3年改正前の旧233条1項は，竹木の所有者に対し枝の切除を請求できることのみを定めていたが，それでは不都合が生じることもあるので，新233条は，上記1項の原則を維持しつつも（新1項），一定の場合につき切除権を認めた。すなわち，㋑竹木の所有者に枝の切除を催告しても相当の期間内に切除しないとき，㋺竹木の所有者やその所在を知ることができないとき，㋩急迫の事情があるときは，隣地の所有者が自ら切除でき（同条3項1号～3号），その際には，新209条の定める隣地使用権を行使できる（同条1項3号）。なお，竹木が数人の共有に属するときは，各共有者が枝を切除できると規定したので（新233条2項），上記㋑の催告も，竹木の共有者の一人に対してすれば足りると考えられる（もっとも，異なる理解を示すものもある）。

　根の切取りにつき自力救済を認める旧233条2項の規定は，新233条4項にそのまま維持されている。

(6) 境界付近の工作物に関するもの　㋐ 建物と境界線との距離　建物は，境界線から50センチメートル以上離して築造しなければならない（234条1項）。違反する建築物に対しては，隣地所有者は，建築の中止または変更を請求できるが，着工から1年を経過し，または建物が完成した後は，損害賠償しか請求できない（234条2項）。取壊しによる不利益を避けるためである。

　もっとも，都会の繁華街などでは，境界に接した建築物を許容する慣習があることも少なくない（236条）。また，建築基準法では，防火地域または準防火地域につきそうした建築行為が明文で許されている（建基63条）ため，これを民法の規定の特則とみる

かどうかが問題となる。学説も，下級審判決も分かれていたが，最高裁は，近年の学説の多数と同様に，特則説の立場に立つことを明らかにしている（最判平元・9・19民集43巻8号955頁）。

なお，建築基準法には，他にも建物の外壁の後退距離に関する特則がある（建基54条）。また，第一種および第二種低層住居専用地域・田園住居地域では，高さ制限（建基55条）に加えて，いわゆる北側斜線や日影規制等の制限もなされている（建基56条1項3号・56条の2。この規定は，第一種および第二種中高層住居専用地域にも適用される）。これは，中高層建築物による日照妨害をめぐる紛争が増大し，判例でもいわゆる日照権が法的保護の対象とされるようになったことに伴って，昭和52年から新しく導入された規制である。

(イ) 観望の制限　境界線から1メートル未満の位置に他人の宅地を見通すことのできる窓や縁側やベランダを設けるときは，異なる慣習がない限り，目隠しを付す義務がある（235条・236条）。

(ウ) 掘削の制限　境界線付近で井戸や用下水だめ，溝・堀等を掘ったり，導水管を埋設するときの，距離と工事方法に関する制限である（237条・238条）。

4 所有権の取得

(1) 所有権の取得原因　民法239条以下は，所有権の取得原因として，先占，拾得，発見および添付を定める。しかし，今日の社会で実際上重要なのは，契約（売買・贈与等）と相続による所有権の承継取得であるから，そのような原始取得の方法は，さほどの意義をもつものではない。ただし，添付の制度中の不動産の付合は，不動産に他人の物が付着せしめられた場合の当事者間

Ⅲ　所 有 権

の利益調節を図る制度として，かなり重要な役割を果たしている。

(2)　先占・拾得・発見　　(ア)　無主物先占と土地所有権の国庫帰属　　①たとえば野生の動物を捕獲したときのように，「所有者のない動産」を所有の意思をもって占有した者は，その所有権を取得できる（239条1項）。これに対し，「所有者のない不動産」は国庫に帰属する（239条2項）。

②この2項の規定の適用をめぐって，近年，土地所有権は放棄できるかが議論された。人口減少・縮退社会化の趨勢の下で，利用可能性のない所有地の管理の負担（労力・費用等）を厭い，土地所有権を手放すことを望む土地所有者が出てきたからである。土地所有者がその所有権を放棄できるとすると，その土地は「所有者のない不動産」となり，本項により国庫に帰属することになるが，それは国庫にその管理の負担を転嫁することになる。下級審の裁判例では，一般論としては土地所有権の放棄もありうることを前提としたうえで，当該事案での土地所有権の放棄は権利の濫用となり，許されないとしたものもあり（松江地判平28・5・23訟月62巻10号1671頁。控訴審〔広島高松江支判平28・12・21訟月64巻6号863頁〕も同旨で棄却），学説では，当該放棄が民法90条の公序良俗に反するか否かで判断すべきであるとしたものなどもあった。令和3年改正は，結局，民法の規定には手をふれず（土地所有権の放棄の可否は明示されなかった），相続土地国庫帰属法（前出1(3)の後段）の制定でこの問題に対応した。

同法によれば，相続等（相続人への遺贈を含む）により土地所有権の全部または一部を取得した者は，法務大臣に対し，その土地の所有権を国庫に帰属させることの承認を申請できる（同法1条・2条1項。共有地の場合は，共有者全員での申請が必要。2条2項）。申請できる者を限定しているのは，自己の意思によらずに不要な

土地を取得した者の不利益を考慮するということである。ただし，承認申請のできる土地（承認申請要件）と，法務大臣が申請を承認できる土地（承認要件）には厳しい制約が付されているうえ（同法2条3項・5条1項），国の定める負担金の納付が条件とされるので（同法10条。10年分の管理費相当額），新制度がどのように機能するかは，まだわからない。なお，この制度による土地所有権の国庫帰属は，負担金の納付を引換えとする承継取得と性格づけられている（同法10条3項・11条1項）。

(イ) 遺失物拾得　遺失物（落し物・忘れ物）については，拾得者または施設占有者による警察署長への提出の後，持主を捜すための公告が行われる（遺失4条・7条・13条）。公告後3ヵ月以内に所有者がわからないときは，拾得者がその所有権を取得する（民240条）。ただし，2ヵ月以内に引き取らなければならない（遺失36条）。誤って占有した他人の物，他人の置き去った物および逸走した家畜も，準遺失物として同じ扱いを受ける（遺失2条1項・3条）が，他人が遺棄した物は，無主物先占の対象となる。

(ウ) 埋蔵物発見　たとえば，その所有地の地中から古銭を発見したようなときも，遺失物拾得の場合と同様の扱いを受ける（公告期間は6ヵ月間）。ただし，他人の物のなかにある埋蔵物を発見したときは，その物の所有者と発見者とが折半して，埋蔵物の所有権を取得する（民241条，遺失1条・2条1項2項・7条4項）。

(3) 添付――総説　(ア) 意義　所有者の異なる二つ以上の物が結合したり，混合した結果，元に戻すことが著しく困難であるか，損傷することなしには分離不可能な状態になった場合（243条参照）には，民法は，その全体を一個の物として扱い，当事者にその分離・復旧の請求権を認めない。無理な分離・復旧は，社会経済上の見地からみてむしろ不利益をもたらすからである

(通説)。物の結合の場合を付合(合成物)、混合の場合を混和(混和物)というが、他人の材料に労力を加えて別種の物をつくり出す場合——加工(加工物)——も類似の取扱いを受けるので、この三者をあわせて「添付」と呼ぶ。ただし、付合のうち不動産の付合については、沿革にも由来する特殊な問題があり、種々の議論が行われている(後述(4))。

(イ) 添付の共通の効果　①できあがった物(合成物・混和物・加工物)は一個の物として単一の所有権の客体となり、その一部となった元の物の所有権は消滅する。②新しい物の所有権は、原則として主な物の所有者に帰属するが、③主な物の所有者が一方的に利益を得るべき理由はないから、消滅した他の物の旧所有者(または加工者)は、703条・704条の規定に従って償金(利得の返還)を請求することができる(248条。不当利得の特則となる)。このうち、②と③に関する規定は任意規定とみてよいが、①に関する規定は、社会経済的必要によるものだから強行規定であるとされる(通説)。

なお、④添付により物の所有権が消滅すると、その物について存した他の権利(第三者の賃借権や担保物権など)もまた消滅する(247条1項)が、その物の所有者が新しい物(合成物等)の単独所有者や共有者となったときは、他の権利は、新しい物(合成物等)またはその共有持分の上に存続する(247条2項)。いわば公平の見地から第三者の権利を保護するための規定であり、強行規定とされる。

(4) 不動産の付合　(ア) 概要　民法242条によれば、不動産の所有者は、「その不動産に従として付合した物」の所有権を取得する(本文)が、「権原によってその物を附属させた他人の権利を妨げない」(ただし書)。たとえば、①他人の植栽した樹木

等が根をはったとき（したがって仮植は除く）は，原則としてその所有権は土地所有者に帰属するが，その他人が地上権者や土地の賃借人等であるときには，その者が樹木等の所有権を保留する，ということである。わが国では土地と建物の関係には本条の適用がないので（両者は常に別個の物である），他には，②建物に他の動産または建物を付着させた場合，③河岸の土地に土砂が堆積した場合などが問題になる。ただし，②のうち，建物と建物との付合については，これを除くとする説も有力である。

★★　(イ)　**規定の趣旨と問題点**　この規定に関する第一の問題は，そもそもその趣旨をどう考えるかである。一般には，動産の付合等の場合と同様に社会経済上の不利益を考慮したものと説かれる（通説）が，それでは十分な説明にならないとする意見も強い。この規定は，沿革的には，「地上物は土地に従う」というローマ法以来の原則に由来するものであるが，わが民法ではこの原則が大幅に緩和されているので（建物の除外や，権原があるときの例外の承認など），社会経済上の不利益という点はさほど考慮されていないのではないか（たとえば付着の程度の強い物でも，権原があれば分離できるのではないか）と考えられるからである。また，242条が動産の付合のような厳格な要件（243条参照）を定めず，分離がさほど困難でないときにも付合を認める趣旨らしいことも，そのことを裏側から示すものとされる。その結果，先の通説に対置して，わが国の不動産付合の規定は，取引の目的となる所有権の客体の範囲を明確ならしめ，取引の安全を図るための制度である，とする有力な反対説が説かれることになる。

　第二に，上の第一の問題点ともかかわって，どのような状態であれば付合したといえるかが問題となる。通説の立場では，(3)(ア)でみたのと同じく，社会経済上分離が著しく不利な状態（ないし，

付着した物が不動産の一部とみられる程度の結合状態）が基準とされるが，反対説の立場では，取引観念上一つの物とみられるような物理的状態の成否（つまり，結合した各要素が取引上の独立性をなお有するか否か）が重視される。したがって，後説（反対説）では，損傷せずに容易に分離できる場合でも付合が生じうる（弱い付合と呼ばれる）のに対して，前説（通説）では，論理的にはそのような場合は除外され，付着した物が不動産の構成部分になる場合こそ付合の本来の場合である（強い付合。たとえば，建物の床板や壁紙の取替え，敷設された水道管など）ということになる。しかし，実際には，前説をとる論者でも，242条は上の双方の場合を含むとするものが多数のようである。

第三に，同条ただし書にいう「権原」をめぐる問題がある。①権原とは，地上権・永小作権・農地賃借権など，他人の不動産に自己の所有物を付着させることを内容とする権利をいうが，所有権を保留する旨の特約だけでもよい（通説。また，次の(ウ)でみる最判昭38・10・29参照）。しかし，さらに，②このただし書はすべての付合につき適用されるのか（次の(ウ)，(エ)），また，③保留した所有権を第三者に主張するためには何らかの公示方法を要するか((エ)の後段），が問題となる。以下，主要な具体例に即して，いま少し検討しておこう。

(ウ) **賃借人等による建物の増改築と付合**　多くの判例があるが，
その統一的な理解は必ずしも容易でなく，学説でも議論が多い。①増改築をした者の権原の有無と，②増改築部分の独立性の程度との二つの点をどうかみあわせて考えるかが，ここでの問題である（表3参照）。

まず，建物の賃借権は，通常は増改築の権能を伴わないから（無断増改築は用法違反の問題となる。594条1項・616条参照），原則

表3 増改築部分の独立性と権原の有無

	独立性なし	独立性あり
権原なし	ⓐ	ⓑ
権原あり	ⓒ	ⓓ

としてここでいう権原にはあたらない。しかし，家主の承諾があった場合にはその承諾が「権原」になると，一般には解されている（近時の多数説。最判昭38・10・29民集17巻9号1236頁も同旨か）。そうすると，少なくとも承諾を得た増改築部分（表3のⓒ，ⓓ）は，常に借家人の所有物にとどまることになりそうであるが，判例は，一貫して，承諾を得た増改築でも，その部分が構造上・取引上の独立性を有しない限り付合が生じ，242条ただし書の適用はないとする（たとえば最判昭44・7・25民集23巻8号1627頁。家主の承諾を得て二階部分を増築した事案）。そこで，学説でも，増改築部分が不動産の構成部分になる場合（強い付合＝表3のⓐ，ⓒ）には同条本文のみが適用され，独立性を有するとき（いわば「弱い付合」に相応することになろうか）にのみただし書の適用があるという理解が，これまでの通説となっている。

この立場によれば，増改築者の所有権が認められるのは表3のⓓの場合に限られる（判例としては，前掲最判昭38・10・29参照。二階建家屋の階下の賃借人が家主の承諾を得て，柱2本と天井の梁を残しただけで賃借部分を店舗用に全面増改築した事案。なお，権原の立証がない場合につき，増築者の所有権を否定した事例として，最判昭28・1・23民集7巻1号78頁参照）。増改築部分の独立性の有無は，物理的構造のほか利用または取引上の独立性を考慮して判断される（たとえば最判昭43・6・13民集22巻6号1183頁）が，それは結局，その部分が建物区分所有権の客体たる要件を満たすときになるで

あろう（前掲最判昭 38・10・29，同昭 44・7・25 参照）。

　もっとも，以上のような考え方に対しては，相異なる方向からの有力な反対説が存在する。すなわち，一方には，増改築部分が独立性をもつときは元来242条の適用はなく（付合は生じない），独立性を欠くときには同条本文が適用されるから，同条ただし書は・建・物・の・付・合・に・関・し・て・は無意味な規定となる（権原の有無を問う余地もない），という説がある。この説では，表3の⑩のみならず⑤の場合にも増改築者の所有権が認められることになるが，⑤の場合には，建物所有者（賃貸人）の側からの原状回復請求や賃貸借契約解除等の問題が生じざるをえないことに注意しなければならない。

　他方，この説とは反対に，独立性の有無を問わず242条の適用を認め，権原があるときには表3の©の場合にも所有権が保留される，とする説も有力である。この説の実益は，家主の承諾を得た独立性のない増改築部分を，建物使用権の存続中は借家人等が自由に取り扱うことができるようにする点にある（たとえば，工事の仕直し・分離・取壊しなどの自由）。もちろん，建物の使用権が消滅した後までそのような効果を認める必要はないから，その際の処理の仕方を別途考える必要がある（たとえば，付着の程度に応じて，収去権または収去義務と費用償還・償金の支払とを組み合わせる）が，そのことは，表3の⑩の場合についても必要なことであるから（もともと土地使用権原のない借家人等は，建物使用権の消滅後に，独立性のある建物＝増改築部分を自己の所有物として存続させる権限を有しない），必ずしもこの説の難点とはならない。この説によれば，建物の付合の問題と次の㈢の問題とをより整合的に説明できること（後述㈢参照）ともあわせて，かなりの説得力をもつ見解であると考える。

平成29年改正民法599条1項・2項（使用貸借の場合）および622条（同前条項の賃貸借への準用）の規定も，この説の考え方とよく適合する。すなわち，①借家人等は，建物使用権が終了したときに，借用建物を受け取った後にこれに附属させた物がある場合には，その附属させた物を収去する義務を負う（599条1項本文。貸主は，収去請求権を有する）。ただし，②「借用物から分離することができない物又は分離するのに過分の費用を要する物」（いわば社会通念上で収去できない物）については，この限りでなく（同項ただし書），あとは費用の償還の問題となる。他方，③借家人等は，①にいう物を収去する権利を有し（同条2項），④その物が収去できない物（②参照）であるときは，やはり費用の償還の問題となる。そして，これらの規定の適用については，その物を附属させることについての貸主の承諾の有無も，また，附属させた物の独立性のいかんも，問題とされていない。借用建物の増改築についても，その態様により，①③に該当する場合（いわば物理的に「弱い付合」状態の場合）と，②④に該当する場合（「強い付合」の場合）との双方がありうると考えられるが，今後においては，上記の最後の見解を踏まえつつ，これらの規定（費用償還に関する規定を含む）を適切に解釈適用していくことにより，合理的かつ妥当な解決が得られるのではないかと考える。なお，借用建物返還時の増改築部分の処理について当事者間に合意がある場合には，それによるべきことは当然である。

★　㈣　**樹木・農作物の付合**　この問題については，判例は，242条をそのまま適用する。すなわち，無権原者が他人の土地に植えつけた樹木・農作物は土地に付合し，土地所有者が自由に抜去・処分できる（たとえば，大判大10・6・1民録27輯1032頁，最判昭31・6・19民集10巻6号678頁）が，権原がある場合には，植栽者

がその所有権を保留する（たとえば大判昭2・6・14刑集6巻304頁参照）。学説では、かつて小作人の保護を意図して、これらの物は慣習上土地とは別個の物だからそもそも242条の適用を受けない、とする説も有力であったが、近時の通説は、そう解しても必ずしも耕作者の利益にならない（土地の使用権がない限り、植栽者は物の収去・土地明渡義務を負う）として、判例を支持している。ただし、通説の立場では、242条ただし書の適用のためには植栽物が独立性をもつことを要するから（前述(ウ)の前段参照）、播種後の種子や苗の段階では、権原があっても同条本文の付合が生ずるとされる。

しかし、そうすると、小作人等が植えた農作物は、いったん土地所有者の所有に帰した後、成熟に伴って小作人等の所有物になるという妙な結果が生ずる。そこで、権原がある場合には最初から付合は生じないとする反対説が当然に提起される。たとえば、242条ただし書はまさにこの場合のために一物一権主義の例外を定めたものであるとする説（(ウ)でみた第一の反対説。建物の付合の場合とは違うという）や、(ウ)でみた第二の反対説（この説では、上記の結果はむしろ当然のことになる）などがそれである。そしてこの最後の説などでは、無権原でも善意の者には植栽物に対する多少の権限（収去権ないし償金請求権）を認めてよいのではないか、ということも論じられている。

なお、植栽者が保留した所有権を第三者に主張する場合に関しては、判例には、稲立毛につき特段の対抗要件を要せずとしたもの（大判昭17・2・24民集21巻151頁。未登記の土地譲受人が耕作した立稲を土地譲渡人の債権者が差し押さえた事案）と、立木につき明認方法を要するとしたもの（最判昭35・3・1民集14巻3号307頁等）とがある。学説には、上の判例どおりでよいとする説や、いずれ

についても対抗要件不要とする説もあるが、多数は、建物の付合の場合をも含めて常に対抗要件（権原についての対抗要件または付着物の明認方法）を必要とすると解している。

(5) 動産の付合・混和・加工　(ア) たとえば指輪の台に宝石を付着させた場合のように、数個の動産が付合して、損傷するか過分の費用をかけなければ分離できなくなったときは、合成物の所有権は主たる動産の所有者に属する（243条）。主従の区別は、社会通念によるが、その区別ができないときは、各動産の所有者が付合当時の価格の割合で合成物を共有する（244条）。酒や穀物などが混和して区別できなくなったときも、同じ扱いを受ける（245条）。

(イ) 他人の動産に加工して別種の物（近時の多数説では、必ずしも新たな物でなくてよい）を製作したときは、加工物は材料の所有者に帰属する。ただし、加工による増価が材料の価格を著しく超える場合、および、加工による増価分と加工者の提供した材料の価格との和が他人の材料の価格を超える場合には、加工者が加工物の所有権を取得する（246条）。もっとも、材料の所有者が他人に工作・加工を行わせるときは、加工物は材料の提供者に帰属させる旨の合意があるのが通常だから（たとえば雇用・請負・委任など）、本条の適用は例外的な場合に限られるであろう。

なお、この規定は、不動産への加工には適用されない（通説）。ただし、請負人Ｂがその資材で中途まで建築した建物を、注文者Ａの依頼を受けた請負人Ｃが自己の材料を供して独立の不動産たる建物に仕上げたという場合には、ＢとＣとの間につき246条2項を適用したうえで建物所有権の帰属を決定すべきである、とした判例がある（最判昭54・1・25民集33巻1号26頁）。

表4　共同所有の三形態

	共　　有	合　　有	総　　有
人的共同関係	×	○	○
持分の有無	○	○	△
持分処分の自由	○	△	×
分割請求権	○	×	×
具体例	①（249条以下）	③組合財産	④入会財産

5　共　有

(1) 序——共同所有の諸形態　　㋐　共同所有　　社会には，種々の原因により2人以上の者が一個の物を共同して所有する場合がしばしばある。たとえば，①友人2人で資金を出し合ってヨットや別荘地を購入した場合，②複数の相続人が家屋敷を共同相続した場合（令和3年改正前898条＝改正後同条1項），③共同の事業を営むため数人が出資して組合をつくり，店舗を購入した場合（668条），④村落共同体の構成員が入会地（共同で利用する山林原野）を全員で所有する場合（263条），などである。こうした場合における各人の権利は，他の共同所有者との関係でも，第三者との関係でも，単独所有の場合とはおのずから異なった性質を帯びるから，民法は，これをひろく「共有」（広義）と呼び，特殊な取扱いを定めている。ただし，上の例示にもあるように，そのなかには多様なものが含まれているので，学説は，通常，次の三つの形態を区別する（表4参照）。

㋑　**共有・合有・総有**　　第一は，狭義の共有であり，さきの例では①がこれにあたる。この場合には，共有者の間には特別な人的共同関係は存在しない。各共有者は，目的物に対してそれぞれの持分を有し，これを自由に処分できるうえ，いつでも目的物

の分割を請求できる。その意味では，共有者各自の権利（持分権）は，基本的には個別の所有権と異なるところはなく，ただ目的物が一個の物であるために相互に一定の拘束を受けているにすぎない。民法249条以下の「共有」は，このような個人主義的な共同所有に関するものである。この共有は，①の例のように当事者の意思（法律行為）によっても成立するが，法律の規定によって生ずることもある（229条・241条ただし書・244条・245条等。また，**6**(2)(イ)参照）。②の遺産共有も，特別の規定がある場合を除き，基本的には狭義の共有と同様の扱いを受ける（次の第二，(ウ)および(5)(イ)(b)参照）。

　第二は，合有であり，組合財産（例の③）がこれにあたる（通説）。この場合には，一定の共同の目的による団体的拘束が存在するため，各共同所有者（組合員）は，各自の持分は有するものの，その処分の自由を制限され，目的物の分割請求も禁止される（676条参照）。共同の目的の遂行のために各共同所有者の管理権能が制約されうること（670条参照）も，狭義の共有とは異なる点である。なお，遺産分割前の共同相続財産（例の②）も合有であるとする有力説があるが，戦後の民法改正で，分割前の持分の処分が許容されたこと（909条ただし書参照）もあって，今日では，通常の共有の特殊なものとみる説のほうが多い。判例もこの立場をとる（たとえば最判昭30・5・31民集9巻6号793頁，最判昭38・2・22民集17巻1号235頁）。令和3年の改正もこの考え方に立って行われている。

　第三は，総有であり，入会財産（例の④）がこれにあたる。この場合には，構成員の変動にかかわらず存続する村落共同体等の集団の存在がまず前提となり，目的物の管理・処分などの権限はこの集団に総体として帰属する。したがって，各構成員は，団体

的統制の下で目的物を各自使用・収益する権利は認められても，個人的な持分はもたないのが原則で，持分の処分や分割請求も問題となりえない。各共同所有者の権利は，集団の構成員としての地位と不可分であって，その地位を失うと権利もまた消滅するのである（詳細は，Ⅶ 2 参照）。このような総有は，個人主義的な近代的所有関係が確立する以前のふるい共同所有形態に由来する。判例では，権利能力なき社団の財産関係も「総有」とされるが，それは一種の擬制といえよう。

　これらの三形態のうち，以下で扱うのは，狭義の共有である。

　(ウ)　令和 3 年改正の目的と適用の射程　　令和 3 年改正は，所有者不明土地問題への対処を強調しつつも，共有物の利用・管理・処分等を円滑ならしめるため，関係規定に大幅な改正を加えている。改正後の規定には，とくに共有者不明の不動産（建物も含む）を対象とするもののほかに，物・財産の狭義の共有関係一般（準共有を含む）について新しい規律を導入したものが含まれる。そのなかには，従来の判例や学説で取り扱われていなかった事項，または明確な解釈・判断が示されていなかった事項もあり，終局的な理解は今後の解釈に委ねられる点もある。そうした点の記述については，立法過程の文書資料を参照したが，参照箇所の個別的な引示は省略する。

　また，令和 3 年改正では，遺産共有と通常の共有（狭義の共有中の遺産共有以外のもの）を意識的に分別したうえ，両者の関係を整理する規定が新設された（新 258 条の 2，新 898 条 2 項等）。この新設規定の趣旨や意味を理解するには，相続法中の関係規定の改正（とくに 904 条の 3 の新設）の意義をあわせて理解しておく必要がある。

　(2)　**共有の法律的性質と持分権**　　(ア)　共有の性質　　従来か

ら学説には，一個の所有権を数人が量的に分有する関係だとする説明（単一説。「所有権分有説」とも理解できる）と，共有者の数だけ存在する所有権が，目的物が一つであるために相互に重なり合い制限し合っている関係だとする説明（複数説。「所有権重畳説」とも理解できる）との二つがある。判例の立場は，必ずしも明確でない（大判大13・5・19民集3巻211頁）が，従前においては，とくに共有者相互間の紛争にかかる事案で前説に近いようにみえる論旨を説いた判決が目立っていた（たとえば，前掲最判昭38・2・22や後掲最判昭59・4・24参照）。しかし近年に至り，一部の共有者と第三者との間の紛争の事案においてむしろ後説との理論的親近性を示すようにもみえる判決も登場している（後掲最判平15・7・11民集57巻7号787頁。(4)(ア)④参照）。もちろん，学説における両説の相違は基本的には理論的なもので，具体的な適用上の差異はあまりないから，さほどこだわる必要はないとする見方もありうる（ただし，(3)(カ)(c)の問題参照）が，むしろ，共有には上の二つの性質が同時に内在しており，共有の性質が問題とされる局面の違い（ないしは紛争・訴訟の類型の違い）に応じてそのいずれかがより強く現われると理解することも可能なように思われる。もっとも，令和3年改正は基本的には前説の考え方に立ってなされている。

　(イ) 持分権　　各共有者が目的物に対して有する権利——すなわち共有持分権——の性質についても，上記の両説に対応して異なった説明がなされるが，その権利が基本的には個別の所有権と同一の権利であって，その効力は共有物の全体に及ぶと解することは，共通している。両説の差異は，その権利が他の共有者の権利によって分量的に制限されていると考えるか（前説），考えないか（後説）の違いにある。なお，民法の規定では，持分権を単に「持分」と呼んでいる場合（252条・255条・新258条2項2号・

Ⅲ　所有権

新258条の2・新262条の2・新262条の3）と，同じことばで持分の割合を指している場合（249条・250条・253条・261条）との双方があるので，注意を要する。

(3) 共有者相互間の関係　　(ア) 持分の割合　　各共有者の持分の割合は，その成立原因に応じて，法律の規定または共有者の意思表示によって定まる（(1)の(ア)，(イ)であげた諸例参照。遺産共有の場合の持分は新898条2項参照）が，その割合が不明なときは，相互に等しいものと推定される（250条）。不動産につき共有の登記をするときは，各自の持分の割合を必ず記載しなければならない（不登59条4号）。

なお，共有者の一人が持分を放棄し，または相続人なくして死亡したときは，その者の持分は，持分の比率に応じて他の共有者に帰属する（255条）。通常，共有の弾力性に由来するものと説かれるが，近時では，むしろ立法政策上の考慮による（239条・959条の適用の排除）とする見方が有力である（なお，次に掲げる最判平元・11・24参照）。共有者の相続人が不存在でも特別縁故者（新958条の2）がいる場合にどうなるかについては，学説上種々の議論があったが，判例は，近時の多数説と同様に，特別縁故者のための処理が優先するとしている（最判平元・11・24民集43巻10号1220頁）。

(イ) 共有物の使用，利用・管理と変更　　この関係の規定は令和3年改正で重要な改正を受けているので，やや詳しく説明する（以下，改正前後の規定を旧○条，新○条と表記）。

① 共有物の使用　　ⓐ各共有者は，その持分の割合に応じて共有物の全部を使用できる（旧249条＝新249条1項）。収益についても同様である（第三者に賃貸等している場合も含む）。もっとも，共有者間の協議で具体的な使用・収益の方法が定まっている場合

(④参照)には，それに従う。また，判例は，共有者の一人が共有物を単独使用している場合には，持分に応じた使用を妨げられる各共有者は，持分割合に応じた不当利得金ないし損害賠償金の支払を請求できるとした（最判平12・4・7判時1713号50頁）。

これを踏まえつつ令和3年改正は，ⓑ共有物を使用する共有者は，別段の合意がある場合を除き，他の共有者に対し，自己の持分を超える「使用の対価」を償還する義務を負うこと（新249条2項），ⓒ共有物の使用者には「善良な管理者の注意」が要求されること（同条3項）を明記した。ⓑは，占有権原の有無も，不当利得や不法行為の要件の有無も問わない法律上の義務である。「使用の対価」という文言と，ⓒの善管注意義務の定めからみると，自己の持分を超える共有物の使用は，他人の所有物の使用にあたるととらえられている。ⓑの「別段の合意」は，使用の対価についての合意を指し，一部共有者との間の合意も該当しうる。なお，相続財産を使用する共同相続人が単純承認をした後，遺産分割がされるまでの間も，以上と同様の法律状態になる（旧918条1項＝新918条。ただし，反対説もある）。

② 共有物の保存行為　共有物の保存行為は，各共有者が単独ですることができる（旧252条ただし書→新252条5項）。たとえば，共有建物の修繕などであるが，判例はさらに，他の共有者の不利益にならないような行為をひろく保存行為と認める傾向にある（妨害排除や返還請求など。なお，(4)(ア)参照）。

③ 共有物の変更　反対に，共有物の変更には全員の同意を必要とする（旧251条→新251条1項）。たとえば田の畑への変更，山林の伐採，共有物の損傷・改変など（最判平10・3・24判時1641号80頁参照）である。ただし，変更行為でも軽微な変更は，むしろ④の管理行為とみてよい場合があるので，新規定では「その形

状又は効用の著しい変更を伴わないものを除く」という限定が付された（新251条1項括弧書）。この「軽微変更」（費用の多寡は問わない）の除外は，建物区分所有法17条1項本文の括弧書と同じ文言の規定であり（**6**(3)②参照），本条の「変更」は物理的な変更を指すと理解される。

従来，旧251条の「変更」に共有物の法律的な処分（売却や地上権・抵当権の設定など）が含まれるか否かの議論があり，これを肯定する学説も多かった（判例では共有地への法定地上権の成立を否定した最判昭29・12・23民集8巻12号2235頁参照）が，共有物の売却等は他人の持分権の処分を伴うのだから，同条の規定をまつまでもなく，当然に全員の同意を要するとする見方も強かった（本書もそれに属する。なお，(カ)(a), (c)参照）。今後の議論に注目したい。

④　**共有物の利用・管理**　それに対して，ふつうの「管理に関する事項」（以下，管理事項・管理行為ともいう）は，持分の価格の過半数で決定される（旧252条本文。新252条1項前段も基本は同じ）。共有者間での共有物の使用・利用や改良の方法（③の前段でみた軽微変更も含む）などのほか，共有物を第三者に利用させる場合や，管理行為に伴って必要となる法律行為も含まれる。令和3年改正は，いわば多数決主義ともいえる観点から，持分価格の過半数を持つ共有者（多数持分権者）による決定の効力を大幅に強化している（ただし，団体的な法理が導入されたわけではないことに注意を要する）。

ⓐ　現に共有物を使用する共有者があるときも，それと異なる使用・管理の方法を決定できる（新252条1項後段の追加）。この点に関し従前の判例には，共同相続人の一人が目的物の全部を占有するような場合には，その共同相続人も自己の持分に基づいて共有物の全部を占有使用する権原を有するから（旧249条），他の

共同相続人は，その持分の価格が過半数であっても当然には共有物の明渡しを請求できず，さらに明渡しを求めるべき理由を主張・立証しなければならないとしたものがあった（最判昭41・5・19民集20巻5号947頁）。共有者の一部の者から共有者間の協議に基づかないで共有物の占有使用を承認された第三者に対して，その他の共有者が明渡しを請求する場合にも，そのことは同様である（最判昭57・6・17判時1054号85頁およびとくに最判昭63・5・20判時1277号116頁）。その第三者も，その者の占有使用を承認した共有者の持分の限度で共有物を占有使用する権原を有しているからである。しかし，上記の新設規定を素直に読めば，今後は，共有物を事実上占有使用する者との関係ではそれらの先例とは異なる判断が下される可能性もある。

　もっとも，共有者の使用が共有者間の決定に基づくもので，多数持分権者による新たな決定が現に使用する共有者に特別の影響を及ぼすべきときは，その者の承諾を得なければならない（新252条3項）。適法な決定に基づいて使用している共有者（使用共有者）の利益を保護するためである。「特別の影響」の有無は，共有物の種類・性質に応じて，以前の定めを変更する必要性・合理性と使用共有者に生じる不利益とを比較して，その不利益が使用共有者の受忍すべき程度を超えるものか否かにより判断されることになろう。一方，特定の相続人（相続分2分の1未満）が被相続人の生前から被相続人所有の建物に同居し，相続開始後も建物使用を継続している場合には，被相続人とその相続人の間で被相続人の死亡を始期とする使用貸借契約の締結があったと推認されるから，遺産分割終了までの間は，他の共同相続人（多数持分権者）は使用貸借の貸主たる地位を引き継ぐことになる（最判平8・12・17民集50巻10号2778頁参照）。それゆえ，多数持分権者の決

定を理由としては建物明渡しを請求することができず、使用貸借の終了または解除の事由を主張・立証しなければならない。なお、判例によれば、共有者の一人への使用貸借や第三者への賃貸借を解除することも管理行為にあたり（最判昭29・3・12民集8巻3号696頁、同昭39・2・25民集18巻2号329頁）、かつ、その場合には544条1項の適用もない（前掲最判昭39・2・25。ただし、傍論）。

ⓑ　共有者間の決定の手続に関しては、特段の規定は置かれなかったが、管理に関する事項の決定について意見を求めても賛否を明らかにしない共有者（以下、所在判明無回答共有者）がいるときのために、その者を除いた他の共有者間の決定で管理事項を決することを認める裁判手続が創設された（新252条2項2号）。いわば、所在判明無回答共有者がいるときの共有物管理許可決定申立制度である。

すなわち、相当の期間を定めて催告しても期間内に賛否の回答がないときは、他の共有者は、所在判明無回答共有者を除いた他の共有者の持分価格の過半数で当該管理事項を決することができる旨の裁判を申し立てることができる（同項柱書）。裁判所（共有物の所在地を管轄する地方裁判所。本項＝**5**において以下同じ）は、その所在判明無回答共有者に対し法定の事項を通知して一定期間内の回答を求め、賛否の回答なくその期間が経過したときは、上記の裁判を行う（令和3年改正後の非訟新85条1項2号・3項）。期間内に賛否を明らかにした共有者に対しては、この裁判をすることができない（同条4項）。この申立制度は、動産の共有や株式の準共有等にも適用される一般的な制度である（なお、所在等不明共有者があるときの対処は、後出(ウ)②参照）。

ⓒ　共有物を賃貸することは、従来から、管理行為にあたり多数持分権者によって決しうると理解されてきた。しかし、長期に

及ぶ共有物の賃貸は他の共有者の使用・収益等を大きく制約するから処分行為とみるべきであり，多数持分権者が契約できる賃貸借は民法602条の定める短期賃貸借に限られるとする考え方も強かった。この点に関する最高裁判例はない（ときに参照される最判昭39・1・23裁判集民71号275頁は内容の曖昧なものである）が，下級審裁判例には，上記と同じ考え方を説示したものもある（東京高判昭50・9・29判時805号67頁等）。この考え方に立てば，借地借家法の対象となるべき土地賃貸借や普通建物賃貸借も，同法の保護を受けえず，民法602条所定の期間の制約に服する。ただし，下級審判決には，借地借家法の適用を受ける普通建物賃貸借でも，約定期間（事案では2年）満了時に終了させる可能性がないわけではないから，多数持分権者が有効に契約できるとしたもの（東京地判平20・10・24 2008WLJPCA10248012），また，長期間存続する普通借家契約を多数持分権者に契約させても「不相当とはいえない事情がある場合」には，その契約の締結は管理行為に属するとしたもの（東京地判平14・11・25判時1816号82頁。従来から賃貸されていた業務用貸ビルの事案）もあった。

　なお，民法602条の現行規定によれば，契約で所定の期間を超える期間を定めたときでも，その賃貸借は，所定の期間内で有効なものとなる（平成29年改正による同条柱書後段の追加で明確化）。また，農地の賃貸借では，平成30年農業経営基盤強化促進法改正で共有持分の過半を有する者の同意によって期間20年までの利用権（使用貸借も含む）を設定できるようになっている（同法18条3項4号）。

　以上のような状況を踏まえて令和3年改正は，共有者は，持分価格の過半数での決定により，共有物に，所定の期間を超えない「賃借権その他の使用及び収益を目的とする権利」（賃借権等。地

Ⅲ 所有権

上権や地役権も含まれうる）を「設定することができる」と明記した（新252条4項）。所定の期間は，山林では10年，その他の土地では5年，建物では3年，動産では6ヵ月である（同項1号～4号）。この期間は民法602条のそれと同じであるが，新252条4項のもつ意義は602条のそれと同一ではなく，解釈上の新しい問題を伴っている。

　まず，⑦新252条4項は，602条にはあえてふれず，規定の文言や内容も602条とは異なる。規律の対象は，602条のいう「賃貸借」の「契約」ではなく，「賃借権その他の……権利」を「設定すること」である。この文言は，単に物権法中の規定だからというものではなく，より積極的な意味をもつのではないか。

　事実，①新252条4項柱書には602条柱書の後段の規定（前出）がない。また，新252条4項に基づいて設定された賃借権等の権利については，603条の「更新」に相当する規定もない。前者の点からすると，所定の期間を超える賃借権等の設定は，それ自体無効と解される可能性もある。そうすると，借地借家法の適用を受ける普通借家権（約定期間は3年以下）との関係でも，上の最後で見た二つの下級審判決のような柔軟な解決が許される余地があるのかも改めて問題となろう。一方，後者の点からすると，設定した賃借権等を所定の期間を超えて存続させる場合は，契約の更新ではなく権利の再設定ということになりそうである。

　⑦所定の期間内で設定された賃借権等の効果・効力を少数持分権者は否定できないが，たとえば賃借権の設定当事者はどうなるのか。一方では，物権法の規定に基づく適法な権利設定であるから，その効果は少数持分権者にも及ぶ（少数持分権者も強行的に設定当事者となる）とする見方もありそうに思われるが，他方では，賃貸借契約の当事者はあくまでその契約（管理行為）をした多数

持分権者であるとする見方も強いのではないか。上の最後で見た二つの下級審判決はいずれも後者のような考え方を示し，二つの判決中の後者は，少数持分権者は自己の持分に基づき多数持分権者に対し「求償権」を行使しうるにとどまると判示していた。依拠する条文が変わった下で（なお，新249条2項も参照），今後どのような議論がなされるか，注目したい（なお，後出ⓓの㋐参照）。

　ⓓ　共有者は，持分価格の過半数での決定により，「共有物の管理者」の選任・解任をすることができる（新252条1項前段括弧書）。管理者は，共有者でも第三者でもよい（複数も可能）。管理者は，「共有物の管理に関する行為」を共有者に代わって自己の名ですることができる（新252条の2第1項本文。管理者は共有者の代理人ではない）。共有者が特段の定めをしなければ，管理人の権限は，管理行為に関する限り包括的であり，法律行為も含まれる（たとえば新252条4項の賃借権等の設定など）が，共有者全員の同意がなければなしえない変更行為や処分行為（前出③参照）はすることができない（新252条の2第1項ただし書。なお，所在等不明共有者がいるときの管理人の対処方法は，後出(ウ)①㋐参照）。管理者の意思決定と行為は，多数持分権者による意思決定と行為に代置されると考えればわかりやすいであろう。

　しかし，共有者（多数持分権者）が管理に関する事項を決した場合には，管理者は，これに従って職務を行う義務を負う（同条3項）。この義務に違反してなされた管理者の行為は共有者に対して効力を生じず，共有者は，その行為の効力を否定できる（同条4項本文）。ただし，共有者は，これをもって善意の第三者に対抗できない（同項ただし書）。管理者の管理権限が法律上では包括的な形で規定されていることを考慮して，取引の安全を図るためである。

III 所有権

ところで,新制度の運用上では,共有者と管理者との法律関係がどうなるかが問われそうである。まず,㋐共有者の誰かを管理者に選任した場合は,多数持分権者がその有すべき管理権限を民法の規定に則って当該共有者に委ねたものと見ることができる。この場合,多数持分権者と当該共有者=管理者との間で委任契約を締結することは必ずしも必要がない。管理者の選任に賛成しなかった少数持分権者も,新252条の2に従って適法になされた管理者の管理行為を否定できず,その結果に拘束される。管理に要した費用や合意がある場合の報酬等も,253条1項に基づいて全共有者の各人が持分に応じて負担すると考えればすむ。これは,民法の規定に基づいて共有者と管理者たる共有者の間にいわば「物権法上の管理者選任関係」が生じると見るとらえ方である。管理者の職務に関する定め(前出)も,また管理者の解任も,その関係の一環をなす。

それに対して,㋑第三者を管理者に選任した場合は,事情が異なる。選任した多数持分権者と管理者との間では,委任契約が締結されるのが通常であろう。とすると,多数持分権者による賃借権等の設定の場合と類似する問題が生じる(前出ⓒの㋐参照)。すなわち,多数持分権者による管理者の選任と委任契約の締結および管理者が行う管理行為を少数持分権者は否定できないが,委任契約の効果は少数持分権者にも及ぶ(少数持分権者も契約当事者となる)のか否かである。ここでは,賃借権等の権利設定の場合以上にこれを肯定する見方を採るのはむずかしそうで,おそらく否定説が有力になるであろう。そうすると,管理者は管理費用や約定報酬を多数持分権者に請求し,それを支払った多数持分権者が253条1項に基づいて少数持分権者に求償するという2段階の関係が生じる。これは,多数持分権者が管理行為として第三者との

171

(ウ)　所在等不明共有者があるときの変更・管理の許可の裁判

　所在等不明共有者があるため共有物の変更・管理の合意や決定ができないときのために、その共有者を除外して意思決定ができるようにする二つの裁判手続が新設された。いずれも、共有不動産を主眼とする手続であるが、動産や準共有株式等も適用対象となる。

　① 共有物変更の許可の裁判　㋐共有者が知ることができない他の共有者、またはその所在を知ることができない共有者（両者あわせて「所在等不明共有者」という）があるときは、共有者は、所在等不明共有者以外の共有者全員の同意を得て共有物に変更を加えることができる旨の裁判を申し立てることができる（新251条2項）。いわば、所在等不明共有者があるときの共有物変更許可決定申立制度である。共有物の管理者が選任されている場合は、管理者がこの裁判を請求できる（新252条の2第2項）。㋑裁判所は、法定の事項を公告し、一定期間内に異議の届出がなかったときは、上記の裁判を行う（非訟新85条1項1号・2項）。㋒所在不明かどうかは、自然人の場合、裁判所が登記簿および住民票に基づいて調査する。登記簿上の共有者死亡のときは、戸籍と住民票に基づく相続人の所在調査となる。共有者不明の確認調査は、基本的には戸籍の調査である。

　なお、ここにいう「変更」には、共有不動産の法律的な処分行為（売却、抵当権設定等）は含まれない。不動産については、別途、所在等不明共有者の持分の取得（新262条の2）および持分の譲渡（新262条の3）の制度が用意されている（後出(6)参照）。他方、動産については、処分行為も含まれる余地がある。

Ⅲ　所　有　権

②　共有物管理の許可の裁判　　所在等不明共有者があるため管理事項を「持分価格の過半数」で決することができないときは，共有者は，所在等不明共有者を除いた共有者の持分の過半数で管理事項を決することができる旨の裁判を申し立てることができる（新252条2項1号）。いわば，所在等不明共有者があるときの共有物管理許可決定申立制度である。制度の趣旨・目的と効果は，所在判明無回答共有者がいるときの共有物管理許可決定申立制度と同一である（それゆえ同じ条項中にある。前出(イ)④(b)参照）が，裁判の手続は，上の①のそれと同じである（非訟新85条1項1号・2項）。

㈡　共有物の負担　　(a)共有物の「管理の費用」その他の負担（公租公課など）は，各共有者が持分に応じて負担する（253条1項）。(イ)の④に関する費用だけでなく，①，②，③に関する費用等も含まれる。そして，(b)この義務を催告後1年内に履行しない共有者があるときは，他の共有者は，相当の償金を払ってその者の持分を取得し，その者を共有関係から排除することができる（253条2項）。また，(c)共有物の分割時にその義務の未履行者（債務者）があるときは，その者に帰属すべき共有物の部分もしくはその対価をもって，上の未履行の費用等を立て替えた共有者（債権者）への弁済が行われる（259条）。のみならず，(d)254条によれば，このような共有物に関する共有者相互間の債権は，債務者の共有持分の譲受人等に対しても行使できる。この規定も，(b)，(c)と同じく管理費用等の支払を確保して共有物管理の実をあげるためのものであるが，第三者に不測の損害を及ぼすおそれもあるので，立法論としては問題視されている（㈥(b)も参照）。

㈤　持分権の主張　　持分権は一個の所有権としての実質を有するから，各共有者は単独で，他の共有者に対し種々の主張をす

ることができる。たとえば，①持分権の存在や範囲を争う者に対する持分権の確認請求，②共有持分の譲受人の譲渡人に対する移転登記の請求，③約定に反する使用・収益をしたり，他の共有者の使用・収益を妨害する者に対する差止・妨害排除の請求などである（いずれも判例あり）。④一部共有者が無断で行う共有物の変更行為の禁止や原状回復請求も，当然に認められる（最判平10・3・24判時1641号80頁）。⑤共有物の管理者の職務上の義務違反行為（委任契約上のそれを含む。前出(イ)ⓓ参照）に対しても，同様に解すべきである。また，⑥不動産の共有者の一部の者が勝手に自己名義で所有権移転登記を経由した場合には，他の共有者の一人は「その共有持分に対する妨害排除として」自己の持分についての一部抹消（更正）登記手続を請求できる（最判昭59・4・24判時1120号38頁）。ただし，⑦A名義の不動産につきB→Cの順次相続を原因として直接Cへの所有権移転登記がされている場合には，Bと並ぶAの共同相続人の一人は，その登記の全部抹消を求めることができる（最判平17・12・15判時1920号35頁。この場合には，登記の同一性を欠くため，更正登記が許されない）。

　もっとも，⑧共有者の一人（たとえば共同相続人の一人）が目的物の全部を占有するような場合には，その共有者も自己の持分に基づいて共有物の全部を占有使用する権原を有するから（新249条1項），他の共有者は単独ではその使用の停止・明渡しを求めることができない。新252条1項後段および同条3項の規定を踏まえた対応が必要である（前出(イ)ⓓⓐ参照）。

　(カ)　持分権の処分　　(a)　各共有者は，その持分権を自由に譲渡し，処分することができる（担保権の設定や持分の放棄等。ただし，目的物の引渡しを必要とする質権や用益的権利の設定は許されない）。民法には明文がないが，持分権が所有権たる本質をもつ以上，反

Ⅲ　所　有　権

対の規定（たとえば，676条1項，建物区分15条2項）がない限り，当然のこととされる。このように共同所有者の自由な交替が許される点が狭義の共有の基本的な特質の一つであるから（前述(1)(イ)参照），仮に共有者間で持分権処分禁止の特約をしても，それは債権的な効力しか有しない。

　(b)　もっとも，㈣の(d)でみたように，共有者間に存在した債権は，持分権の譲受人に対しても効力を有する（254条）。この規定によって持分譲受人は，共有物の管理費用の負担とか使用・管理方法に関する特約・合意などを当然に承継するのである。しかし，たとえば共有不動産の分割に関する契約や不分割契約（256条1項ただし書参照）までひろく254条の「債権」に含まれるとすると，他の共有者はその契約上の権利を登記なくして持分譲受人に対抗できる，という結果が生ずる。判例には，分割契約につきこの結果を肯定したものもある（最判昭34・11・26民集13巻12号1550頁）が，学説の多くは，一般論としては批判的な立場をとっていた（不分割契約については，さらに(5)(ア)参照）。

　(c)　なお，共有者がその持分を超える権利を第三者に譲渡しえないことは，いうまでもない。したがって，不動産の共有者の一人が無断で単独所有名義の登記をなし，それを第三者に譲渡して所有権移転登記を行っても，他の共有者の持分については所有権の移転は生じないから，他の共有者は，自己の持分部分につき更正登記を請求できる（前掲最判昭38・2・22）。学説には，一方に共有の性質論を主たる論拠とする有力な反対説もある（前述(2)(ア)の後説の立場のもの）が，多数は――その理由づけとして旧251条（前述(イ)③の後段）を持ち出すかどうかは別として――判例の結論を基本的に支持している（なお，第3章Ⅲ3(2)(イ)(b)参照）。これは，実質的には(オ)の⑥の延長上にある問題ともいえるものである。

175

(4) 共有者と第三者との関係　　(ア) 持分権の対外的主張

持分権は第三者との関係でもふつうの所有権と同じ性質を有するから，各共有者は，他の共有者に対するのと同様に第三者に対しても，・単・独・で，①持分権の確認請求，②共有物に対する侵害行為の排除や不法占有者に対する返還請求，③共有不動産の全体について第三者名義でなされた不実な登記の抹消登記や更正登記の請求などをすることができる（ただし，判決の既判力は他の共有者には及ばない。また，共有者の一部の者の承認に基づいて共有物を占有使用する第三者との関係については，前述(3)(イ)の④ⓐ参照）。②や③の請求の内容は場合によって共・有・物・の・全・体・に及びうる（②の返還請求でも，自分への共有物全部の返還を請求できる）が，いずれも旧252条ただし書（→新252条5項）の保存行為ないしは所有権（持分権）に基づく妨害排除請求にあたるというのが判例の理由である（たとえば最判昭31・5・10民集10巻5号487頁は，共有不動産につき第三者名義の不実の所有権移転登記がなされたときは，共有権者の一人が単独で，「妨害排除の請求に外ならずいわゆる保存行為に属するもの」としてその全部の抹消を求めうるとする）。ただし，学説ではむしろ，持分権の性質上当然のこととするものが，今日では多数説である（②につき同旨の判例もある。なお，以前の学説には，不可分債権の規定＝平成29年改正前民法428条の類推によるとしたものなどもあった）。

では，④不動産の共有持分の一部につき第三者名義の不実の所有権移転登記がなされたとき，その余の共有持分中の一部の共有権者は，単独でその持分移転登記の抹消を請求できるか。この場合には，その共有権者の持分権は第三者の持分登記によって直接には侵害されていないようにもみえるが，最高裁平成15年7月11日判決（民集57巻7号787頁）はその請求を肯定した。不実の持分登記によって「共有不動産に対する妨害状態が生じている」

といえる以上,「共有者の1人は,その持分権に基づき,共有不動産に対して加えられた妨害を排除することができる」からである(保存行為には言及していない)。この結論を,持分権の効力が共有物の全体に及ぶこと(前出(2)(イ))で説明してすませることもできなくはないが,この判決の論旨には,(2)(ア)でみた後説との理論的な親近性をもつ発想がみてとれることにも注意しておきたい。

なお,⑤第三者の違法な行為に対する損害賠償請求権は,各共有者に持分の割合に応じて分割帰属するから,各共有者は,単独ではその持分相当額の損害賠償しか請求しえない(最判昭41・3・3判時443号32頁,同昭51・9・7判時831号35頁)。⑥共有物の売却代金や賃貸料の請求の場合にも,これと同様になる。

(イ) 共有関係の対外的主張　しかし,共有者が共有関係にあることを第三者に主張する場合(共有権確認やそれに基づく所有権移転登記の請求など)には,いわゆる固有必要的共同訴訟(民訴40条)として,共有者の全員が原告になることを要する(判例。たとえば最判昭46・10・7民集25巻7号885頁参照)。共有関係の有無や内容は共有者全員につき合一に確定する必要があるのに,一部の者が提訴して敗訴すると,他の共有者が不利益を受けるからである。学説には反対説もあるが,通説は判例を支持している。なお,第三者が共有者を被告として訴える場合にも上と類似する問題が生ずるが,従来の裁判例では,不可分債務であることを理由として,必要的共同訴訟ではないとされた事例が比較的多いようである。

(5) 共有物の分割　(ア) 分割請求権と不分割契約　(a)各共有者は,原則としていつでも共有物の分割を請求できる(256条1項本文)。共有は,共有者間に特別の人的結びつきのない共同所有関係であるので((1)(イ)参照),反対の規定(たとえば257条・229

条・676条3項・908条等）がない限り，各共有者に共有関係を解消し共有から離脱する自由が保障されるのである（最大判昭62・4・22民集41巻3号408頁参照。なお，実質的に破綻した夫婦の共有財産についても同様であるとした裁判例として，東京地判平20・11・18判タ1297号307頁）。(b)もっとも共有者が不分割の契約をすれば，分割できないことになるが，その期間は5年を超えることができない。不分割契約を更新する場合にも，それは同様である（256条1項ただし書・2項）。この不分割契約も，一般的には254条の「債権」に含まれうる（ただし，反対説もある）が，目的物が不動産であるときには，登記をしないと特定承継人に対抗できないと解される（不登59条6号）。

(イ) 分割の手続・方法　(a) 協議分割と裁判分割　共有者間の協議が調えば，分割の方法は自由である。共有物の現物分割，売却したうえでの代金の分割，あるいは，一部の共有者が現物またはその一部を取得し他の者にその代価を払う（価格賠償）などの方法がありえよう。協議が調わないとき，「又は協議をすることができないとき」（共有者の一部が分割協議に応じる意思のないときなど〔最判昭46・6・18民集25巻4号550頁参照〕。所在等不明共有者があるときも含まれる）は，裁判所に請求して分割してもらう（新258条1項。令和3年改正で上記「　」内を追加）。この共有物分割訴訟は，他の共有者全員を相手とする固有必要的共同訴訟となる。

　従前の民法の規定は，裁判分割では現物分割が原則で，それが不可能なとき，または現物分割によると著しく目的物の価格が減ずるおそれのあるときに，競売による代金分割が行われるとしていた（旧258条2項）が，令和3年改正は，裁判分割の原則的方法として現物分割と賠償分割（一部の共有者に債務を負担させて，他の共有者の持分の全部または一部を取得させる方法）を併記している

(新258条2項1号・2号)。両者の間には先後・優劣の関係はない。それらの方法を採りがたいときに競売による代金分割が行われる(同条3項)。また，共有物分割の裁判では，同時履行の確保のため「金銭の支払，物の引渡し，登記義務の履行その他の給付」を職権で命じることもできる(同条4項)。

　この改正は，近時の判例が裁判上の分割についても柔軟かつ多様な分割方法を認めてきたこと(前掲最大判昭62・4・22，最判平4・1・24判時1424号54頁，最判平8・10・31民集50巻9号2563頁。全面的価格賠償も可能)を受けて，その内容を明文・明確化したものである。共有者間の実質的公平の確保に配慮して判例が挙示していた考慮要素・判断枠組み(とくに前掲最判平8・10・31参照)は，新規定には入っていないが，新規定の適用に際しては，それらも考慮要素とされることになるであろう。なお，分割時の共有者間に存在する「共有に関する債権」の処理については，前述した259条の規定がある((3)(ロ)(c))。

　(b)　通常共有と遺産共有が併存する場合の特則　　共有財産が相続財産であるときは，別に遺産分割手続が定められ，共同相続人は「遺産分割上の権利」——遺産の総体について906条の基準に基づく分割を受ける権利，および，特別受益(903条)と寄与分(904条の2)を含めた具体的相続分での分割を受ける権利——を有するから，(a)の裁判分割の手続・方法は直接的には適用できない。しかし，共有物中に通常共有と遺産共有が併存する場合には，一括して一回的な分割手続ができることが便宜である。そこで令和3年改正は，その場合の処理について，以下のような特則を定めている。

　まず，㋐共同相続人間で共有物の全部またはその持分について遺産分割をすべきときは，当該共有物またはその持分について新

258条による分割をすることができない（新258条の2第1項。従来の判例どおり）。この1項の規定は，その反面において，①当該共有物の通常共有持分と遺産共有持分との間の分割には新258条が適用されること，また，②その分割で確定した遺産共有である持分部分については遺産分割が適用されることを含意している（従来の判例法理の維持。最判昭50・11・7民集29巻10号1525頁，最判平25・11・29民集67巻8号1736頁参照）。

しかし，⑦共有物の持分が遺産共有に属する場合でも，相続開始から10年を経過したときは，当該共有持分について新258条による分割をすることができる（新258条の2第2項本文）。この2項本文の規定は，令和3年改正において所有者不明土地問題への対応という政策的考慮に基づき，具体的相続分に相続開始から10年間という期間制限が付されたこと（新904条の3柱書本文）を前提とする。つまり，その期間経過後は，各共同相続人の相続分は法定相続分または指定相続分となるから，その共有持分を基礎として通常共有と同一の分割手続を適用してもよいとするのである（なお，新898条2項参照）。

ただ，⑦そうすると，共同相続人が持つもう一つの「遺産分割上の権利」（前記のうちの前者）も，共有分割の促進・円滑化という政策的判断から，この規定により消滅させられることになる。そこで，共有物中の遺産共有にかかる持分につき遺産分割の請求（調停または審判の請求）があり，かつ，共同相続人が当該持分について新258条による分割をすることに異議を申し出たときは，この2項本文の規定は適用されないとした（新258条の2第2項ただし書）。ただし，この申出には，「2箇月以内」という期間制限が付されている（同条3項）。

　(c) 共有物の分割への参加　　共有物につき権利を有する者

(地上権者・賃借人・担保権者等) および各共有者の債権者は, 分割方法のいかんによってはその利益を害されるおそれがあるから, 自己の費用で分割に参加できる (260条1項)。参加の請求があったのにその参加を待たないで行った分割は, 参加を請求した者に対抗することができない (同条2項。その意味につき, たとえば後出㈣の②参照)。ただし, 共有者の側には, 分割を事前に通知したり, 参加者の意見を尊重すべき義務はとくにないのであるから, この規定が第三者の利益の保護のために有する意義は, かなり限られている。

(ウ) **分割の効果**　分割により共有関係は消滅し, 各共有者は, そのときから, 各自が取得した部分または金銭の単独所有者となる (なお, 遺産分割の場合の例外=遡及効につき, 909条参照)。ただし, 各共有者は, 他の共有者に対し, その持分に応じて売主と同じ担保責任を負う (261条)。分割は, 実質的には, 共有者間での持分の一部の交換または売買と同じ意味をもつからである (559条参照)。なお, 共有物に関する証書は, 262条に従って保存される。

㈣　**持分上の担保物権の帰趨**　問題となるのは, たとえば, ★ A・B・C 3人の共有地につきAがその持分権上にDのための抵当権を設定していたような場合に, Dの抵当権がどうなるかである。まず, ①AがB・Cに価格賠償をして共有地の全部を取得した場合には, Dの抵当権は, 当然にその土地の上に存続する。ただし, 抵当権の効力は, Aが新たに取得した部分には当然には及ばないから, もとのAの持分権の範囲に限られる。②Aが共有地の一部のみを取得した場合については, 抵当権はその部分に集中して存続するとする少数説もあるが, 判例・通説は, Dが分割に参加してそのことを承認したのでない限り, 抵当権はもとの

持分の割合において共有地全体の上に存続すると解している（大判昭17・4・24民集21巻447頁）。少数説の説く結果を認めると，現物分割の仕方のいかんによってDの利益が害されるおそれがあるからである。同様に，通説によれば，③Aが持分の代価のみを取得した場合にも，Dは，その代価につき物上代位（304条・372条）を主張しうるほか，土地所有権の取得者（B・Cまたは第三者）に対してAの持分権上の抵当権をなお行使できる（ただし，反対説もある）。つまり，上のいずれの場合にも，Dとの関係では，分割後も共有持分権の観念が存続し続けることになるわけである。

(6) 所在等不明共有者の持分の取得および譲渡の裁判　　共有は，共有物の分割で終了するが，所在等不明共有者があると，分割の協議をすることができない。法律的には裁判分割も請求できる（新258条1項）が，実際にはその裁判も容易ではない。そこで令和3年改正は，とくに不動産について共有関係を整理・解消する別の方法として，所在等不明共有者の持分を裁判によって取得または譲渡できる手続を新設した（次の(ア)(イ)）。所在等が不明かどうかは，裁判所が事案に応じて調査・認定する。前出(3)(ウ)①⑦参照）。ただし，当該持分が相続財産に属する場合（共同相続人間で遺産分割をすべき場合に限る）で，相続開始から10年を経過していないときは，いずれの裁判もすることができない（新262条の2第3項・新262条の3第2項。その趣旨は前出(5)(イ)(b)①参照）。なお，これらの裁判手続は，不動産の使用収益権の準共有にも準用される（新262条の2第5項・新262条の3第4項）。

(ア) 所在等不明共有者の持分の取得　　⑦裁判所は，共有者の請求により，その共有者（申立共有者）に所在等不明共有者の持分を「取得させる旨の裁判」をすることができる（新262条の2

第1項前段)。複数の申立共有者があるときは、各共有者にその持分割合で按分して取得させる（同項後段）。ただし、④当該不動産について共有物分割の請求または遺産分割の請求があり、かつ、所在等不明共有者以外の共有者が⑦の裁判をすることに異議の届出をしたときは、それらの請求が優先し、⑦の裁判をすることができない（同条2項）。⑨⑦の裁判の申立てを受けた裁判所は、法定の事項を公告するとともに所在判明共有者に通知し、一定期間内に異議の届出がなかったときは、⑦の裁判を行う（非訟新87条2項・3項）。この裁判の確定により共有持分権が移転する。もっとも、㊁持分を失う所在等不明共有者は、持分を取得した申立共有者に対して持分の時価相当額の請求権をもつので（民新262条の2第4項）、申立共有者には、裁判所が定める額の金銭の供託が命じられる（非訟新87条5項）。

　(イ)　所在等不明共有者の持分の譲渡　　これは、所在等不明共有者の持分を含む共有不動産の全体を譲渡することを可能にする制度である。⑦裁判所は、共有者の請求により、その共有者（申立共有者）に、所在等不明共有者の持分を他の共有者の持分の全部と合わせて「特定の者に譲渡する権限を付与する旨の裁判」をすることができる。「譲渡する権限」付与の裁判であり、所在判明共有者の全員が「その有する持分の全部を譲渡すること」が権限行使の停止条件となる（新262条の3第1項）。④裁判手続の基本は、(ア)のそれとほぼ同様である（非訟新88条2項）が、⑨上記の特徴のゆえに次の要件が課される。すなわち、権限を付与された申立共有者は、裁判の効力が生じた後2ヵ月以内に、所在判明共有者全員の持分の譲渡（停止条件の成就）および所在等不明共有者の持分の譲渡の効力を発生させなければならない。期間を徒過すると、裁判は効力を失う（同条3項）。権限不行使の状態が長期

間続くことを防止するためである。㋤譲渡がなされると，所在等不明共有者は，譲渡をした申立共有者に対して不動産の時価相当額を持分比で按分した額の請求権をもつので（民新262条の3第3項），㋐の㋒と同様の供託命令が出される（非訟新88条2項・87条5項）。

(7) 準共有　共有に関する規定は，法令に別段の定めがある場合を除いて，所有権以外の財産権（用益物権・担保物権・無体財産権等）を数人で有する場合に準用される（新264条。同条の括弧書は前記の新262条の2第5項・新262条の3第4項〔(6)の前書きの末尾参照〕が別にあるからである）。ただし，債権については，賃借権・使用借権などでは準共有が成立するが，一般には，不可分債権の規定（428条）等がまず適用されることになろう。

6　建物の区分所有

(1) 序　各種の集合分譲住宅・マンションなどのように，今日の都市では，一棟の建物を構造上数個の部分に区分して多数の者で所有し，各所有者がそれぞれの部分を住居・店舗・事務所などに独立して利用することが一般化している。この場合には，建物の各部分につき独立した所有権（建物区分所有権）の成立が認められる（建物区分1条・2条1項）が，建物の残りの部分（たとえば廊下，階段等）や敷地との関係をどうするか，また，同一の区分所有建物の管理や利用，さらには一部滅失の場合の復旧や建物の建替えにつき多数の区分所有者が相互に密接な利害関係を有していることを法律上どのように考慮するか，がさらに問題となる。この法律関係を規律するための法律が昭和37年制定の「建物の区分所有等に関する法律」（以下，**6**では「法」と略す）で，昭和58年と平成14年に大幅な改正を受けている。

Ⅲ　所　有　権

(2)　区分所有建物の所有関係　　区分所有建物が存立するためには，①区分されて独立の所有権の目的となる専有部分（法2条3項），②専有部分の共用に供される共用部分（同4項），③建物の敷地ないし敷地利用権（同5項6項）の三者が必要である。法は，この三者を一応別個のものとしながらもその相互の関係につき特別の規制を定めることによって，区分所有建物の適正な維持管理を確保しようとしている。

(ア)　専有部分　　それ自体一個の独立した建物として区分所有権の客体となり，譲渡や抵当権・賃借権の設定等につき，一般の建物所有権と同じ扱いを受ける。したがって，専有部分は，構造上区分された独立の部分で，かつ，用途上の独立性をもつことを要する（最判昭56・6・18民集35巻4号798頁，同昭56・6・18判時1009号63頁，同昭56・7・17民集35巻5号977頁，最判昭61・4・25判時1199号67頁等）。その部分の用途上の独立性については，区分所有建物全体との関係でみた場合の利用上の独立性の有無も考慮の対象となる（最判平5・2・12民集47巻2号393頁。管理人室の専有部分性を否定）。

ただし，専有部分相互間には，単なる相隣関係以上の一層密接な利害関係が存するので，各区分所有者は，建物の保存や管理・使用に関し区分所有者の共同の利益に反する行為をしない義務を負う（法6条1項）。この規定は，専有部分の占有者（賃借人等）についても準用される（同3項）。

(イ)　共用部分　　①構造上専有部分となりえない建物の部分（廊下・階段・外壁等）と建物の附属物（水道・ガス設備等。以上を，法定共用部分と呼ぶ。マンションの上下階の間の空間部分に設置された排水管の枝管につき，最判平12・3・21判時1715号20頁）のほか，②構造上は専有部分たりうる建物の部分（たとえば，管理人室・共用

185

の応接室・ロビーなど)または附属の建物で,規約(後述(3)参照)によって共用部分とされたもの(規約共用部分と呼ぶ)が含まれる(法2条4項・4条)。ただし,後者は,その旨の登記をしないと,その部分が共用部分であることを第三者に対抗できない(法4条2項後段)。

共用部分は,原則として区分所有者全員の共有となるが,一部の区分所有者のみの利用に供されるもの(一部共用部分)は,それらの者の共有となる(法11条1項)。各共有者の持分は,規約に別段の定めがなければ,その有する専有部分の床面積の割合による(法14条1項)。この持分権は専有部分の処分に随伴し,専有部分と分離して処分することができない(法15条)。したがって,民法177条の規定は,共用部分には適用されない(法11条3項)。

(ウ) 敷地　建物の本来の敷地(建物が所在する土地)のほか,それと一体として管理・使用する土地(庭・通路等)も規約で「建物の敷地」とすることができる(法2条5項・5条1項)。そして,その建物の敷地に関する権利=「敷地利用権」(法2条6項)が区分所有者の共有または準共有にかかる所有権・地上権・賃借権等である場合には,区分所有者は,規約に別段の定めがない限り,その敷地利用権の持分を専有部分と分離して処分することができない(法22条1項本文)。敷地に関する権利と建物に関する権利は,民法上では別個のものであるが,前述したような区分所有建物の特殊性にかんがみ,両者を一体として取り扱えるようにしているのである。この分離処分不能の敷地利用権は,区分所有建物の表示の登記中で「敷地権」として公示されることにより(不登44条1項9号・46条),何人との関係でも専有部分と不可分一体のものとなる(法23条)。なお,敷地利用権の共有または準共有

持分の割合は，規約に別の定めがないときは，共用部分の場合と同様にして決定される（法22条2項・14条1項～3項）。

　(3) 区分所有建物の管理関係　このように区分所有建物には，共用部分と敷地利用権の共有（または準共有）関係が随伴するので，その維持管理には区分所有者の間の共同の意思決定が不可欠となる。また，多数の区分所有者が同一の建物内で生活し営業していることからも，建物等の管理や使用（ひろい意味での生活の仕方を含む）に関する共同のルールの定立が要請される。そこで法は，区分所有者は全員で「管理を行うための団体」を構成し（通常，管理組合と呼ばれる），集会を開き，規約を定め，管理者を置くことができるものとした（法3条前段。一部共用部分をその共有者たる区分所有者のみで管理するときも同様。同条後段・30条2項）。いわば，区分所有者の間の一種の「団体自治」と，それによる区分所有者の諸権利の団体的拘束とが制度化されているわけである。そしてこの団体＝管理組合は，法人＝「管理組合法人」となることもできる（法47条1項・2項）。区分所有権の行使に対する団体の意思を反映したこのような拘束を，判例は，それらの制限は区分所有権自体に内在するもので，区分所有権の性質というべきものとする（最判平21・4・23判時2045号116頁）。

　上にいう団体自治で決すべき事項とその自治の運営にかかる主要なことがらとしては，以下のような諸点がある。

　①区分所有者の集会は団体の最高意思決定機関であり，厳密には所有権の制限に及ぶような事項でも，所定の要件を満たした集会の決議によって決定できる（なお，区分所有者全員の書面または電磁的方法による合意は，集会の決議と同一の効力を有する。法45条2項・3項）。たとえば，②共用部分の変更も，民法251条の場合とは異なり，区分所有者および議決権の各4分の3以上の多数によ

る集会の決議で決せられる（法17条1項本文）。また，共用部分の変更でも，大規模修繕等のように「その形状又は効用の著しい変更を伴わないもの」は，それに要する費用の多寡を問わず，共用部分の管理に関する事項として集会の普通決議（過半数の賛成）で決定できる（法18条1項本文および17条1項本文の括弧書。この点は平成14年改正による）。ただし，上のいずれの変更も管理に関する事項の決定も，専有部分の使用に特別の影響を及ぼすべきときは，その専有部分の所有者の承諾を得なければならない（法17条2項・18条3項）。

③規約は，建物・敷地・附属施設の「管理又は使用に関する区分所有者相互間の事項」を定める団体の根本規範であり（法30条1項），その設定・変更・廃止は，区分所有者および議決権の各4分の3以上の多数による集会の決議によってする（法31条1項前段）。ただし，それが一部の区分所有者の権利に特別の影響を及ぼすべきときは，その承諾を得なければならない（同条同項後段）。また，規約の定めがもつ重要性にかんがみて，平成14年改正で，規約は，当該区分所有建物にかかる諸般の事情を総合的に考慮して「区分所有者間の利害の衡平が図られるように定めなければならない」ことが明記された（法30条3項）。

④規約で定めうる事項には，ⓐ区分所有者間の基礎的法律関係に関する事項（専有部分・共用部分の範囲，敷地の範囲，共用部分の共有持分の定めなど），ⓑ区分所有者間の共同事務の処理に関する事項（団体の意思決定の方法や管理組合の組織・運営・費用の分担〔組合費・修繕積立金等〕・会計など），ⓒ建物等の使用方法や管理上の規律に関する区分所有者間の利害調節に関する事項，ⓓ区分所有者の義務違反に対する措置に関する事項などがひろく含まれる。とくにⓐⓑにかかる事項では，規約によらなければその点に関す

Ⅲ 所有権

る定めをすることができないものも少なくない（絶対的規約事項）。

⑤規約と集会の決議は，区分所有者の特定承継人に対しても効力を生じ，建物等の使用方法に関しては専有部分の占有者（賃借人等）をも拘束する（法46条）。そして，⑥共同の利益に反する行為をした区分所有者や賃借人等（(2)(ア)の末尾参照）に対しては，他の区分所有者の全員（または管理組合法人）が，一定の要件に従う集会の決議に基づいて，違反行為の差止め（行為の停止・結果の除去・予防のための措置），専有部分の使用禁止，さらに，「他の方法によつては……共同生活の維持を図ることが困難であるとき」には区分所有権等の競売または賃貸借契約等の解除・専有部分の引渡しを，訴えをもって請求できる（法57条〜60条）。

なお，⑦建物の共用部分・敷地・附属施設について生じた損害保険金や損害賠償金・不当利得返還金の請求および受領については，管理者（または管理組合法人）は区分所有者を代理する権限をもち，規約または集会の決議により訴訟を追行することができる（法26条2項4項・47条6項8項）。そして，規約または集会の決議に区分所有者の団体のみが上記請求権を行使できる旨の定めがあるときは，各区分所有者は，その持分割合に応じた請求権を個別に行使することができないとされる（不当利得返還請求権の事案につき，最判平27・9・18民集69巻6号1711頁）。

(4) 復旧および建替え 区分所有建物の一部滅失の場合の復旧および建物の建替えに関する規定は，平成14年改正で大幅に整備された。築後年数の経過したマンションの累増に伴いその建替えが現実的な課題となってきたこと，また，震災による被災マンションの復旧・建替えをめぐって種々の紛争が発生したことを踏まえて，復旧・建替えの円滑かつ合理的な実施を図れるようにすることがその狙いである（なお，大規模災害による全部滅失の場合

の再建については,別に特別法も制定されている)。

(ア) 復旧 ①建物価格の2分の1以下に相当する部分の滅失(小規模一部滅失)の場合には,各区分所有者は,滅失した共用部分および自己の専有部分を復旧し,共用部分の復旧に要した費用を他の区分所有者に対し,その持分割合に応じて償還請求できる。ただし,共用部分の復旧・再建につき集会の決議があったとき(次の②,(イ)①,(5)(イ))は,その決議が優先する(法61条1項~4項)。

②上の①を超える大規模一部滅失の場合の共用部分の復旧は,区分所有者および議決権の各4分の3以上の多数による集会の決議で決定する。決議に賛成しなかった区分所有者は,賛成した区分所有者=「決議賛成者」の全部または一部に対し,建物およびその敷地に関する権利を時価で買い取ることを請求できる。ただし,決議賛成者がその全員の合意により買取りをなすべき者=「買取指定者」を指定したときは,買取請求の相手方はその者となる。他方,決議賛成者または買取指定者の側から決議賛成者以外の区分所有者に対して,買取請求をするか否かの確答を催告することも可能である(法61条5項以下)。

(イ) 建替え ①建替えとは,「建物を取り壊し,かつ,当該建物の敷地若しくはその一部の土地又は当該建物の敷地の全部若しくは一部を含む土地に新たに建物を建築する」ことをいい,その決定は,区分所有者および議決権の各5分の4以上の多数による集会の決議=「建替え決議」である(法62条1項)。平成14年改正前の旧規定では,その決議を行うには,既存建物の効用の維持・回復に「過分の費用を要するに至つた」ことが必要とされていたが,その要件は削除された。また,旧規定では,既存建物の敷地と同一の土地に,主たる使用目的を同一とする建物を再建することが要求されていたが,上に引用した文言にある如く,敷地

の同一性の要件は大幅に緩和され，使用目的の同一性の要件は撤廃された。いずれも，建替え決議の成立を容易にするための改正である。

②建替え決議は，再建建物の概要・再建費用の分担・再建建物の区分所有関係等にかかる法定の事項を，各区分所有者の衡平を害しないように定めることを要する（法62条2項3項）。また，区分所有者の十分な考慮と検討を保障するため，その決議を目的とする集会の招集者は，会日より2ヵ月以上前に，建替えを必要とする理由その他の法定の事項を付した通知を発したうえ，1ヵ月前までに区分所有者に対する説明会を開催しなければならない（同条4項～7項・35条1項）。

③建替え決議があったときは，集会の招集者は，決議に賛成しなかった区分所有者に対し，建替えに参加するか否かの回答を書面で催告しなければならない。そのうえで，建替えに賛成もしくは参加する区分所有者またはそれらの者の全員の合意により指定された「買受指定者」は，建替えに参加しない区分所有者に対し，区分所有権および敷地利用権の時価での売渡しを請求することができる（法63条1項～4項）。この売渡請求権は形成権と解されており，これにより全員合意での建替えの実施態勢が整うことになる。マンションについては，その後の建替事業の施行を円滑ならしめるため，平成14年に特別法（略称・マンション建替え円滑化法）も制定された。同法は平成26年，令和2年に重要な改正を受けている。

(5) 団地　(ｱ) 団地への建物区分所有法の準用　地続きの一体の敷地（団地）上に複数の建物があり，その団地内の土地または附属施設がそれらの建物の所有者（専有部分のある建物では区分所有者）の共有に属する場合には，それらの団地建物所有者は，

全員で,「その団地内の土地,附属施設及び専有部分のある建物の管理を行うための団体」を構成し(団地管理組合と呼ばれる),集会を開き,規約を定め,管理者を置くことができる(法65条)。このような団地では,団地内の建物・土地・附属施設の全体を団地建物所有者の全員で管理することが合理的な場合が多いので,法は,一棟の区分所有建物の管理に関する多数の規定を,一定の留保や特例を設けつつ,団地管理のために準用するものとしている(法65条~68条)。

(イ) 団地内の建物の建替え　団地内の区分所有建物の建替えについては,平成14年改正により,次の特例手続が制度化されている。①団地内の各区分所有建物の建替えは,当該建物の区分所有者による建替え決議((4)(イ))に加えて,団地管理組合の集会で議決権(ここでは敷地の共有持分割合)の4分の3以上の多数による承認決議を得ることにより実施できる(法69条1項・2項。なお,この承認決議については,当該建物の区分所有者は,建替え決議への反対者をも含め,その全員がこれに賛成したものとみなされる。同3項本文)。②団地内建物の全部が区分所有建物であり,かつ,団地内建物の敷地が団地内建物の区分所有者の共有に属する場合には,団地内の全建物の一括建替えも認められる。ただし,そのためには,団地管理組合の集会で団地内建物の区分所有者および議決権(ここでは敷地の共有持分割合)の各5分の4以上の多数による一括建替え決議をすることに加えて,各棟ごとに区分所有者および議決権(ここでは通常の議決権)の各3分の2以上の賛成を得ることを要する(法70条1項・2項)。この一括建替え決議の規定は,一棟単位の建替え決議(法62条1項)の場合以上に強い制限を個別区分所有者に課すものであるが,最高裁はこれを,「なお合理性を失うものではないというべきであ」り,「憲法29条に違

反するものではない」とした（最判平 21・4・23 判時 2045 号 116 頁）。

なお，前記特別法の令和2年改正では，特定の例外的な場合につき，5分の4以上の多数決により団地の敷地分割を可能にする制度が創設されている。

7 所有者不明土地・建物管理命令および管理不全土地・建物管理命令

(1) 概要と制度の位置づけ　社会経済情勢の変化に伴う新しい要請（とりわけ所有者不明土地問題）に対応するために，令和3年の改正で二つの財産管理制度が創設された。既存の不在者財産管理制度（25 条以下）や相続財産管理制度（旧 952 条以下→新 952 条以下。新 897 条の2も参照）は，不在者の財産や相続財産の全般を管理する制度であるのに対して，二つの新制度は，特定の不動産（土地・建物）に特化して適用される点に特徴がある。いずれの制度も，土地または建物を対象として裁判所の管理命令（処分）に基づいて運用される（ただし，区分所有建物は対象外。令和3年改正後の建物区分新6条4項）が，主眼は土地にあるので，主には土地を念頭に置いて説明する。

所有者不明土地管理命令（新 264 条の2以下）は，直接的な所有者不明土地対策の制度である。裁判所の関与の下で所有者不明土地管理人を選任して，管理人に当該土地の管理処分権を専属させ，その土地の適正な管理と円滑かつ適正な利用を図ることが目的である。一方，管理不全土地管理命令（新 264 条の9以下）は，所有者が判明している土地であっても，管理が不適当であることによって周囲の土地利用や環境等に被害を及ぼす場合に，裁判所の関与の下で管理不全土地管理人を選任して，管理人に当該土地の管理処分権限を付与し，その土地の適正な管理を行わせることを目

的とする。こうした場合の対処方法としては，物権的請求権等に基づく妨害排除・是正請求や不法行為による損害賠償請求などもあるが，それらは個々の侵害行為に対する個別の請求権であるため，継続的な管理を必要とする場合や事前に是正措置等の内容を確定しがたい場合には，対処が困難なことも多い。そのような場合を含めて継続的な対応を可能にするため，管理不全土地の管理に特化した制度が創設されたのである。

なお，管理不全土地管理命令は所有者不明土地にも適用できるが，当該土地について所有者不明土地管理命令が発令されると，土地の管理処分権が所有者不明土地管理人に専属するので（新264条の3第1項），後者の制度のほうが優先すると解される。

(2) 所有者不明土地管理命令　　(ア) 管理命令の発令と管理人の選任　　裁判所は，所有者またはその所在を知ることができない土地（共有地の場合は所在等不明共有者の共有持分。遺産共有の場合も含む）について，必要があると認めるときは，利害関係人の請求により，所有者不明土地管理人を選任して当該土地の管理を命ずることができる（新264条の2第1項・4項）。当該土地にある所在等不明所有者所有の動産（および，場合によりそれらの代償財産等）にも管理命令の効力が及ぶ（同条2項・3項。土地上の建物には及ばない）。「利害関係人」には，当該土地の管理不全により被害を受ける隣地所有者，当該土地の時効取得を主張する者，当該土地を取得し公共・公益目的で利用しようとする公共事業等の実施者，国の機関または地方公共団体の長（令和3年改正による所有者不明土地特措法新38条2項）などが入るが，民間の買受希望者等が該当するかどうかは，事案に応じて裁判所が判断することになるのではないか。なお，所有者またはその所在が不明かどうかは，他の類似の場合と同様に，裁判所が所定の手続を経て調査・認定

する（**5**(3)(ウ)①⑦参照）。管理命令の裁判手続は，非訟新90条を参照せよ。管理命令の発令は，職権で嘱託登記される（同条6項）。

　(イ)　**所有者不明土地管理人の権限と義務**　当該土地または共有持分（および前記(ア)の動産，代償財産等）の管理処分権は，管理人に「専属する」（新264条の3第1項）。管理人は，保存行為および「土地等の性質を変えない範囲内において，その利用又は改良を目的とする行為」をすることができるが，その範囲を超える行為（土地の売却等）をするには，裁判所の許可を要する（同条2項）。もっとも，管理人は許可のないことをもって善意の第三者に対抗できない（同項柱書ただし書）。管理人は，当該土地等にかかる訴えの原告または被告となる（新264条の4。令和3年改正民訴新125条も参照）。

　管理人は，当該土地の所有者のために善管注意義務を負い（新264条の5第1項），複数の共有持分を対象として管理命令が発せられたときは，共有持分を有する者全員のために誠実かつ公平に権限を行使する（同条2項。以下「誠実公平義務」）。管理人の任務違反等を理由とする解任または管理人の辞任（新264条の6），管理人の費用・報酬（新264条の7）についても，定めがある。

　(ウ)　**所有者不明建物管理命令への準用**　建物についても，土地の場合と同様の管理命令の制度がある（新264条の8第1項〜4項）。管理人の権限等は，(イ)でふれた諸規定が準用される（同条5項）が，建物所有者が土地所有者と異なる場合には，管理命令の効力は建物の「敷地に関する権利」（借地権等で，建物の所有者または共有者が有するもの）にも及ぶ（同条2項）。なお，所有者不明建物の管理では，その取壊しが問題となることもありうるが，取壊しには裁判所の許可が必要になるであろう（同条5項で準用される新264条の3第2項）。

(3) 管理不全土地管理命令　(ア) 管理命令の発令と管理人の選任　裁判所は,「所有者による土地の管理が不適当であることによって他人の権利又は法律上保護される利益が侵害され, 又は侵害されるおそれがある場合」に, 必要があると認めるときは, 利害関係人の請求により,「当該土地を対象として」, 管理不全土地管理人を選任して当該土地の管理を命ずることができる（新264条の9第1項・3項）。管理命令の対象は, 共有地の場合でも土地の全体であり, 当該土地にある動産（土地の所有者または共有者が所有するもの）およびそれらの代償財産等にもその効力が及ぶ（同条2項・新264条の10第1項）。「管理が不適当」かどうかは, 所有者または占有者の使用形態と土地の状態に照らして判断されるが, 所有者の意思も考慮要素となるため, この裁判では, 原則として土地所有者の陳述を聴くこととされる（非訟新91条3項1号。裁判手続の詳細も同条各項参照。職権による嘱託登記はない）。

　管理が不適当なことに起因する他人の権利・利益の侵害またはそのおそれという要件は, 現在そのような侵害状態が存在していることを指し, 発生原因のいかんを問わない（不可抗力から生じたものでもよい）。物権的請求権行使の要件の成否も問われない。ただし, 裁判所が管理人による継続的な管理の「必要があると認める」ことが必要である。「利害関係人」の典型は隣地所有者であり, 隣地所有者からみると, この制度は, 物権的請求権のより柔軟に調整された仕組みともとらえられよう。もっとも他方で, たとえば高齢の土地所有者の管理不全によって近隣に被害が及ぶことを危惧する土地所有者の親族等も, 利害関係人に含まれないかどうかが問題となる可能性もある。なお, 地方公共団体の長等を申立権者とする定めはない（管理不全の土地・建物に対する市町村長等の関与権限については, 個別法に別の定めがある。空家対策推進2条

III 所有権

2項・14条,農地42条等)。

(イ) 管理不全土地管理人の権限と義務　管理人は,管理対象とされた土地等の管理処分権限を有し(新264条の10第1項。ただし「・専・属」で・は・な・い),所有者不明土地管理人と同じく,保存行為および一定範囲までの利用または改良を目的とする行為をすることができるが,その範囲を超える行為をするには,裁判所の許可を要する(同条2項柱書本文)。その許可の裁判においては,裁判所は土地所有者の陳述を聴き(非訟新91条3項2号),とくに「土地の処分」には「所有者の同意」が必要とされる(民新264条の10第3項)。もっとも,管理人は許可のないことをもって・善・意・・無・過失の第三者に対抗できない(同条2項柱書ただし書)。第三者に無過失まで要求されるのは,管理人の管理処分権限が所有者不明土地管理人のそれより制限されている一方,判明している土地所有者の財産の静的安全により配慮する必要があるからである。

管理不全土地管理命令は土地所有者の管理処分権を制限するものではないから,実際には土地所有者の意思と管理人の管理方針の間に齟齬や衝突が生じることも予想されうる(とくに所有者が当該土地を居住用その他で占有使用している場合など)。そのおそれが強い場合には,そもそも管理命令が発令されないこともありうるが,発令があった後にも,両者の間の調整と対応をどうするかという課題が出てきそうである。なお,隣地所有者等について物権的請求権等が成立するときは,隣地所有者等は常に,当該土地の所有者に対してその請求権を行使することができる。

管理人は,所有者不明土地管理人と同様に,善管注意義務を負い(新264条の11第1項),当該土地が共有地である場合は,共有者全員に対して誠実公平義務を負う(同条2項)。管理人の解任ま

たは辞任(新264条の12),管理人の費用・報酬(新264条の13)についても,所有者不明土地管理人の場合と同様の定めがある。

(ウ) 管理不全建物管理命令への準用　管理不全建物についても,土地の場合と同様の管理命令の制度がある(新264条の14第1項～3項)。管理人の権限等は,(イ)でふれた諸規定が準用される(同条4項)が,建物所有者が土地所有者と異なる場合には,管理命令の効力は建物の「敷地に関する権利」にも及ぶ(同条2項)。建物の取壊しが問題となる場合には,所有者の同意を得たうえでの裁判所の許可が必要になるであろう(同条4項で準用される新264条の10第2項・3項)。

Ⅳ　地　上　権

1　序　説

(1) 地上権の意義と性質　(ア) 意義　他人の土地上に建物等の長期に存続すべき「工作物」を築造して所有しようとする場合,あるいは他人所有の山に「竹木」を植林して林業を営もうとする場合には,長期にわたる安定した土地利用権が必要となる。地上権は,そうした目的のために用意された他人の土地の使用権であり(265条),物権的土地利用権(用益物権)の典型をなす(Ⅰ(2)参照)。「工作物」の例としては,建物のほかに,橋梁・池・トンネル・高架または地下鉄道・送電鉄塔・風力発電塔などの地上および地下の諸施設がある。「竹木」にもとくに種類の制限はないが,桑・茶・果樹などのようにその栽植が「耕作」とみられるものは,むしろ永小作権の目的となる(270条参照)。ただし,地上権の本体は他人の土地を使用することにあるから,使用目的の限定の仕方や,工作物や竹木の存否によって地上権の存立に影響

が生ずるわけではない。

　(イ)　**性質**　地上権の物権的権利たるゆえんは，その効力を，★
(民法上の)賃借権が土地使用のために設定された場合と対比して
考えるとわかりやすい(表5参照)。

　①土地使用の目的については特段の差異はないが，②地上権が
土地に対する直接の使用権である(265条)のに対し，賃借権は，
特定の賃貸人に対する土地使用の請求権と構成される(601条)。
その結果，③地上権には相続性と譲渡性が当然に認められ，これ
を抵当権の目的とすることもできる(369条2項)のに対し，賃借
権の譲渡性は制限され(612条)，それに抵当権を設定することも
できない。また，④地上権者は登記請求権を認められ，登記をす
ればその権利を第三者に対抗できる(177条，不登3条2号・78条)
が，賃借人には登記請求権がないとされるので(判例・通説)，賃
借人が登記によって第三者対抗力を得ること(605条，不登3条8
号)は，実際上容易でない。加えて，⑤地上権の存続期間は比較
的長期なものであることが予定され(268条2項参照)，地主から
の解約申入れもありえないのに対し，賃借権は，存続期間が比較
的短期であることが想定され(平成29年改正前604条では20年以下。
ただし，改正で50年以下に延長された)，かつ，期間の定めがないと
きは賃貸人が容易に解約することができる(617条)。

　要するに，地上権においては，土地の使用権者の権利が，賃借
権による場合に比べて格段に強いわけである。比喩的にいえば，
土地所有権に属する諸権能のうち用益権能を，相当の長期の期間
につき使用権者に割譲したものが地上権であるといってもよい。
⑥賃貸借が地代(賃料)の支払を要素とする(601条。賃料がない
ときは使用貸借となる)のに対し，地上権はそれを要件としないこ
と(無償でもよい)，⑦土地使用権能の内容の定め方に両者の間で

物権法編　第4章　各種の物権

表5　地上権と賃借権および定期借地権の異同

事　項	地　上　権	賃　貸　借	借地借家法上の普通借地権		借地借家法上の定期借地権	
			賃借権	地上権	賃借権	地上権
①土地使用の目的	工作物・竹木の所有（265条。限定列挙ではない）	限定なし	建物の所有（1条・2条）	同左		
②土地使用権の法律構成	土地に対する直接の使用権（265条）	賃貸人に対する土地使用の請求権（601条）	—	—	—	—
③移転・処分可能性　相続、譲渡・転貸等	あり	あり　賃貸人の承諾が必要（612条）	—	—	承諾に代わる裁判所の許可（19条・20条）	—
④抵当権の設定	可（369条2項）	不可	—	—	—	—
第三者対抗力	地上権の登記（177条。登記請求権あり）	賃借権の登記（605条。登記請求権なし）	地上・建物の登記等（10条1項2項）	同左	同左	同左
⑤存続期間 合意によるとき	最長期・最短期の制限なし	50年以下（604条1項）	30年以上（3条）	同左	50年以上（22条）	同左
定めのないとき	慣習または20年～50年の範囲で決定（268条）	解約申入の自由（617条）	30年（3条）	同左	— (同左)	— (同左)
⑥土地使用の対価	有償（買取ない）し定期の地代）または無償	賃料の支払（601条）	— (地代増減額請求権＝11条)	同左	— (同左)	同左
⑦土地使用権の変更	永久の損害を生ずる変更は不可	用法に従った使用収益（616条・594条1項）	借地条件の変更・増改築許可の裁判（17条）	同左	同左	同左
地主の修繕義務なし		賃貸人の修繕義務（606条）				
⑧更新の制度	なし	あり（604条2項・619条）	更新拒絶の制限（正当事由）と更新後の期間の法定（4条～6条）	同左	なし（22条）	同左
⑨中途での消滅・終了原因	せまく限定	ひろい。解約も可	(同左)・更新後の建物滅失（8条）	(同左)・(同左)	(信頼関係法理)	(同左)
⑩収去権等	地上権者の収去権または地主の買取権（269条）	収去義務と収去権（622条・599条1項2項）、原状回復義務（621条）、費用償還請求権（608条）	借地人の建物買取請求権（13条）	同左	なし（22条）	同左

（借地借家法上の借地権に関する条文は同法の条文を示す。また、「—」は特別の規定がないことを示している）

差異があること(表5および後述3(1)参照)なども,地上権の上記のような性質に由来するものである。

(2) 地上権と借地権　しかし,Ⅰ(2)でみたように,わが国の実際では地上権の設定は少なく,ほとんどの場合に賃借権が用いられてきた。とくに,建物所有を目的とする借地についても賃貸借が一般化したことは,民法起草者の意図にも反するもので,きわめて不合理な結果を生じさせ,建物保護法(明42)や借地法(大10)による土地賃借権の強行的な保護・強化を必然化した。それに伴い今日では,建物所有のための土地賃借権と地上権との差異は大幅に相対化している(「土地賃借権の物権化」)。借地法制定後における最大の差異をなした譲渡性の有無の問題も,昭和41年の同法改正によりかなりの程度まで解消された(借地9条ノ2以下→借地借家19条・20条)。のみならず,借地法は,建物所有のための土地賃借権と地上権とを「借地権」として一括し(借地1条→借地借家2条),多くの点で両者に同等の特別の保護を与えたので,地上権たる借地権もまた,民法の規定以上に強化されることになった(表5の右側参照)。平成3年の新しい借地借家法は,普通借地権の存続保護の在り方に一定の改正を加えるとともに,定期終了型の新しいタイプの借地権(定期借地権・事業用定期借地権・建物譲渡特約付借地権)を導入した(Ⅰ(2)参照)が,上で述べたような意味での地上権と借地権との関係は,基本的には変わっていない。ただし,以下でみるのは,民法の規定による地上権の内容である。

2　地上権の取得・存続期間・消滅原因

(1) 取得原因　(ア) 地上権は,地主との設定契約(物権を設定する契約なので,「設定行為」とも呼ばれる。268条1項・269条の2

参照)により取得するのが通常であるが,遺言(964条)や取得時効(163条)によって取得されることもある。また,土地と地上建物が同一所有者に属するとき,その一方だけが抵当に入れられ,競売された場合には,法律上当然に地上権が設定される(法定地上権。388条)。さらに,他の特殊な場合として,旧罹災都市借地借家臨時処理法(3条。同法は平成25年に廃止)や都市再開発法(75条以下)の規定により,地上権が取得されることもある。

　(イ)　地上権の認定方法　　上記のうち地主との設定契約による場合には,その土地使用権が地上権であるのか,それとも賃貸借(対価を伴う場合)または使用貸借(対価のない場合)であるのかが必ずしも明確でないことがある。設定契約の当事者が用いる呼称はさまざまであって,それだけでは必ずしも決め手にならないのである。それゆえ,明治33年の「地上権ニ関スル法律」は,同法の施行前から竹木または工作物を所有するため他人の土地を使用する者を地上権者と推定する旨を定めたが,同法施行後に設定された土地使用権には,この推定は及ばない。したがって,結局は,当事者がその権利にどのような法律効果を与える趣旨であったか(権利の譲渡性の有無,存続期間の長短,地主の修繕義務の有無など)を総合的に判断して,地上権とみるのが妥当か否かを決することになる。無償の契約では,地上権か使用貸借かという距離の大きい選択になるが,判例には,被相続人たる父の妾Bの居住する土地と家屋を相続した子Aがその家屋をBに贈与したという事案につき,土地についてのBの権利は地上権ではなく使用貸借であるとしたものがある(最判昭41・1・20民集20巻1号22頁)。

　(2)　存続期間　　(ア)　当事者が期間を定めた場合は,原則としてそれによる(存続期間も登記事項である。不登78条3号)。永小作

権と異なって，最長期・最短期とも民法上の制限はない（268条・278条参照）。問題は，永久の地上権が認められるかどうかであるが，判例はこれを肯定し（大判明36・11・16民録9輯1244頁，同大14・4・14新聞2413号17頁），近時の学説にも肯定説が多い。近代的所有権の本来的な在り方との関係では，理論的には難点もある（Ⅲ1(1), (2)参照。それゆえ，かつてはむしろ否定説が多かった）が，今日ではこれを肯定しても，特段の不都合は生じないからである。ただし，「無期限」と登記されたものについては，判例には，反証のない限り存続期間の定めのない地上権となるとしたもの（大判昭15・6・26民集19巻1033頁）と，土地使用の目的に応じた不確定期限を付された地上権と解したもの（大判昭16・8・14民集20巻1074頁）とがある。

(イ) 当事者が期間を定めなかった場合には，まず慣習による。慣習のないときは，当事者の請求に基づいて裁判所が，工作物または竹木の種類および状況その他地上権設定当時の諸事情を考慮して，20年以上50年以下の範囲内で存続期間を決定する（268条）。

(ウ) ただし，借地権たる地上権では，借地借家法3条または22条から24条までの特則が適用される。また，民法には地上権の更新の規定はない（この点，賃貸借や永小作権と異なる）が，普通借地権たる地上権には，借地借家法4条以下の更新の制度が適用される（前掲表5の右側参照）。

(3) 消滅原因　物権一般に共通する消滅原因のほか，地上権に特有の消滅原因として，①「引き続き2年以上」の地代の滞納を理由とする地主の消滅請求（266条1項・276条）と，②地上権者による地上権の放棄がある（266条1項・275条，268条1項）。①の「引き続き2年」とは，継続した2年間を意味する（大連判明

43・11・26民録16輯759頁）が，2年以上の滞納があれば地上権が自動的に消滅させられるわけではなく，滞納について地上権者の側の責めに帰すべき事由があることを要する（最判昭56・3・20民集35巻2号219頁）。

　他方，②の地上権の放棄は，定期の地代がない場合には，期間の定めの有無を問わず自由に行うことができるが，地代を支払う地上権では地主の利益にも関係するので，(i)期間の定めがなく，かつ別段の慣習もないときに，地上権者が1年前の予告または1年分の地代の支払をする場合（268条1項），および，(ii)不可抗力による一定期間以上の無収益または地代額以下への減収を理由とする場合（266条1項・275条。期間の定めの有無を問わない）に限定される。ただし，いずれの場合にも，地上権の放棄によって第三者の正当な権利（地上権を目的とする抵当権や地上建物の買主の権利など）を害することは許されない（398条と同条の趣旨の拡張適用。判例あり）。

3　地上権の効力

　(1)　土地使用権　　(ア)　地上権者は，設定契約で定めた目的の範囲内で土地を使用する権利を有する。ただし，永小作権と同様に，土地に永久の損害を生ずべき変更を加えることはできないと解されている（271条参照）。また，地上権者には，別段の特約がない限り，地主に対し土地への設備や修繕（たとえば土地が崩れた場合など）を請求する権利はない。物権たる地上権においては，地主は，地上権者の土地使用を忍容すべき消極的な義務を負うにとどまり，賃貸人のように土地を使用・収益させる積極的な義務を負うわけではないからである（606条1項本文・601条参照）。

　(イ)　相隣関係に関する民法209条から238条までの規定は，地

上権者にも準用される（267条）。また，地上権者が妨害等の除去につき物権的請求権を有することも当然である。

(2) **対抗力** 地上権は，所有権その他の物権と同様に，登記をすることによって第三者（第二地上権者や土地の譲受人など）に対抗できる（177条，不登3条2号・78条）。建物所有を目的とする地上権では，地上建物の登記をするだけでもよい（借地借家10条1項）。この場合に建物が滅失したときの借地権の対抗力については，従来問題があったが，新しい借地借家法の規定により，借地権者が所定の事項を挙示した掲示をすれば，2年を限度として対抗力が存続するものとされた（借地借家10条2項）。なお他に，大規模災害被災地借地借家特別措置法の特則がある（同法4条）。

(3) **地代支払義務** (ア) 地上権は，定期の地代をその要件としないから，最初に地上権を買い取ってもよいし，全く無償であってもよい。しかし，実際には，地代を支払うべき場合が多いであろう。このときには地代支払義務は，地上権と結合して，あたかもその内容の一部をなすものとなる。したがって，地上権の譲受人はこの義務を当然に承継するが，そのためには地代の登記があることを要する，というのが法の建前である（不登78条。ふるい判例もある）。ただし，地上建物の登記のみを対抗要件とする借地権たる地上権においては，地代を登記する方法がないのであるから，地主は，地代の登記がなくても地代債権の存在を地上権譲受人その他の第三者に対抗できる，と考える余地もある（近時の有力説）。他方，土地所有権の譲受人が地上権者に地代の支払を請求する場合には，地代の登記の有無は問題とならない。この場合の地上権者は，地代特約の存否を争いうる第三者ではないからである（大判大5・6・12民録22輯1189頁）。

(イ) そのほか，定期の地代には，永小作権に関する274条から

276条までの規定が準用され（266条1項），不可抗力によって収益に損失を受けた場合にも，賃貸借（609条）と異なって地代の減免請求権はないとされる（274条。他の2ヵ条については，**2**(3)で前述した）。また，賃貸借の規定も準用され（266条2項。たとえば，目的物の一部滅失等に関する611条など），さらに借地権たる地上権では，借地借家法11条の地代増減額請求権が認められる。

(4) **地上権の譲渡・賃貸と担保権設定**　地上権者は，地主の承諾なしに，地上権に抵当権を設定し（369条2項），地上権を譲渡し，または賃貸することができる。後者（譲渡・賃貸の自由）に関する規定はないが，物権の性質上当然のことと解されている。賃借権ではそれが否定されている（612条1項）のに，永小作権では設定行為で禁じられていない限り自由と定められていること（272条）も，上の理解を根拠づけよう。もちろん，地上権においても，設定行為をもって譲渡・賃貸を禁ずることは可能であるが，永小作権と異なりその定めを登記する方法がないので（不登78条・79条3号参照），その特約は，当事者間での債権的効力しか有しない。このような移転・処分の自由があるおかげで，地上権者は，地上の建物や竹木を土地利用権原とあわせて自由に譲渡し，抵当とすることが可能となり，地上権の存続中における投下資本の回収や流動化を図ることができるのである。なお，地上の工作物や竹木が第三者に譲渡されたときは，とくに反対の意思表示（たとえば，伐採を前提とした価格での立木の売却など）がない限り，地上権もまた移転されたものとみるべきこと（大判明37・12・13民録10輯1600頁，同大10・11・28民録27輯2070頁）は，賃借権の場合と同様である（一般には，主物・従物関係の類推適用と説明される）。

★　(5) **地上物の収去と買取り**　最後に，地上権が消滅したときは，

Ⅳ 地上権

地上権者は，土地を原状に復して工作物や竹木を収去することができる。ただし，地主が時価を提供してその買取りの意思を通知したときは，正当な理由がない限りこれを拒むことができない(269条1項)。地上物の収去またはその対価の受領という形で，地上権消滅時における地上権者の投下資本の回収を保障することが，この規定の趣旨である（もっとも，別の慣習があればそれによる。269条2項）。

確かに，(i)地上物が容易に収去可能なものである場合は，上の規定でよいであろう。この場合には，地主が買取りの意思を示さない限り，収去・原状回復は地上権者の義務でさえある。しかし，(ii)収去が不可能，ないしは収去により土地または地上物が著しく損傷・減価するような場合には，収去権の実益は少ない。しかも，このとき地主が買い取ろうとしないため，地上権者が収去を義務づけられるとすれば，それは，社会経済的にも不利益な結果を生ずる。借地借家法上の普通借地権たる地上権の場合には，借地権者に借地権設定者に対する建物買取請求権が認められる（借地借家13条）ので，この問題は一応解決されているが，その他の地上物についても，しかるべき配慮がなされることが望ましい。たとえば，少なくとも，土地と一体化して土地の客観的価値を増加させている改良工事（地盤の土盛りや排水設備等）などについては，収去権や収去義務の観念を排除して，公平の見地から，賃貸借におけるような有益費の償還請求権を認めるべき余地もあるであろう。

4 区分地上権

(1) 意義　　地上権は，通常は他人の土地を全面的に使用する権利であるが，他人の土地の地下または空間の一部だけを，上下

の範囲を限って使用するために設定することもできる（269条の2第1項前段）。たとえば，他人所有地の地下に地下鉄・地下街を建設したり，空中にモノレールやケーブル等を架設する場合には，その目的に必要な範囲での土地使用権が確保できればよく，その余の土地使用権はそれを土地所有者に残したほうが，社会経済的にみてもむしろ効率的だからである。区分地上権（部分地上権，制限地上権とも呼ばれる）の制度は，都市化と建設技術の進展に伴うこうした立体的土地利用の必要に対処するために，昭和41年に新たに設けられたものである（賃貸借や特殊な地役権を利用することも不可能ではないが，いずれも難点が多い）。

(2) 区分地上権の性質と内容　区分地上権も，基本的にはふつうの地上権と同一の性質・効力を有するが，その目的に応じたいくつかの特質がある。まず，①区分地上権の目的は，工作物の所有に限定され，②その土地使用権は，設定行為で定められた地下または空間の一定の階層的範囲にしか及ばない（269条の2第1項前段，不登78条5号）。ただし，③区分地上権の行使のために必要があるときは，設定行為でその余の部分の土地使用（たとえば，土地所有者による地表の使用）に制限を加えることができ（269条の2第1項後段。たとえば，地下街の上の地上に重い建物を建てないこと），その旨の登記をすれば第三者にも対抗できる（不登78条5号）。

なお，④区分地上権は，その性質上，他の第三者がすでに使用収益権（ふつうの地上権，賃借権など）を有する土地についても設定できる。ただし，このときには，その第三者および，その権利を目的とする権利を有するすべての者の承諾を得なければならない。区分地上権が設定されると，従前からの使用収益権はその分だけ縮減されることになるからである（269条の2第2項）。

V　永小作権

1　序説

(1)　**意義と性質**　永小作権は，耕作または牧畜のために他人の土地を利用する物権である。地上権と異なり，小作料の支払を要素とする（270条）が，その性質は地上権に類似する。したがって，賃貸借に比べると格段に強い権利を耕作者（永小作人）に付与する点に，その基本的な特徴があるが，わが国の小作関係のほとんどは賃貸借関係となっているので，永小作権は例外的な存在でしかない。判例も，永小作権の存在を容易には認定しないようである（**2**(1)参照）。

(2)　**若干の沿革**　もっとも，明治初期に遡れば，事情はかなり異なっていた。幕藩体制下では，小作人による開墾等の事情に由来する各種の「永代小作」の慣習がかなりひろく存在しており（上土権・開墾小作権・鍬先権など，名称は多様），そのなかには，「一地両主」とみられるようなものもあったからである。しかし，明治4年に始まる地租改正の過程では，小作料収取者を土地所有者と認めてこれに地券を交付したうえ，さらに現行民法の制定に際しては，民法施行前に設定された永小作権に一律の最長期の制限（民法施行の日から50年）を設けて，その期間経過後における権利の消滅を促進せしめる方針が決定された（民施47条参照）。これは，地主の土地所有権を，できるだけ円満かつ自由な近代的所有権たらしめようとする意図に出たものである。ただし，このような永小作権は，結局戦後の農地改革の過程で買収され，永小作人の自作農地となった。なお，その際買収されなかったもの，および民法施行後に設定された永小作権は，今日では民法のほか

に，種々の点で農地法の規制を受けている。

2 永小作権の取得・存続期間・消滅原因

(1) 永小作権の取得　地上権と同じく，地主との設定契約によるほか，遺言や取得時効でも取得されるが，実際には，慣習上でふるくから存在してきたものが多いであろう。それが永小作権か否かの判断は，当事者の権利義務の内容や地方の慣習を考慮して個別的に決するほかないが，判例は，これを容易には認めていない。たとえば，徳川時代からの小作で，期間の定めがなく，権利の譲渡性があるというだけでは永小作とならないとするのである（大判昭11・4・24民集15巻790頁。ただし，この判決には学説の批判が強い）。

(2) 存続期間　(ア) 民法施行後に設定される永小作権の存続期間は，20年以上50年以下で定めなければならない。設定行為で50年を超える期間を定めても，50年に短縮される（278条1項）。他方，期間の定めがない場合には，慣習で期間が定まる場合（ただし，その上限はやはり50年と解される）を除いて，一律に30年となる（278条3項）。

(イ) 永小作権は期間満了時に更新できるが，その期間は，更新の時から50年を超えてはならない（278条2項）。なお，黙示の更新も認められてよいが，農地法の法定更新や更新拒絶の制限に関する規定（同法17条本文・18条）は永小作権には適用または準用されないとされている（最判昭34・12・18民集13巻13号1647頁）。

(3) 消滅原因　永小作権に特有の消滅原因としては，継続した2年以上の小作料の滞納を理由とする地主の消滅請求（276条）と，不可抗力による一定期間以上の無収益または減収を理由とす

る永小作人の権利の放棄（275条）がある。これらの内容や効果は、地上権の場合と基本的に同一である（Ⅳ2(3)および後述3(3)参照）が、永小作権では慣習の作用する余地が明文で認められている（277条）。なお、永小作人に用法違反があるときにも、地主は永小作権の消滅を請求できると解されている（3(1)参照）。

3 永小作権の効力

(1) **土地使用権**　永小作人は、設定行為や土地の性質によって定まった用法に従って土地を使用できる（273条・616条・594条1項）が、土地に永久の損害を生ずるような変更を加えてはならない（271条）。違反行為に対しては、地主はその停止を請求できる（大判大9・5・8民録26輯636頁）。永小作人には修繕を請求する権利がないこと、他方、物権的請求権が認められ、相隣関係の規定も準用ないし類推適用されること（Ⅲ3(1)(ウ)）は、地上権と同様である。

(2) **対抗力**　永小作権は、登記をすることによって第三者に対抗できる（177条、不登3条3号・79条）。農地法16条の規定は、永小作権には適用されない（多数説。反対説もある）。

(3) **小作料支払義務**　①この義務の性質は、地上権における定期の地代と同一であり、やはり登記事項となる（不登79条1号）。②不可抗力による減収の場合にも永小作人には小作料の減免請求権はなく（274条）、継続して3年以上全く収益がないか、5年以上小作料以下の収益しか得なかった場合にようやく永小作権の放棄が認められるにとどまる（275条）。この規定は、普通小作（耕作または牧畜を目的とする土地の賃貸借）の場合（609条）以上に耕作者にとって厳しい規定であるが、永小作権が比較的長期で、小作料も往々にして低廉であることから、長期的には豊凶相償い

うると考えられたのであろう。ただし，別段の慣習があれば，それによるものとされ（277条），不作の場合の減免慣行を認めた判決もあった。そのほか，③賃貸借の規定の準用もある（273条）が，④今日ではむしろ，農地法20条の特則に注意を要しよう。

(4) 譲渡・賃貸と担保権設定　永小作権が抵当権の目的となること（369条2項），相続性および譲渡性をもち，その目的の範囲内で他人に土地を賃貸する権限を伴うこと（272条本文）は，地上権と同様である。ただし，永小作権にあっては，設定行為で譲渡・賃貸を禁ずることが認められ（272条ただし書），その定めは，登記すれば第三者にも対抗できる（不登79条3号）。

(5) 地上物の収去と買取り　永小作権消滅時に存在する地上物（たとえば果樹・牧柵・灌漑設備など）の処理に関する規定は，地上権におけるのと全く同一である（279条・269条）。

Ⅵ　地役権

1　序説

(1) 地役権の意義と機能　地役権は，一定の目的に従ってある土地（甲地）の便益のために他人の土地（乙地）を利用する権利である（280条本文）。たとえば，甲地の所有者が乙地を通行したり乙地を通って水を引くために，乙地の上に設定される通行地役権や引水地役権がその典型であるが，乙地の所有者に甲地の観望や日照を妨げるような建造物を建てさせないという，不作為を目的とする場合もある（観望・日照の地役権）。いずれの場合にも，甲地の利用価値を増進するために乙地が一定の物権的な役務を負担するわけであり，このときの甲地を要役地，乙地を承役地と呼ぶ。

Ⅵ 地役権

このような二つの土地の利用調節の制度としては，他にも相隣関係の規定がある。しかし，相隣関係は，原則として隣接地相互の利用調節につき，いわば必要最小限度のことがらを法定したものなので（それゆえ「法定地役権」とも呼ばれる），それだけでは不十分な場合が生じてくる。地役権は，そうした場合のために，二つの土地（必ずしも隣接地とは限らない。(3)(ア)参照）の間で実際の必要に応じた利用調節の在り方を設定契約（設定行為）で定めることを可能にするのである。

もちろん，同様の目的を乙地の一部の賃貸借によって達成することもできなくはない。しかし，賃貸借では，第三者対抗力の点で難点があるうえ，原則としてはその土地の使用権能（ないし占有）の全部を賃借人に移転せしめることになる。それに対して，地役権は，承役地の所有者の用益権能を維持したままで，要役地の便益のために必要な範囲内での一定の物権的な土地使用権を任意に設定し，承役地の一種の共同利用を実現することを可能にしているのである。

(2) 地役権の特質　(ア) 人役権との区別　地役権は，「土地の便益」（280条本文）を増すための権利であって，要役地の所有者個人の便益（たとえば，他人所有地での植物の採集・狩猟など）のためのものではない。後者は「人役権」と呼ばれ，わが民法では認められていない（ただし，特別法には，これに類する権利を定めたものもあった。たとえば平成21年改正前の農地26条・75条の2等参照）。

(イ) 付従性・随伴性　地役権は，二つの土地の利用関係を調節するために存立するものであるから，要役地と分離して譲渡したり，他の権利の目的とすることができない（281条2項）。また，要役地の所有権が譲渡されたり，他の権利（たとえば抵当権や地上

権)の目的となったときは,設定行為に別段の定め(第三者に対抗するには登記が必要。不登80条1項)がない限り,地役権もそれと運命をともにする(281条1項)。この場合,要役地の譲受人等が承役地の所有者に地役権を主張するには,所有権の移転登記があればよく,地役権の登記がなされていることを要しない。のみならず,要役地の譲受人が土地所有権の移転登記を得ていない場合でも,承役地の所有者は,譲受人による地役権の行使を拒むことはできないと考えるべきであろう(要役地の旧所有者＝譲渡人が時効取得した未登記の地役権の事案につき,大判大13・3・17民集3巻169頁参照)。

(ウ) 不可分性　　地役権は,ある土地とある土地との物理的位置関係を前提として設定されるから,要役地または承役地が共有地であるときに共有者各人の権利(持分権)を個別・独立のものとしてとらえると不都合をきたす場合が生ずる。そこで民法は,共有地にかかる地役権をできるだけ共有地の全体につき合一に存続せしめるため,いくつかの特殊な取扱いを定めている。学説は一般に,これらを一括して,地役権の不可分性と呼んでいる。

すなわち,①要役地の各共有者は,単独では,地役権全体を消滅させえないのはもとより(251条参照),自己の持分についてだけ地役権を消滅させることもできない。承役地が共有であるときも,同様である(282条1項)。また,②要役地または承役地が分割ないし一部の譲渡により数人の者に分属するようになったときも,地役権は,各部分のため(要役地の分割・一部譲渡の場合)または各部分の上に(承役地の分割・一部譲渡の場合),従来どおりに存続する(282条2項本文。もっとも,このことは,地上権など他の制限物権でも同様であろう)。ただし,要役地の一部にのみ建物があってそのための観望地役権が設定されていた場合とか,承役地の

一部の上にのみ通行地役権の目的となる通路が存在していた場合などには，全部の土地について地役権を存続させる必要は存在しないから，その余の土地についての地役権は消滅する（282条2項ただし書）。

さらに，③共有地を要役地とする地役権に関し消滅時効が進行している場合に，共有者の一人につき時効の完成猶予または更新の事由が生じたときは，その完成猶予または更新は——民法153条の一般原則とは反対に——共有者全員のために効力を生ずる（292条）。反対に，④共有地の共有者の一人が時効によって地役権を取得すると，他の共有者もそれを取得する（284条1項）。共有地を要役地とする地役権の取得時効の更新や完成猶予は，それらの共有者全員について生じないと効力を有しないとされる（284条2項3項）のも，上の趣旨を貫くためのものである。

(3) 地役権の種類・内容と態様　(ｱ)　地役権の目的たる便益の種類には制限がなく，要役地と承役地が隣接していることも必要としない。(1)で見た通行地役権，引水地役権，観望・日照の地役権などのほか，電力会社が高圧送電線の通る土地を承役地として設定する電線路敷設のための地役権もよくみられる。ただし，便益の内容については，相隣関係の規定中の公の秩序に関する強行規定に反してはならないという制限があるので（280条ただし書），たとえば，袋地所有者の隣地通行権（210条以下）を否定するような内容の地役権は認められない。

(ｲ)　地役権は，権利行使の態様から，次のように分類される。すなわち，①地役権者の一定の行為を目的とする作為の地役権（通行地役権など）と，承役地利用者の一定の不作為義務を目的とする不作為の地役権（観望地役権など），②地役権の行使が常に継続している継続地役権（通路を開設する通行地役権や観望地役権な

ど）と，間断のある不継続地役権（通路を設けない通行地役権），③地役権の行使が外形的に認識される事実を伴う表現地役権（通行地役権や地上に送水管を敷設する引水地役権など）と，これを伴わない不表現地役権（地下に送水管を通した引水地役権や不作為の地役権など）である。このうち，②と③の区別は，地役権の取得時効や消滅時効に関して意義をもつ。

2　地役権の取得・存続期間・消滅原因

★　(1)　**地役権の取得**　(ｱ)　土地所有者間の設定行為による場合が通常であろうが，時効による地役権取得をめぐってしばしば問題が生ずる。地役権にも民法163条が適用されるが，地役権は，承役地たるべき土地の占有や利用を排除するものではないので，「継続且表現ノモノ」（平成16年改正前の文言），すなわち「継続的に行使され，かつ，外形上認識することができるもの」（平成16年改正後の文言。つまりは，承役地たるべき土地の所有者が地役（権）の事実上の行使を容易に認識しえた場合）に限って取得時効が認められるからである（283条）。

したがって，たとえば通行地役権の場合には，単に隣家の庭先を長年通行させてもらっていたというだけでは十分でなく（「継続」の要件を満たさない），少なくとも通路が開設されていたことを要する。のみならず，判例によれば，その通路の開設が要役地所有者によってなされていたことまで必要とされた（最判昭30・12・26民集9巻14号2097頁，同昭33・2・14民集12巻2号268頁）。しかし，要役地所有者が承役地所有者等の開設した通路を継続して使用し，その維持・管理等の負担にあたってきたような場合には，通行地役権の時効取得を認めてよいとする見解（上記最判昭33・2・14の補足意見参照）も，学説では有力である。

Ⅵ 地役権

なお，黙示の意思表示または慣習による地役権の取得の可否については議論があるが，下級審判決にはこれを肯定したものもある（私道の通行地役権や，蔭打地役権など）。

(イ) ところで，要役地の利用権者もまた，自己の名において地役権を取得できるであろうか。要役地の所有者が取得した地役権を地上権者・永小作人・賃借人等が行使しうることは疑いがない（281条1項本文）が，これらの者による地役権の設定・取得については，280条本文の文言（「自己の土地の便益に供する権利」）との関係で問題が生ずる。判例には，土地の賃借人につきこれを否定したものがある（大判昭2・4・22民集6巻198頁）が，近時の学説では，地役権が利用調節のための制度であること，また，判例にも対抗力を有する土地（農地）賃借人に213条の隣地通行権を認めたものが現われていること（Ⅲ3(1)(ウ)参照）などを根拠に，これを肯定するものが多い。

(2) 存続期間　民法には規定がなく，設定行為によって自由に定められる。地上権と異なり，永久と定めてもとくに問題はない（通説）。地役権は土地相互間の客観的な利用調節のためのものであって，承役地の所有権を制限する程度が軽微だからである。むしろ，存続期間を定めても登記しなければ第三者に対抗できないことに注意すべきであろう。

(3) 消滅原因　時効による消滅に関連して，以下の特則がある。まず，①第三者が承役地を，地役権を排斥するような状態で占有し，その所有権を時効取得したときは，地役権も消滅する（289条）。しかし，第三者の取得時効の完成前に地役権の行使があれば，第三者の占有は地役権を排除しないものとなるから地役権は消滅せず，第三者は，地役権の負担付きの土地所有権のみを時効取得する（290条。なお，同条の文言は，理論的には必ずしも正確

でない)。次に、②地役権そのものの消滅時効（166条2項）の起算点は、不継続地役権では最後の権利行使の時、また継続地役権ではその行使を妨げるべき事実の生じた時、とされる（291条）。なお、③地役権の不行使が部分的であった場合（たとえば、通行地役権で予定された幅員を下まわる通路しか開設しなかった場合）には、当然にその不行使の部分だけが時効によって消滅する（293条）。

3 地役権の効力

(1) 承役地利用権　地役権者は、設定行為（または取得時効の基礎となった権利行使の態様）によって定まる目的に従い、承役地を使用できる。妨害行為に対する物権的請求権も当然に認められる。ただし、地役権の目的は土地利用の調節にあるから、その権利行使は、相隣関係の規定におけるのと同様に、地役権者の必要の範囲内で、かつ承役地の利用の制限を最も少なくするようになされるべきである（211条1項参照）。①承役地の水を利用する用水地役権に関する285条の規定や、②承役地上に設けられた工作物の共同使用に関する288条の規定は、その趣旨を具体化したものといえよう（なお、221条や222条2項3項も参照）。もっとも、承役地が自動車の通行を目的とする通行地役権の設定された通路である場合には、通行地役権者は、通行の目的の限度でその通路全体を自由に使用する権利を有するから、承役地の一部に車両を恒常的に駐車させている者に対してその禁止を求めることができるとされた（最判平17・3・29判時1895号56頁）。

(2) 対抗力　地役権は、登記をすることにより第三者に対抗できる（177条、不登3条4号・80条）が、地役権の登記に関する不動産登記法の規定は必ずしも十分でないうえ、通行地役権などでは、未登記のものが少なくない。そこで近時の判例は、通路と

しての使用が客観的に明らかであるため，そのことを認識しえたはずの承役地譲受人に対しては，通行地役権者が登記なくしてその権利を対抗でき，さらには地役権設定登記手続を請求しうることを認めている（最判平 10・2・13 民集 52 巻 1 号 65 頁，最判平 10・12・18 民集 52 巻 9 号 1975 頁）。

(3) 地役権の対価　　対価の支払は，地役権の要素ではない（280 条参照）が，その特約があるときには，これも地役権の内容となるとみるべきである。判例には，この特約は単に債権的効力を有するにすぎないとしたものがある（大判昭 12・3・10 民集 16 巻 255 頁）が，学説の多くは，ただ対価を登記する方法がないだけで（不登 80 条 1 項参照），承役地の譲受人は登記なくしてその支払を請求できると解している。

(4) 承役地所有者の義務　　承役地の所有者は，地役権の行使を認容する義務（作為の地役権の場合），または一定の行為をしない義務（不作為の地役権の場合）を負うが，さらに特別の契約により，地役権者のために工作物設置等の積極的義務を負うことも妨げない。そしてこの義務は，登記があれば承役地の特定承継人をも拘束する（286 条，不登 80 条 1 項 3 号）。ただし，承役地所有者は，いつでも，地役権に必要な土地の部分の所有権を放棄して地役権者に移転し，上記の負担を免れることを認められている（287 条）。

Ⅶ　入　会　権

1　序説——入会権の意義と沿革

(1) 入会権の古典的形態　　明治以前の農村では，一または数個の「むら」（地縁的共同体である村落）の住民が一定の山林原野

等を集団として支配し，それを，各自の農業生産や生活上の諸資料（肥料・まぐさ・薪炭など）を得るために共同で利用することが，各地の慣習に従ってひろく行われていた。これが，慣習上の権利たる入会権の古典的形態である。そのなかには，当該入会地（山林原野等）にかかわる「むら」が一村のみである場合（「村中入会」）と数村である場合（「村村入会」），また，入会地の地盤も「むら」に帰属している場合（「村持地入会」）とそうでない場合（「他村持地入会」）などがあったが，いずれも入会権であることには変わりがない。

この場合の「むら」（自然村）は，今日の市町村（行政村）とは異なって，それを構成する一定地域の住民（ただし，その単位は個人ではなく，世帯＝「家」である）の仲間的な集合体そのものであり，各構成員が入会地を利用する権能も，「むら」すなわち「入会集団」がもつ入会地の支配権能と不可分一体のものとして意識されていた。各構成員の利用権能が「むら」の構成員たる地位に相伴うものとされたのも，そのゆえである。そして，こうした形態での入会地の利用は，貨幣経済が浸透する以前の農民の自然経済にとって，まさに不可欠の作用を有していたのである。

(2) 民法の規定　そこで，民法も，「共有の性質を有する入会権」（263条）と「共有の性質を有しない入会権」（294条。その規定の位置のゆえに，「地役権の性質を有する入会権」とも呼ばれる）とに関する2ヵ条を設けてこれを法認し，その内容は各地の慣習に委ねることとした。他の物権と異なりこのような規定の仕方がなされたのは，一方では，いわば前民法的な物支配秩序たる入会権の内容を民法の近代的所有権法秩序のなかに正面から規定することには種々の困難があったこと，他方，土地についての近代的所有権の一般的成立を前提とする以上，入会権についてもその土地

所有秩序との最小限の形式的整合性（地盤の所有権を伴うのか，伴わないのかの区分け）を図る必要があったこと，による。したがって，民法のうえでは，入会地の地盤が入会権者（その意味は**2**参照）に帰属しているか否かにより，入会権に2種のタイプが区別されることになる（大連判大9・6・26民録26輯933頁）が，その両者で入会権としての法律的性質に決定的な差異が生ずるわけではなく，共有や地役権の規定が入会権に適用ないし準用される余地（263条・294条参照）もほとんど存在していない。

(3) **入会権の法律的性質**　かつては，入会地（主要には山林原野）の利用形態の特徴との関係で入会権の特質を理解しようとする見解も有力であったが，今日の判例と学説の多数は，《村落共同体などが慣習に基づいて山林原野等を総有的に支配する権利》としてその特質をとらえている。この見解に従えば，共有の性質を有する入会権は共同所有の総有的な特殊形態，共有の性質を有しない入会権は共同利用の総有的な特殊形態（いわば特殊な用益物権の準総有）ということもできよう（Ⅲ**5**(1)(イ)，および後述**2**参照）。このことは，社会経済の発展に伴う入会権の変遷（たとえば利用形態の変化）や解体過程を理解するうえできわめて重要な意味をもつことがらである（**3**(1)，**5**(2)(イ)等参照）。ただし，その総有関係の具体的内容については，いまだ理解の確定していない点も残っている（たとえば**2**(1)(イ)，**3**(1)(イ)，**3**(2)(イ)など）。

なお，村落共同体による総有的な物支配は，土地に対してだけでなく，漁場や農業用水の確保を目的として水面（海面）や水利に対しても成立するが，前者は漁業権，後者は農業水利権として，狭義の入会権とは別個の扱いを受けている。

2 入会権の主体と入会権者

(1) 入会集団　(ア) 入会集団の性格　入会権は，慣習上その範囲が定まった村落等の入会集団の存在を前提として成立し，その構成員たる入会権者は，入会集団の統制に服しながら各自一定の使用収益権を行使する。その意味では，入会権の主体は，第一次的には入会集団そのものである。ただし，この集団は，入会権者の総体であって入会権者と別個の権利主体となるわけではないから（この点，社団法人などとは明確に異なる），入会集団の権利と各入会権者の権利とは，本来不可分一体の関係にある。とすれば，各入会権者が有する使用収益権を過度に重視して，これを民法上の入会権の実質とみることは避けるべきであろう。

★　(イ) **入会集団と管理処分権**　入会集団を構成する入会権者の範囲，集団による入会地の管理支配の在り方，各入会権者の使用収益の方法などは，すべて慣習によって定まる。ただし，その内容は必ずしも固定したものではなく，やはり慣習に従った入会集団の意思決定によって変更することができる（たとえば，本項末尾のケース，3(1)でみる利用形態の変更など）。また，必要があれば，入会権（ないし入会地）そのものを処分することも可能である。その意味では，入会地の管理処分権もまた，入会集団に帰属しているのである。それゆえ，共有の性質を有する入会権の目的である土地の売却代金債権は，入会権者らに総有的に帰属する（最判平15・4・11判タ1123号89頁）。入会集団が入会地を第三者に賃貸した場合の賃料収入も同様である（たとえば，最判平18・3・17民集60巻3号773頁参照）。

ただし，この管理処分権は，社団法人の場合のように個々の構成員の権利から離れて存在しているわけではない。このことは，入会集団の意思決定が原則として全員一致でなされることに象徴

されている。したがって，入会権を，各入会権者の使用収益権を中心として理解する立場に立って，管理処分権と使用収益権とを区別し，前者は入会集団，後者は入会権者に帰属すると解すること（最判昭57・7・1民集36巻6号891頁はこのような理解を前提としているようである）は，十分正確なものとはいえない。むしろ，両者ともに，入会集団の全構成員に総体的に帰属し，かつ分属する，というべきであろう（有力説）。

　もっとも，入会集団が構成員の総意に基づいて規約を定め，代表の方法・総会の運営・財産管理その他団体としての主要な点を確定し，組織を備え，集団の意思決定のために多数決の原則が行われるようになったときは，その入会集団は，権利能力なき社団にあたることになる（最判平6・5・31民集48巻4号1065頁）。そしてこのときには，入会地の管理処分にかかわる意思決定も，その入会団体の定め・規範に従って行うことができる。当該入会集団における慣習がそのように変わったとみられる場合には，公序良俗に反するなどその効力を否定すべき特段の事情が認められない限り，入会権の内容はその慣習に従うからであり（民法263条・294条参照），近時の判例には，入会権の処分について役員会の全員一致の決議に委ねる旨の慣習の成立を認めたものがある（最判平20・4・14民集62巻5号909頁）。ただし，入会集団による権利能力なき社団の形成ならびに慣習の変更とその内容は，具体的な事実に基づいて慎重に評価・判断されなければならない（上記最判平20・4・14の事実認定と判断には，2人の裁判官の反対意見もあり，それらが指摘するとおり，上のいずれの点についても疑問がある）。

　(2)　入会権者　　(ア)　入会権者の権利　　入会権者は，慣習および入会集団の定めに従って入会地で使用収益を行い，かつ，その管理に参加することができる。民法上の共有（または準共有）

とは異なり，各入会権者の権利は，特定した持分の形をとらないのが原則であるが，入会地の使用収益の形態が団体直轄利用や個人分割利用などに変化すると，各入会権者の持分が「株」・「権利」等の呼称のもとに顕在化してくることもある（**3**(1)(イ)参照）。しかし，その場合でも，各入会権者の分割請求権や持分譲渡の自由は認められないのが原則である（ただし，持分の譲渡については，集団の統制下に一定の範囲内でこれを許容する場合もあるようである）。

なお，各入会権者の権利は平等であるのが通常であるが，差等が存する場合もないわけではない（持分の譲渡が許容される場合とか，旧戸と新戸で格差がある場合など）。また，村村入会の場合には，各入会集団の間に権利の差等が存するのは，しばしばみられるところである（差等入会）。

(イ) 地位の得喪　入会権者たる地位は，各入会集団の慣習に従って世帯単位で決定される。その範囲は，かつては当該地域の住民（世帯）とほぼ一致していたとみられるが，人口移動が激しくなった今日では，むしろ両者の間にずれがある場合が多い。単に村落の住民となっただけで入会権者たる地位を認める慣習はまれであって，一般には，さらに一定の追加的な資格要件（居住の長期性，共同の出役作業への従事，一定の金銭的出捐の履行など）が要求されるからである。

他方，地域内への居住は一般に必須の資格要件とみなされているので，従来からの入会権者も，地域外に転出するとその地位を失い，入会権を喪失する。この権利の喪失は，かつては無償であることが多かったが，各入会権者の持分の観念が顕在化し，貨幣経済的な価値を担うようになったところでは，相当額の対価ないし補償金が支払われる場合もある。

なお，近時の判例には，入会権者たる地位を世帯の代表者にの

み認める慣習は，今日でも公序良俗に反するものではないが，入会権者の資格を男子孫に限定する慣習は，ある時期以降には，性別のみによる不合理な差別として民法90条の規定により無効であるとしたものがある（最判平18・3・17民集60巻3号773頁）。

3 入会権の効力

(1) 入会地の利用　　(ｱ) 利用形態の変化　　共有の性質を有しない入会権では地盤所有者の権利との調整を必要とする場合があることを別とすれば，入会地の使用収益の内容や方法には特段の制限はない。事実，社会経済の発展に伴う農業生産と農村の生活の変化（金肥・化学肥料の導入，牛馬に代わる機械の普及，燃料としての石油や電気の普及など）は，自然経済を前提とした古典的共同利用形態の衰退をもたらし，代わってより貨幣経済的な利用形態を登場させてきた。具体的には，ⓐ入会権者各自の個別的な利用を差し止め，入会集団が一括して造林等の利用・管理を行う団体直轄利用形態（「留山」など），ⓑ入会集団がその直轄管理とした入会地を賃貸借等により第三者（または入会権者の一部の者）に利用させ，その対価を受け取る契約利用形態（ⓐの一変形ともいえる），ⓒ入会地を区分して各入会権者に割り当て，各自の自主的な利用を認める個人分割利用形態（「割山」，「分け地」など）である。いずれも，入会地のより効率的な利用を目的とするものであり，ⓐやⓑの場合における収益は，入会集団（ないし村落）の共同の費用にあてたうえ，入会権者に分配する場合が多いようである。

(ｲ)　**入会権の解体との関係**　　もちろん，こうした利用形態の変更も，入会地の管理が入会集団の統制下に置かれている限り，入会権の行使形態の変化にすぎない。判例も，上記のⓐについては

そのことをつとに承認した(最判昭32・6・11裁判集民26号881頁)。しかし, ⓒについては, 分け地上の入会権の存在を否定した判決(最判昭32・9・13民集11巻9号1518頁)と, 逆にこれを肯定した判決(最判昭40・5・20民集19巻4号822頁)の双方がある。事案の内容からすれば, 両判決は必ずしも矛盾するものではない(前者では分け地を自由に譲渡しうる状態になっていたのに対し, 後者では, それはいまだ認められていなかった)とみる余地もあるが, 前者の判決が分け地については入会権を原則的に否定すべきものとしていたことと対比すると, 分け地に対する部落団体の統制の存続という点を重視した後者の判決は, 理論構成のうえでも実質的な判例変更(原則と例外の転換)を行って多数説の理解(1(3)参照)に歩調をあわせたもの, とみることができる。ⓐやⓒへの利用形態の変更に伴い, 構成員の数が固定化し, 入会権者各自の持分(権)が顕在化する傾向が生ずるのは必然であるが, そのことのみをもって入会権の解体・消滅(いいかえれば, 持分権の個人的権利への転化)を説くべきではないのである(なお, 5(2)(イ)も参照)。

(2) **入会権の対外的効力** (ア) 対抗要件 入会権は, 登記することができないので(不登3条参照), 入会権としての実体さえあれば登記なくして第三者に対抗できる(判例・通説)。共有の性質を有する入会権では, 地盤所有権の登記があることが多いが, それがそのまま入会権の公示としての意義をもつこともない(詳細は4(2)参照)。

★ (イ) **入会権の対外的主張** ⓐ入会権者が第三者または他の入会権者により入会地の使用収益を害されたときは, 入会権者は, 各自単独で, それらの者に対し, 入会権に基づく使用収益権の確認または妨害の排除を請求することができる(大判大7・3・9民録24輯434頁, 最判昭57・7・1民集36巻6号891頁等)。しかし, ⓑ入会

権それ自体の存否を争う訴えは、入会集団の全員が原告または被告となるべき固有必要的共同訴訟とされる。たとえば、入会権者の一部の者が入会権の確認を求めたり、入会権を理由として入会地の所有権移転登記の抹消を請求することは、不適法として却下されるのである（最判昭41・11・25民集20巻9号1921頁）。ただし、構成員の数が多数にのぼる場合の訴訟追行上の不都合を避けるため、入会集団も、旧民事訴訟法46条の「代表者」や同47条の「選定当事者」の制度を利用できると解されてきた。近時の判例も、入会集団が規約・組織等を備えた入会団体を形成し、それが権利能力なき社団にあたる場合には、当該入会団体は、入会地にかかる総有権確認の訴えの原告適格を有し、かつ、規約等の定める授権手続に従い当該訴訟を入会団体の代表者に追行させることができるとする（最判平6・5・31民集48巻4号1065頁。なお、民訴29条参照）。

では、ⓒ入会権者の一部の者が各自の使用収益権を根拠として、入会地についてなされた違法な登記の抹消を求める場合はどうなるか。前掲最高裁昭和57年7月1日判決は、抽象的には、妨害排除の請求としてのこの訴えの適法性を認めたが、入会権者の使用収益権能はかかる登記（この事案では地上権設定登記）の存在によって格別の妨害を受けることはないという理由で、結局上の請求を棄却した。狭義の共有と異なり入会権においては、管理処分権は入会集団に帰属し、各入会権者の権能は入会地の使用収益にしか及ばない、という理解がその結論の前提となっているわけであるが、学説では、この理論的前提ならびに結論の双方に対して有力な批判も提起されている（前出 **2**(1)(イ)）。もっとも、権利能力なき社団を形成する入会団体で、一部構成員を入会不動産の登記名義人とすることとした場合には、その一部構成員は自己の名で

当該登記手続の請求訴訟を追行できる(前掲最判平6・5・31)。

最後に、ⓓたとえば代表者数人の共有名義で登記されていた入会地につき、共有名義人の一部の者＝Aがその共有持分を第三者＝Bに譲渡し共有持分権の移転登記も経由したような場合に、他の入会権者は、裁判上でどのような請求をなしうるか。持分権の処分者A（入会権者）以外の入会権者の全員＝CらがAおよびB（第三者）を相手として入会権の確認と共有持分移転登記の抹消を求めた事案については、当事者適格を問題とすることなく、Cらの請求を認容した判例がつとにあった（最判昭43・11・15判時544号33頁。なお、4(2)参照）が、ⓔ他の入会権者中にその訴えの提起に同調しない者＝Dらがいる場合には、上記ⓑの判例（前掲最判昭41・11・25）を形式的に押し及ぼすと、Dら以外の入会権者＝Cらは、訴え提起の道が塞がれることになる。そこで、近時の判例は、そのような場合には、Cら（入会集団の一部の構成員）は、第三者Bに加えて、Aを含むDらを被告として入会権確認の訴えを提起することを許容した（最判平20・7・17民集62巻7号1994頁）。そうすれば、入会集団の構成員全員が訴訟当事者となり、入会権の存否が対内的にも対外的にも合一的に確定するから、前掲最判昭41・11・25とも矛盾しないというのがその理由である。入会権の解体過程に伴い入会集団内部の利害対立も強まっている状況下において、重要な意味をもつ判例である。

4 地盤所有権との関係

(1) 序　入会権は、元来、地盤所有権の帰属のいかんとは関係なく存立する権利であるが、明治以降、地租改正と官民有地区分（明治7年～9年）および町村制の施行（明治22年）により土地の所有名義が確定され、入会地の地盤所有意識もしだいに強まっ

てきた結果，入会権と地盤所有権の関係をめぐって深刻な問題が生ずることも少なくない。私有地，公有地（市町村有地），国有地のそれぞれにつき，以下のような問題がある。

(2) 私有地　(ア)　共有の性質を有する入会権では，部落名義，入会権者の全員または一部の者の共有名義，代表者（総代等）の個人名義，神社・寺名義などの形で地盤所有権の登記がなされていることが多いため，地盤所有権の帰属や地盤所有者たる者の範囲をめぐって紛争が生ずる。しかし，誰が入会権者であるかは当該入会集団の慣習によって定まることで，登記名義のいかんにより決せられるものではないから（**3**(2)(ア)参照），入会権（ないし入会集団）の実体が存続している限り，入会地の地盤も，登記名義とは無関係に，原則として入会集団の構成員全員の総有に属すると解すべきである（前掲最判昭43・11・15）。したがって，たとえば，村落外に転出した共有名義人の一人から第三者が共有持分を譲り受け，所有権移転登記を経由したとしても，その第三者は，入会地につき何らの権利も得ることができない（最判昭40・5・20民集19巻4号822頁）。同様に，総有の入会地につき，たとえば複数代表者名義の共有登記がなされていても，それは不実の登記を意図的に作出したものとはみられないから，民法94条2項の適用または類推適用の問題を生じない（前掲最判昭43・11・15, 同昭57・7・1）。取引の安全との関係で問題は残るが，入会権は，登記とは直接関係がないのである。

(イ)　私有地上の共有の性質を有しない入会権では，とくに地盤の新所有者との間で，入会権の存否・内容・行使条件等をめぐる紛争が生ずる。入会権の公示方法が欠けていること（**3**(2)(ア)）に伴う問題であるが，これが「入会権近代化」の動き（後述**5**(2)(イ)）の一つの要因となった。

(3) 公有地　　明治初年には部落有地とされた入会地が市町村制の整備に伴い市町村有地や財産区有地に編入された場合，入会権はどうなるか。行政庁は，戦前来，公有地上には公法上の使用権（いわゆる旧慣使用権。自治238条の6参照）しか成立しないという立場をとってきたが，判例は早くから，公有地上にも私権としての入会権が存立することを認めている（大判明39・2・5民録12輯165頁，同昭11・1・21新聞3941号10頁等）。前者の立場によれば，住民の慣習上の権利を市町村議会の議決だけで変更・廃止できるという不当な結果が生ずるので，民法学者の大多数は，ほぼ一致して判例の考え方を支持している。

(4) 国有地　　それに対して，国有地については，大審院は，ふるくは入会権の存続を肯定したが，後にこれを否定する態度に転じた（大判大4・3・16民録21輯328頁）。明治初年の官民有地区分による官有地への編入は同時に入会権を当然に消滅させるものであった，というのがその論拠であった。しかし，戦後の学説は，そう解すべき法律的根拠はないとしてこれを批判し，ついに最高裁も，上の判例を明示的に変更した（最判昭48・3・13民集27巻2号271頁）。入会利用の慣行がある限り，国有地上にも入会権が存続しうるわけである。

5　入会権の得喪

個々の入会権者の権利の得喪は2(2)でみたので，ここでは入会集団についてのそれを述べる。

(1) 入会権の取得　　入会権は慣習に基づく権利であるから，新たに設定されることはないと一般に解されてきたが，近年では，入会集団が集団として土地の管理支配権を取得し，入会権と同様の共同の使用収益行為を行う場合には，新たな入会権が成立する

とする説もある。また，入会集団が契約によって債権的な使用収益権を総有的に取得したときは，債権的な入会権が発生するという見方も強い。なお，入会権の時効取得の成否についても，学説は分かれている。

(2) 入会権の変更・消滅　(ア) 変更　入会地の利用形態の変更は入会権の行使形態の変更にすぎないから，入会権そのものの変更が問題となるのは，村村入会を分割して一村単独入会にする場合などに限られる。いずれも，原則としては入会権者全員の同意が必要である（なお，2(1)(イ)の末尾参照）。

(イ) 消滅　入会権は，ⓐ権利の放棄または廃止，ⓑ入会規制の解体・消滅，ⓒ入会林野整備事業による入会権の近代化等によって消滅する。いずれも，原則として入会権者全員の同意を要するが（なお，2(1)(イ)の末尾参照），公有地上の入会権では，さらに市町村議会の議決も必要とされる余地がある（4(3)参照）。

ⓐの例としては，たとえば，地盤共有（総有）の入会地を入会集団が種々の開発目的で第三者に譲渡する場合がある（その土地についての入会権は放棄または廃止される。ただし，その売却代金債権の帰属については，さらに，2(1)(イ)でふれた前掲最判平15・4・11参照）。ⓑについては，入会集団が仲間的結合体としての実体を失い，入会地に対する総有的な管理支配（ないし集団的統制）を喪失したことが，基本的な判断基準となる。たとえば，共有名義人の持分権や分け地が誰にでも自由に譲渡しうる個人的権利に転化した場合，共有の性質を有しない入会権で個々の利用権者が入会集団とは無関係に地盤所有者との契約により使用収益を行っている場合などには，それが肯定されよう。ただし，その判断は実質的かつ総合的になされることを要するから，入会集団の形式上の組織形態の変更等を過度に重視することは避けるべきである（この点，最判

昭42・3・17民集21巻2号388頁は問題がある)。なお、共有の性質を有しない入会権(地役権的入会権)では消滅時効の成否も問題となりうること(291条参照)に注意を要する。

　最後のⓒは、「入会林野等に係る権利関係の近代化の助長に関する法律」(昭41)によるもので、入会権を消滅させて所有権(狭義の共有を含む)や地上権その他の使用収益権に置き換えることを内容とする(そのうえで生産森林組合等の団体を設立するのが通常である)。入会林野の農林業上での効率的利用を図ることがその目的であり、今日までに相当数の入会権がこの手続によって消滅した。

担保物権法編

第1章 序　論

1　担保物権の意義
(1)　債権者平等の原則と物的担保・担保物権　　たとえばサラリーマンAが一戸建住宅（土地付建物）を購入しようと思うが，自己資金が十分でないとき，不足の資金（たとえば1000万円）を銀行Bなどから借り受けることになる。仮にこの1000万円の借金のうち600万円を弁済期到来後もAがなお弁済できず，B銀行がAに強制履行（414条）を求めるとした場合，B銀行は，融資にあたり担保をとっていなければ，Aに帰属する財産（責任財産）から適当なものを選んで，民事執行法の定める方法に従い強制執行を申し立てることになる（債権の摑取力）。Aの購入した土地・建物につき強制競売の申立てがなされたとすると，これらが換価され，換価代金がB銀行の債権の満足にあてられる。債権の配当にあてられるべき金銭（これを「売却代金」という。民執84条・86条参照）が1200万円であり，この強制競売の手続にAに対する他の債権者，たとえばCおよびDが配当を求めてこないとき，あるいは配当を求めてきてもB・C・Dの債権額の合計額が1200万円以下であるときは，B銀行は，600万円の残債権全額を回収できる。これに対して，C・Dが配当を求めてきて，B・C・Dの債権額の合計額が1200万円を上まわるときは，各債

権者は債権額に比例して平等の弁済を受けることになるから（債権者平等の原則），Cの債権額が600万円，Dの債権額が1200万円であれば，債権額の合計は2400万円となり，B銀行は300万円の配当を受けるにとどまる。B銀行は，残りの300万円の債権につき，Aのその他の責任財産に対してさらに強制執行を申し立てることができるが，他にみるべき財産がなければ，残りの300万円は回収しえないことになる。したがって，融資した金銭を確実に回収しようと思えば，債権者としては，債権者平等の原則を排除し，AあるいはAの親族や知人など第三者の特定の財産（たとえば，Aの購入した土地・建物）の換価代金から優先的に弁済を受けることができるようにしておく必要がある。このために使われる債権の担保が，抵当権・質権などの物的担保である。先の例で，B銀行がAの購入した土地・建物の上に担保権の設定を受けていた場合には，B銀行は担保権の実行としての競売を申し立て，売却代金1200万円からB銀行がまず600万円全額の弁済を受け，担保権を有していないCおよびDは，残りの600万円からC 200万円，D 400万円の配当を受けることになる。質権・抵当権のような物的担保の場合は，担保権設定者が破産したときにもなお効力を失わず，各債権者の債権額に比例した弁済を原則とする破産手続によらずに権利の行使ができる点も重要である（「別除権」という。破2条9項10項・65条。ただし，破66条・98条参照）。

　民法は，留置権・先取特権・質権および抵当権の四つの物的担保を「第2編　物権」に規定している。このような担保的作用をもつ物権を「担保物権」というが，これは，**2**にみるように，この四つの担保物権に限られない。

　(2)　**人的担保**　　これに対して，債務の弁済がなされない場合

に，債務者あるいは第三者の特定の財産から優先弁済を受けることができるようにしておくのではなく，債務者以外の第三者にも債務の履行を求めることができるようにしておく担保方法もあり，これを人的担保という。民法上は，連帯債務（436条〜445条）と保証債務（446条〜465条の10）とがある。連帯債務者あるいは保証人から任意の弁済が得られるときは，人的担保は物的担保より簡便な担保方法である。これらの者から任意の弁済が得られないときは，これらの者に帰属する財産（責任財産）に対しても，債権者は強制執行の方法により債権の回収を図ることができるが，責任財産が十分でなければ，やはり債権の十分な回収を図ることができない（債権者平等の原則の適用）。

2　担保物権の種類

(1)　典型担保と非典型担保　「第2編　物権」に規定されている前述（**1**(1)）の四つの担保物権を典型担保という（第2章で扱う）。典型担保は，制限物権型担保であり，担保権の実行にあたっては，担保の目的物を競売にかけて換価し，売却代金を被担保債権（担保物権によって担保される債権を「被担保債権」という）の弁済にあてるのが原則である。しかし，このような方法による担保権の実行にはいろいろ不都合な点もあるため，被担保債権の弁済が得られないときは，担保の目的物自体を担保権者に帰属させて債権の弁済にあてるという所有権（あるいは権利）移転型の担保が考えだされ，慣習法上あるいは判例法上認められている。このように，民法典上に規定がなく，かつ所有権（あるいは権利）移転型の担保を非典型担保（あるいは変則担保）といい，これには仮登記担保・譲渡担保および所有権留保がある（第3章で扱う）。なお，仮登記担保については，昭和53年に法律の制定をみた（仮

表6　特別法上の担保物権

留置権関係	商事留置権（商31条・521条・557条・562条・574条等。第2章 I 1(3)参照）
先取特権関係	国税・地方税その他地方団体の徴収金の先取特権（税徴8条，地税14条），借地地代先取特権（借地借家12条），積荷等についての先取特権（商802条），船舶先取特権（商842条）など多数。
質権関係	商事質権（商515条），質屋営業法による質権（以上につき，第2章Ⅲ2(2)㈣参照）
抵当権関係	立木抵当・動産抵当・財団抵当・企業担保・抵当証券（以上につき，第2章Ⅳ1(3)参照）

登記担保契約に関する法律）。

(2) 約定担保物権と法定担保物権　担保物権は，成立の原因により，担保権者と担保権設定者との担保権設定契約によって成立する約定担保物権と，一定の立法政策に基づき一定の債権の保護のために法律上当然に成立する法定担保物権とに分けることができる。典型担保のうち，留置権と先取特権は法定担保物権であり，質権と抵当権は約定担保物権である。非典型担保はすべて当事者間の設定契約により成立するものであり，約定担保物権である。現代においては，法定担保物権よりも約定担保物権のほうがはるかに重要である。

(3) 特別法上の担保物権　上に述べた典型担保・非典型担保のほか，特別法によって各種の担保物権が認められている。主なものを表6に示す。これらの担保物権の要件や効力は，特別法による規制を受ける。

3 担保物権の効力

担保物権には，債権担保としての効果をあげるために次のような効力が与えられているが，担保物権の種類により与えられ方は一様ではない。

(1) 優先弁済的効力　債務の弁済が得られないとき，担保の目的物のもつ価値から，担保権の実行としての競売の方法など（民執180条・190条・193条参照）により他の債権者に優先して弁済を受けることのできる効力を「優先弁済的効力」といい，債権担保を目的とする担保物権の中心的効力である。もっとも，担保の目的物を留置することによって間接的に債務の弁済を促そうとする留置権には，この効力は認められない。

(2) 留置的効力　債務が完済されるまで担保権者が目的物を留置しうる効力を「留置的効力」という。これによって，間接的に債務の弁済を促そうとするのである。留置権と質権にこの効力が認められる（295条・347条）。

(3) 収益的効力　担保物権成立の時から，担保権者が担保の目的物を収益しこれを債務の弁済に充当しうる効力を「収益的効力」という。原則として不動産質権にのみ認められる（356条。なお，弁済期到来後に認められる抵当権者による担保不動産収益執行（第2章Ⅳ3 D(1)）および抵当不動産の賃借人に対する賃料債権への物上代位（4(4)）は，(1)の優先弁済的効力の実現方法の一つである）。

4 担保物権の性質

(1) 付従性　担保物権は，一般に特定の債権を担保するために設定されるものであるから，その債権が発生しなければ担保物権も発生しないし，債権が消滅すれば担保物権も消滅する。このような担保物権の性質を「付従性」という。後述のように，質権

や抵当権のような約定担保物権においては，付従性の原則は一定の局面で緩和されており，とくに増減変動する不特定の債権を担保する根抵当権においては，付従性は原則として認められない（第2章Ⅳ7(1)(イ)参照）。

(2) 随伴性　被担保債権が第三者に移転すると，担保物権もこれに伴って第三者に移転する。これも付従性の一側面であるが，これをとくに「随伴性」という。

(3) 不可分性　担保物権には，被担保債権の全額の弁済を受けるまでは，目的物の全部についてその権利を行うことができる性質がある。これを担保物権の「不可分性」というが，これについては明文の規定がある（296条・305条・350条・372条）。

(4) 物上代位性　優先弁済的効力を有する先取特権（一般の先取特権を除く），質権および抵当権は，その目的物の売却・賃貸・滅失または損傷によって債務者が受けるべき金銭その他の物，あるいは目的物の上に設定した物権の対価に対しても，優先弁済権を及ぼすことができる。このような担保物権の性質を「物上代位性」というが，これについても明文の規定がある（304条・350条・372条）。

第2章　民法典上の担保物権(典型担保)

　本章においては，民法典上に規定されている担保物権（典型担保）につき，法典に従い，留置権，先取特権，質権，抵当権の順序で解説する。前二者は法定担保物権であり，後二者は約定担保物権である（第1章2(2)）。

I　留　置　権

1　序　説

(1) **留置権の意義**　(ア) **当事者間の公平**　たとえば時計店Bに腕時計の修理を依頼したAが修理の終わった腕時計を引取りにきたとき，Aが修理代金を支払わなくても，BはAに時計を引き渡さなければならないとしたら，Bに気の毒である。Aが修理代金の支払を拒否する以上，Bはわずかの修理代金のためにAを相手に修理代金支払請求訴訟を提起し，確定判決を得たうえで，Aの財産に対して強制執行をしなければならないからである。かかる場合，Aが修理代金を支払うまで，Bに腕時計の引渡しを拒絶する権利を認めたほうが公平にかなう。このように，他人の物（腕時計）の占有者（時計店B）が，その物に関して生じた債権（修理代金債権）を有するときに，その債権の弁済を受けるまでその物を留置することによって，債務者（A）に対して債権の弁済を間接的に強制することのできる権利を留置権という（295条1項）（例①とする）。留置権は，当事者間の公平を図るため

法律上当然に認められるもので，法定担保物権の一つである。

★ (イ) **留置権と同時履行の抗弁権との異同および競合的発生の有無**

たとえば，X（売主）・Y（買主）間の建物売買契約が取り消され，XがYに対して建物の明渡しを請求した場合，Yは，既払代金返還請求権を被担保債権として建物につき留置権が成立しているし，民法546条の類推により同時履行の抗弁権（533条）もあると主張して建物の明渡しを拒否できるだろうか。下級審裁判例（東京高判昭24・7・14高民集2巻2号124頁）は，Yは当該建物をXの承諾を得ないで第三者に賃貸したため，Xが留置権の消滅請求（298条3項）をしているから，留置権は消滅しているが，Yには同時履行の抗弁権は認められるとしている（例②とする）。

同時履行の抗弁権も，留置権と同様，公平の原則から認められるものであるが，留置権とは次のような違いがある。①留置権はその発生原因を問うことなく，物に関して生じた債権が弁済されるまでその物の引渡しを拒絶しうる権利であるが，同時履行の抗弁権は，債権契約である双務契約から生じた対価的な給付義務について，一方の債務が履行されるまで他方の債務の履行を拒絶しうる抗弁権であり，物の引渡しの履行に限定されない。もっとも，明文上（546条）あるいは解釈論上（例②のように契約の無効や取消しによる原状回復義務相互間など），同時履行の抗弁権の生ずる範囲は，それよりもややひろくなっている。②留置権は物権として構成されているから誰に対してもこれを行使できるが，同時履行の抗弁権は契約の相手方に対してのみ行使することができる。なお，例②でYに留置権が認められるときには，通説・判例（最判昭33・3・13民集12巻3号524頁）は，留置権の制度の趣旨から，同時履行の抗弁権の場合と同様，引換給付の判決（「被告Yは，原告Xから既払代金の支払を受けるのと引換えに建物を原告Xに引渡せ」）

がなされるべきであるとしている。

このように留置権と同時履行の抗弁権とには異同があるが，例②のような事案で，留置権と同時履行の抗弁権が競合的に生ずるのか否かが争われており，通説は，下級審裁判例と同様，競合を肯定する。これに対して，契約関係にある両当事者間には同時履行の抗弁権ないしそれに準ずる関係を認め，契約関係にない者との関係でのみ留置権を認めるべきである（たとえば，飛びこんできたボールで窓ガラスを割られた者が損害賠償を受けるまでボールの返還を拒絶するような場合）とする説も存在する。

(2) 留置権の性質　付従性・随伴性・不可分性（296条）が認められるが，留置権は，優先弁済的効力を有せず，物の交換価値を把握するものではないから，物上代位性は認められない。

(3) 民事留置権と商事留置権　民法上の留置権を民事留置権，商法上の留置権を商事留置権（第1章2(3)〔表6参照〕）という。商法521条の商事留置権と民事留置権を比較すると，前者においては，債権と物との「牽連性」(2(2))は要求されていないが，その反面，債務者所有の物についてのみ留置権が成立する。民事留置権は，債務者が破産すると効力を失うが，商事留置権は特別の先取特権としての効力（別除権）を有する（破66条）。

2　留置権の成立要件

留置権は，次の(1)～(4)の要件が存在するときに成立する。

(1) 他人の物を占有していること　留置権の目的物は，債務者の所有物である必要はなく，債権者の占有する他人の物であればよい（295条1項）。したがって，例①の腕時計は，Aが第三者から借りていた物であってもよい。

(2) 債権と物との牽連性　他人の物の占有者が「その物に関

して生じた債権」を有することが必要であり（295条1項本文），これを債権と物との牽連性という。判例・通説とも，次のような場合に牽連性があるとしている。

　(ア)　債権が物自体から発生した場合　　たとえば，物の瑕疵による損害賠償請求権や，物に加えた必要費や有益費の償還請求権などがこれにあたる。判例は，建物買取請求権（借地借家13条・14条）の行使による建物代金債権の場合には，牽連性を問題とせずに，建物だけでなく敷地についても留置権の成立を認めているが（大判昭18・2・18民集22巻91頁等），造作買取請求権（借地借家33条）の行使による造作代金債権の場合には，造作に関して生じた債権であり，建物に関して生じた債権ではないとして，建物についての留置権の成立は否定している（大判昭6・1・17民集10巻6頁，最判昭29・1・14民集8巻1号16頁）。後者については，留置権や造作買取請求権の趣旨および有益費（608条2項）との均衡から，通説は建物についても留置権を認めるべきであるとする。判例（最判昭47・11・16民集26巻9号1619頁）はまた，不動産の買主が代金未払のままその不動産を第三者に転売したときには，売主は，転得者からの引渡請求に対して，未払代金債権を被担保債権として留置権を行使できるとする。

　(イ)　債権が物の返還請求権と同一の法律関係または同一の生活関係から生じた場合　　同一の法律関係の事例として，例①の腕時計の修理代金債権と返還請求権（ともに修理請負契約という同一の法律関係から発生）や，売買契約の取消しにおける買主の代金返還請求権と売主の目的物返還請求権（ともに売買契約の取消しという同一の法律関係から発生）などがある。同一の生活関係（あるいは事実関係）の事例として，AとBとが傘をとりちがえて持ちかえった場合があげられる。

Ⅰ 留置権

(ウ) **二重譲渡等において履行不能による損害賠償請求権に基づき留置権を行使しうるか**　AがYに不動産を譲渡して引渡しをすませたが（所有権移転登記未経由），この不動産をAがさらにXに譲渡し（二重譲渡），移転登記を経由した場合，Xの不動産引渡請求に対し，Yが履行不能によるAに対する損害賠償請求権に基づきこの不動産につき留置権を行使しうるかという事案のように，履行不能による損害賠償請求権と物との牽連性の有無が問題となるが，これを否定するのが，通説・判例（最判昭34・9・3民集13巻11号1357頁，同昭43・11・21民集22巻12号2765頁，同昭51・6・17民集30巻6号616頁）である。Aは，Yに対して不動産の返還を請求する関係にはなく，したがって，Yが不動産の引渡しを拒絶することによってAの負う損害賠償債務の履行を間接に強制する関係を生じないことが，その理由となる。

(3) **弁済期の到来**　留置権を行使するためには，自己の債権につき弁済期の到来が必要である（295条1項ただし書）。

(4) **占有が不法行為によって始まった場合でないこと**

(ア) **不法行為**　時計を盗んだ者がそれを修繕したときのように，占有が不法行為によって始まった場合には，留置権は成立しない（295条2項）。

(イ) **占有開始後占有権原がなくなった場合にも留置権は成立するか**　★★

前掲最判昭和51年6月17日の事案にみられるように，占有開始時には占有権原があったが，結果的には有益費を投下した時点では占有権原を失っていたときなども，295条2項を拡張し，留置権は成立しないと解すべきか。判例は，賃料不払による建物賃貸借契約解除後に修繕費や有益費を支出した事案（前者につき大判大10・12・23民録27輯2175頁，後者につき最判昭46・7・16民集25巻5号749頁）や代金不払による建物売買契約解除後に修繕費

や有益費を支出した事案（最判昭41・3・3民集20巻3号386頁）のように，占有権原のないことについて債権者が悪意である場合だけでなく，先の事案のように善意・有過失である場合にも，留置権は成立しないとする（前掲最判昭51・6・17）。

判例に賛成する説も多いが，批判的な見解も有力である。悪意占有者に有益費償還請求を認めるが回復者の請求により期限を許与する民法196条2項との関係から，占有開始後悪意となった場合には，裁判所の期限許与によって留置権を排除できるが，善意・有過失の場合には留置権を認めるという見解などがそれである。

(5) 留置権の対抗力　留置権を第三者に対抗するためには，留置権者がその物を留置していることで足りる。目的物が不動産であっても，登記は不要である（不登3条参照。登記は不可）。

3　留置権の効力

(1) 留置的効力　被担保債権の弁済がなされるまで，目的物を留置できる，すなわち引渡しを拒絶できることが，留置権の基本的効力である。留置権者には，留置物保管につき善管注意義務があり，また，留置権者は，債務者の承諾なしに留置物の使用・賃貸・担保供与をなしえない（298条1項2項本文）。ただし，留置権者は，留置物の保存に必要な使用はなしうるから（298条2項ただし書），たとえば，借家人は，必要費の償還が得られない場合（608条1項），賃貸借契約解除後も，引き続き従来の借家に居住し留置権を行使しうる（大判昭10・5・13民集14巻876頁）。もっとも，家屋の使用によって得られた利益（家賃相当額）は不当利得となる。

留置権は，物権であるから，何人に対してもこれを主張しえ，

I 留置権

留置物の強制競売や担保権の実行としての競売における買受人（本書では競売における買主を「買受人」という）に対しても，被担保債権の弁済があるまでは，目的物の引渡しを拒むことができる（民執59条4項）。そこで，留置権には優先弁済権はないが，事実上の優先弁済権があるといわれる。なお，留置権の目的物が動産であるときは，留置権者が目的物の提出を拒む限り，目的物についての強制競売手続を進めえない（民執124条）。

(2) 果実収取権　留置権者には，果実収取権が認められるが（297条），298条2項との関係上，法定果実についてはあまり意味をもたない。

(3) 費用償還請求権　留置権者が留置物について必要費あるいは有益費を支出したときは，所有者に対しその償還を求めることができる（299条）。

(4) 競売権　留置権者にも，競売権は認められているが（民執195条），これは被担保債権の優先弁済を受けるための競売ではなく，債権者を物のままで留置する負担から解放し，お金の形で留置できるようにするための換価のための競売である。

(5) 留置権の行使と被担保債権の消滅時効　留置権の行使をしても債権について時効の完成猶予の効力はない（300条）。ただし，留置権者が裁判上留置権の抗弁を主張する際，その基礎となる被担保債権の存在を主張したときには，「催告」（150条）と同じ効力が生ずる（最大判昭38・10・30民集17巻9号1252頁）。

4　留置権の消滅

物権および担保物権一般の消滅原因（物権法編第3章Ⅵの物権の消滅原因および被担保債権の消滅＝付従性）により消滅するほか，次の事由がある場合に消滅する。①留置権者に保管義務等の違反が

あり，債務者が留置権の消滅請求をしたとき（298条3項）。②債務者が相当の担保を提供して留置権の消滅請求をしたとき（301条）。③留置権者が留置物の占有を喪失したとき（302条本文）。ただし，留置権者が債務者の承諾を得て賃貸または質入れをしたときは，代理人による占有があるから別である（302条ただし書）。なお，留置権者が占有回収の訴えによって奪われた目的物を取り戻せば，留置権は消滅しない（203条ただし書）。④債務者が破産したとき（破66条3項）。ただし商事留置権は別で，前述（**1**(2)）のように特別の先取特権とみなされる（破66条1項・2条9項・65条）。

II　先取特権

1　序　説

(1)　**先取特権の意義**　たとえば，A商店に勤めるBが給料を2ヵ月分30万円支払ってもらっていないときに，A商店に600万円の貸金債権を有するCが，A商店の財産（210万円）に対し強制執行の申立てをした場合，民法の原則（債権者平等の原則）からすれば，Bが配当の申出をしてもBは換価代金の21分の1（10万円）しか弁済を受けることができないが，社会政策的見地からすれば，給料債権については優先弁済権を与えることが妥当といえる。このように，法律の定める一定の債権を有する者が，債務者の財産から，他の債権者に優先してその債権の弁済を受けることのできる法定の担保物権を先取特権という。法律が一定の債権に優先弁済権を与えて保護する理由はさまざまであり，公平の観念に基づくもの，社会政策的見地に基づくもの，あるいは当事者の意思の推測に基づくものなどがある。先取特権は，後述のように不動産の先取特権を除くと，公示なしに優先弁済権が

認められるため，金融取引上は問題が多いが，政策的観点から，民法以外の法律にも各種の先取特権が認められている（第1章 **2**(3)〔表6参照〕）。

(2) 先取特権の性質　　付従性・随伴性・不可分性（305条・296条）および物上代位性（304条。ただし一般の先取特権を除く）が認められる。物上代位性については後述する（**4**(2)）。

2　先取特権の種類

民法上の先取特権は，債務者の総財産の上に効力を有する一般先取特権，債務者の特定の動産の上に効力を有する動産先取特権，および債務者の特定の不動産の上に効力を有する不動産先取特権に分けられ，後の二つを特別の先取特権という。

(1) 一般先取特権　　民法は4種類の一般先取特権を定める。

(ア)　共益費用先取特権（306条1号・307条）　　公平の観念に基づく。利益を受けていない債権者には先取特権を主張しえない（307条2項）。

(イ)　雇用関係先取特権（306条2号・308条）　　社会政策的見地に基づく。

(ウ)　葬式費用先取特権（306条3号・309条）　　社会政策的見地に基づく。

(エ)　日用品供給先取特権（306条4号・310条）　　社会政策的見地に基づく。

(2) 動産先取特権　　民法は8種類の動産先取特権を認めている。

(ア)　不動産賃貸借先取特権（311条1号・312条～316条）　　この先取特権は，当事者の意思の推測に基づくもので，不動産の賃貸借から生じた賃借人の債務（賃料や賃借不動産損傷による損害賠償

担保物権法編　第2章　民法典上の担保物権（典型担保）

の債務など）につき，賃借人の動産の上に存在する（312条）。被担保債権の範囲は，原則としてこの債務の全額であるが，若干の例外がある（315条・316条）。

★　**不動産賃貸借先取特権は借家内のすべての動産に及ぶか**。すなわち，この先取特権の目的物は賃借人の動産が原則であり，土地の賃貸借の場合と建物の賃貸借の場合とに分けて明文の規定があるが（313条1項2項），目的物を建物に備え付けた動産とする後者については，議論がある。たとえば，建物賃借人Aの債権者Xの申立てにより，借家内にあるAの動産のうち宝石・座卓および畳につき強制競売が行われたが，建物賃貸人Yが先取特権に基づき配当要求をし，配当表上優先弁済権が認められた。そこでXが，宝石は建物に備え付けた動産ではないとして配当異議の訴え（民執90条）を提起した場合，この訴えは認められるだろうか（図18参照）。判例（大判大3・7・4民録20輯587頁）は，先取特権の目的となる動産は，その建物の常用に供するためのものに限られず，ある時間継続して存置するために持ちこんだものでもよい（金銭，有価証券，懐中時計，宝石類でもよい）として，Xの訴えを

図18　先取特権と借家内の動産

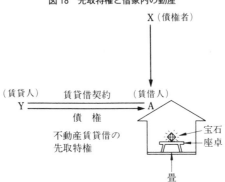

認めない。これに対して通説は，当事者の意思の推測という立法趣旨から，目的物となる動産は従物（畳・建具など）よりはひろいが，建物の利用に関連して常置されたもの（一切の家具調度・機械器具・営業用什器など）に限るとしている。

なお，このほか，賃借権の譲渡または転貸があった場合に，先取特権は賃借権の譲受人または転借人の動産に及ぶとされているが（314条），これには批判が多い。また，賃借人が他人の動産を備え付けた場合，賃貸人に即時取得の要件が備われば，先取特権がその動産の上にも成立する（319条）。

(イ) 旅館宿泊先取特権（311条2号・317条）　当事者の意思の推測に基づく。即時取得の準用がある（319条）。

(ウ) 運輸先取特権（311条3号・318条）　当事者の意思の推測に基づく。即時取得の準用がある（319条）。

(エ) 動産保存先取特権（311条4号・320条）　公平の見地に基づく。

(オ) 動産売買先取特権（311条5号・321条）　この先取特権は，公平の観念に基づくもので，動産の代価およびその利息につきその動産の上に存在する。この先取特権に対する需要はあるが，これまで手続上実行は困難であった。そこで，平成15年に民事執行法190条が改正され，この先取特権に基づく競売の申立てがかなり容易になった（4(1)参照）。

(カ) 種苗・肥料供給先取特権（311条6号・322条）　公平の観念と農業の保護育成という政策的考慮に基づく。

(キ) 農業労務先取特権（311条7号・323条）　公平の観念と賃金保護の社会政策的考慮に基づく。

(ク) 工業労務先取特権（311条8号・324条）　公平の観念と賃金保護の社会政策的考慮に基づく。

(3) 不動産先取特権　　(ア) 不動産保存先取特権（325条1号・326条）　　動産保存先取特権（(2)(エ)）と同様，公平の観念に基づく。

(イ) 不動産工事先取特権（325条2号・327条）　　公平の観念に基づく。この先取特権は，工事によって生じた不動産の増価が現存する場合に限り，その増価額についてのみ認められ（327条2項），また，増価額は，裁判所の選任する鑑定人の評価により定まる（338条2項）。

(ウ) 不動産売買先取特権（325条3号・328条）　　動産売買先取特権（(2)(オ)）と同様，公平の観念に基づく。売買代金債権の担保としては，抵当権の利用が通常で，この先取特権の利用は少ない。

3　先取特権の順位

(1) 先取特権相互の順位　　同一の目的物の上に複数の先取特権が成立することがある。たとえば，宿泊客の手荷物につき，旅館宿泊先取特権と動産売買先取特権とが成立した場合，両者の優先順位が問題となる。民法は，その債権の保護の必要性の度合を考慮して，優先順位を定めている。

(ア) 一般先取特権相互間　　306条に掲げる順序による（329条1項）。

(イ) 一般先取特権と特別先取特権との優劣　　特別先取特権が一般先取特権に優先するが，共益費用先取特権は例外で，その利益を受けた総債権者に対して優先する（329条2項）。

(ウ) 動産先取特権相互間　　330条1項は，動産先取特権を三つのグループに分け，グループ相互間で順位をつけている。第一順位のグループに属するのは，不動産賃貸・旅館宿泊・運輸の各先取特権，第二順位のグループに属するのは，動産保存先取特権，

第三順位のグループに属するのは，動産売買・種苗肥料供給・農業労務・工業労務の各先取特権である。したがって，宿泊客の手荷物につき先取特権が競合する先の例では，旅館宿泊先取特権が優先することになるが，旅館側が，動産売買先取特権の存在を知っているときには，同条2項により後者が優先する（同順位となるとする説もある）。果実を目的とする三つの動産先取特権相互間の順位については，同条3項に特別の規定が置かれている。

(ニ) 不動産先取特権相互間　325条に掲げる順序で優先弁済を受ける（331条1項）。同一の不動産につき逐次の売買があったときは，売買の行われた時の順序による（331条2項）。

(オ) 同順位の先取特権相互間　各債権額の割合に応じて弁済を受ける（332条）。

(2) 先取特権と他の担保物権との競合　　(ア) 質権との関係
動産質権と先取特権（一般先取特権または動産先取特権）とが競合するときは，動産質権は，330条1項に掲げた第一順位のグループの動産先取特権と同順位となる（334条）。不動産質権と先取特権（一般先取特権または不動産先取特権）とが競合するときは，不動産質権には抵当権の規定が準用されるから（361条），次の(イ)と同様に扱われる。

(イ) 抵当権との関係　　不動産保存先取特権と不動産工事先取特権は，337条，338条により（4(5)参照）登記がされていれば，抵当権に優先する（339条）。不動産売買先取特権については規定がないので，抵当権との優劣は登記の前後によって定まると解される。不動産につき一般先取特権と抵当権が競合するときは，抵当権が未登記であれば一般先取特権は未登記でも抵当権に優先するが，抵当権に登記があり一般先取特権が未登記であれば抵当権が優先し，両者に登記があれば，登記の前後によって優劣が定ま

ると解される（336条参照）。

4 先取特権の効力

(1) 優先弁済権　先取特権には優先弁済権が認められ（303条），これが先取特権の中心的効力である。優先弁済権の行使は，先取特権者が目的物につき民事執行法の定める方法に従い競売の申立てをすることにより行うのが原則である。先取特権者は，目的物が不動産である場合には民事執行法181条の規定に従い，また目的物が動産である場合には同法190条に従い，それぞれ競売の申立てをする。同法旧190条のもとでは，動産売買先取特権などにみられるように先取特権者が目的動産を占有していないときは競売の申立てが困難であったが，平成15年に同法190条が改正され，先取特権者が担保権の存在を証する文書を執行裁判所に提出して動産競売開始許可決定を受けることにより，動産競売が開始される道が開かれた（民執190条2項・1項3号）。競売により目的物が換価されると，先取特権者は，換価代金から優先順位（3参照）に従い優先弁済を受ける。このほか，先取特権の目的物につき他の債権者の申立てにより競売の手続が行われたとき，先取特権者は，民事執行法の定める手続に従い，配当要求等の方法で優先弁済を受けることもできる（配当要求につき民執51条・133条，登記をした先取特権者への配当等につき民執87条1項4号）。

(2) 物上代位　先取特権は，目的物の交換価値につき優先弁済的効力が認められる権利であるので，物上代位性が肯定され，目的物の売却，賃貸，滅失または損傷により債務者が受けるべき金銭その他の物などに対しても，優先弁済権を主張することができる（304条）。動産先取特権の場合には，追及力がないので（(3)参照），目的物の売買代金に物上代位を認める（304条参照）こと

に意義があり，現に動産売買先取特権に基づく物上代位が近時活用されている。これに対して不動産先取特権の場合には，登記がなされると追及力があるから，売買代金への物上代位は抵当権の場合と同様，重要ではない。先取特権者は，物上代位権を行使するためには，物上代位の目的である金銭等の第三債務者から債務者に対する払渡し又は引渡し前に差押えをしなければならない（304条1項ただし書）。この差押えの趣旨をめぐり大きな争いがある。物上代位は，抵当権について問題となることが多いので，抵当権の節で詳述する（Ⅳ3C）。

(3) **第三取得者との関係**　　(ア) **動産の第三取得者との関係**

一般先取特権であれ動産先取特権であれ，債務者がその目的動産を第三取得者に引き渡した後は，もはや先取特権を行使できない（333条）。これらの先取特権は，動産上にその存在が公示されていないので，第三取得者を保護する必要があるからである。ここでいう第三取得者とは，所有権取得者を意味し，賃借人や質権者を含まない。

(イ) **333条の「引渡し」には占有改定を含むか**　　たとえば，Yから建物を賃借しているAが建物に備え付けた動産甲をXに譲渡したが，引き続きXより賃借し占有していたところ，Yがこの動産甲につき先取特権の実行をしてきた場合，Xは，すでに333条の「引渡し」を受けているとして，異議を申し立てることができるか（図19参照）。判例（大判大6・7・26民録23輯1203頁）は，占有改定でも333条の引渡しとなるとして，これを肯定する。通説も，公示のない動産上の先取特権の追及力を制限し動産取引の安全を図るという本条の趣旨をあげて，判例を支持する。もっとも，この事案で，Xが占有改定による引渡しを受けた場合でも，Yが前記動産甲をAが所有していると過失なく信じていたとき

図19 占有改定による引渡しと先取特権

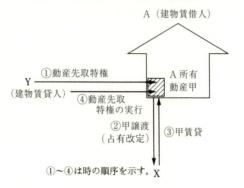

は（善意・無過失），その後に取得する賃料債権については，先取特権を即時取得する（319条）と解されている（前掲大判大6・7・26も傍論ながらこれを肯定する）。

売主Yが買主Aに引き渡した甲動産につき動産売買先取特権を有しているが，Aが甲動産につきXのために譲渡担保権を設定し，Xに占有改定による引渡しをした場合（第3章Ⅲ2(2)(イ)参照）についても同様で，Yが先取特権に基づいて甲動産につき競売を申し立てたときは，譲渡担保権者Xは，第三者異議の訴え（民執38条）を提起して競売手続きの取消しを求めることができるとされる（最判昭62・11・10民集41巻8号1559頁）。

(ウ) 不動産の第三取得者との関係　(ア)に対して，不動産の第三取得者と一般先取特権者あるいは不動産先取特権者との優劣は，登記の前後により定まる。第三取得者に所有権移転登記がなされるまでは，一般先取特権者は登記なしにも優先弁済権を主張しうる。

(4) 一般先取特権の特別の効力　(ア) 対抗力　一般先取特権は，不動産を目的とするとき，その登記がなくても一般債権者

(無担保債権者）に対抗することができる（336条。**3**(2)(イ)参照）。一般先取特権は、登記が困難であり、また債権額も一般には比較的少額であるからである。

(イ) **優先弁済を受ける目的物の順序** 一般先取特権は、債務者の総財産を目的とするから、他の債権者との調整を考え、優先弁済を受ける目的物の順序が定められている（335条）。しかし、一般先取特権は登記なしには登記ある担保権者に対抗しえないのだから、一般先取特権が登記されている例外的場合を除けば、このような制限は疑問だとする見解が有力である。

(5) **不動産先取特権の特別の効力** 不動産先取特権は、登記により効力を保存するが、登記の時期につき厳格な制限があるので（337条・338条・340条）、その利用は多くない。効力を保存するということの意味については、効力発生要件説と第三者対抗要件説とに分かれるが、現在の通説は後説である。後説によると、未登記であれば優先弁済権はないが、競売権は認められる（ただし民執181条1項1号または2号の文書が必要）。

5 先取特権の消滅

先取特権は、物権および担保物権一般の消滅原因によって消滅する。動産先取特権は、目的物が第三取得者に引き渡されたときにも消滅する（333条）。不動産先取特権については、抵当権に関する規定が準用されるから（341条）、代価弁済（378条）や抵当権・先取特権消滅請求（379条準用。Ⅳ**3**G(3)(ニ)(オ)参照）によっても消滅する。

Ⅲ 質 権

1 序 説

(1) **質権の意義** たとえば，AがBから5万円を借りる場合に，担保として高価なカメラを預ける場合のように，債権者が債権の担保として債務者（または第三者）から受け取った物を債権の弁済を受けるまで留置し，弁済がないときにはこれを競売にかけ他の債権者に優先して弁済を受けることができる担保物権を質権といい（342条），抵当権と同様，約定担保物権の一つである。

抵当権の場合には，目的物が設定者（債務者または第三者）のもとにとどめられるから，第三者に対する抵当権の公示の関係で登記・登録の可能な財産（不動産や一定の動産〔Ⅳ 1 (3)(b)〕など）のみが目的物となるが，質権の場合には，原則として目的物が質権者に現実に引き渡されるから，目的となる財産についてはこのような制約はない（動産・不動産のほか財産権も可能）。しかし，担保権設定後も設定者が目的物を引き続き自己のもとにとどめて利用したいことも多く，この場合には動産については譲渡担保，不動産については抵当権（あるいは仮登記担保や譲渡担保）が利用されるから，質権の利用は多いとはいえない（動産質権は少額の消費信用に利用され，他方不動産質権の利用は非常に少ない）。財産権に対する担保権設定には質権はよく利用されている。

(2) **質権の性質** 質権には，付従性・随伴性・不可分性（350条・296条）および物上代位性（350条・304条）が認められる。

以下，動産質，不動産質，権利質の順に，設定方法・効力・消滅等につき説明する。

Ⅲ 質　権

2　動　産　質

(1) 動産質権の設定　　(ア) 動産質権の設定契約　　質権設定契約の当事者は，債権者と質権設定者である。質権設定者は債務者に限らず第三者でもよい（342条）。この第三者を物上保証人といい，提供した目的物につき物的責任のみを負う（貸金債務は負わない）。物上保証人の求償権については，351条が規定している。

　質権設定契約（物権契約）は要物契約であり，当事者の意思表示のみ（176条）では効力を生ぜず，債権者への目的物の引渡しにより効力を生ずる（344条）。しかも，この引渡しは，現実の引渡しはもとより，簡易の引渡し（182条2項）や指図による占有移転（184条）でもよいが，占有改定（183条）では足りないとされている。すなわち，質権者は質権設定者に自己に代わり質物の占有をさせることはできないのであり（345条），質権設定者が質物をそのまま預かるとか借り受けるということは許されないのである。このような要物性の根拠として，質権公示の理想の貫徹と留置的効力の確保の二つがあげられるが，前者を重視する見解に対しては反対が多い。すなわち，公示方法としての占有がはなはだしく観念化している近代法においては，質権よりも一層強大な所有権の移転の公示方法としてさえ占有改定で足りるとし，また占有の継続などは問題にしないのであるから，質権の公示方法としてだけこのような厳格な態度をとることは，理論体系としては一貫しないというべきで，このような厳格な要件の根拠は，質権の留置的効力の確保に求めるべきであるとするのである。

　(イ)　**設定者への目的物の返還により質権は消滅するか**　　質権成立　★
後に質権者が債務者に質物を自ら返還した場合，質権者は質権の対抗力を失うにすぎないのか（352条），それとも質権の消滅をきたすのかが問題となる。従来は前説が多数説であったが，現在で

257

は，345条の占有改定の禁止の主たる趣旨が，質権の成立についての公示の原則の強化にあるのではなく，留置的効力の確保にあるとする考えから，後説が多数説となっている。

(ウ) 動産質権の対抗要件　動産質権者は，質物を継続して占有しなければ質権を第三者に対抗（主張）できない（352条）。すなわち，質物の継続占有が動産質権の対抗要件とされるが，ここでの対抗とは，物権変動における対抗（178条。物権法編第3章Ⅲ3(1)参照）とは異なり，およそ権利を対世的に主張することを意味し，単に競合する取引関係に立つ第三者（たとえば二重に質権の設定を受けた者や第三取得者）との間での権利の優劣の主張にとどまらない。このことは353条の規定にも現れている。したがって，ここにいう第三者とは，設定者以外のすべての第三者を指す。

★★　**(エ) 質物を第三者に奪われたり詐取されたり遺失した場合，質権者は質権に基づいて第三者に質物の返還を求めることができるか**　質権者が質物を第三者に賃貸あるいは保管させたときは，質権者はなお間接占有を有するから，質権の対抗力は存続する。これに対して，質物を第三者に奪われたり詐取されたり遺失したときは，質権者は継続占有を失っており，第三者に対抗しえないので（352条。(ウ)参照），質権に基づく返還請求は認められない。ただ，質物を第三者に奪われた場合には，占有回収の訴え（200条）が認められるから，一定の制限はあるが（200条2項・201条3項），この方法による返還請求が可能である（353条）。動産質権の対抗方法をこのように制限したのは，動産質権について公示の原則を貫徹しようとする趣旨に基づくものであろうが，動産質権の物権性を著しく制限することになるとして，立法論的には批判が有力である。

(オ) 動産質権の目的物　譲渡可能な動産のみが目的物となる（343条）。自動車・建設機械などは特別法で抵当権の設定が認め

られているので，質権の設定はできない（自抵20条，建抵25条等参照）。

(カ)　被担保債権　　質権により担保される債権の種類には制限がない。なす債務であっても，質権の留置的効力により履行を強制できるし，不履行の場合には，原則として金銭債務である損害賠償債務に転換するからである。条件付きまたは期限付きの債権のためにも質権を設定しうるし（付従性の緩和。Ⅳ2(4)参照），継続的な取引関係から将来生ずべき不特定の債権を担保するためにも質権（根質）を設定しうる。

(2)　動産質権の効力　　(ア)　被担保債権の範囲　　質権の効力は，別段の定めのない限り，元本，利息，違約金，質権実行の費用，質物保存の費用および損害賠償債権に及ぶ（346条）。抵当権の場合（375条）のような制限がないのは，後順位に担保権が設定されたり第三取得者が現れることが少ないからである。

(イ)　効力の及ぶ目的物の範囲　　動産質権は従物にも及ぶ（87条2項）が，引き渡されている物に限る。果実（たとえば果物・鶏卵などの天然果実）は，質権者が収取し優先弁済にあてることができる（350条・297条）。質権者が設定者の承諾を得て質物を賃貸したりする場合などには（350条・298条2項），法定果実（賃料など）も対象となる。質権には物上代位性がある（350条・304条）。

(ウ)　留置的効力　　質権者は，被担保債権の弁済を受けるまで目的物を留置することができる（347条）。これにより間接的に債務の履行を促そうとするのである。ただし，質権者は自己に優先する権利を有する者，たとえば先順位の質権者や質権に優先する先取特権を有する者（334条・330条2項参照）に対しては，留置的効力を主張できない（347条ただし書）。したがって，これらの者が質物の競売の申立てをするときは，質権者は執行官への質物

の引渡しを拒むことができない（民執190条参照。優先権者への差押承諾文書の提出による）。質物の保管や使用・収益，また必要費や有益費の償還については，留置権の規定が準用される（350条・298条・299条）。

㈣　優先弁済権　　質権者は，債務の弁済が得られないときは，民事執行法の手続に従い目的物の競売を求め（民執190条），また他の債権者の申立てによる競売においては配当要求をして（民執133条），優先弁済を受けることができる。なお，動産質の実行については例外的に簡易な弁済充当が認められている（354条）。

債務の弁済がなされないときは，質権者が質物の所有権を取得する（この特約を「流質契約」という）とか，質権者が適宜にこれを売却したり評価したりして弁済にあてるというように，法律に定めた方法とは異なる方法による質権の実行が当事者間で合意（契約）されることがある。このような契約を自由に認めると，債権者が債務者の窮迫に乗じて債務額に比べ不相当に高価な質物について流質契約等を結ばせるおそれがあるとして，ローマ法以来，流質契約は禁止され，わが民法も，設定行為または弁済期前の契約をもって流質等の合意をすることはできないとしている（349条）。弁済期後であれば，かかる合意も差し支えない。

もっとも，商行為によって生じた債権を担保するための質権には，流質契約が認められている（商515条）。また，街の質屋に質物を預けてお金を借りる場合は，質屋営業法が適用され，流質期限までに被担保債権の弁済がなされないときは，質屋が質物をもって弁済に充てること（流質）になる（質屋1条・19条1項。なお，流質を認めていた公益質屋法は，平12法111により廃止された）。

㈤　転質　　たとえば，Aに50万円の融資をしその担保として質物を受け取った質権者Bが，自分もCから30万円の融資を

Ⅲ 質　権

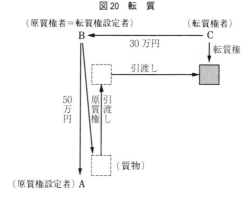

図20　転　質

受けたい場合に，保管している質物あるいは質権を自分の債務の担保のために質入れすることを「転質」といい，A・B・Cを図20のように呼ぶ。Aの承諾を得てなされる承諾転質が許されることは当然であるが（350条・298条），348条の規定の存在により，転質に関しては298条2項は準用されず（348条は，350条・298条2項の特則），Aの承諾を必要としない責任転質も許されると解されている（大連決大14・7・14刑集4巻484頁）。実務では責任転質はあまり行われず，承諾転質が利用されるが，承諾転質の内容は契約により定まる。そこで，ここでは責任転質につき説明する。

　㈹　**転質の法律的性質はどのようなものか**　　転質の法律的性質 ★★
については見解の対立がある。

　①　**債権・質権共同質入説**　　転質とは，原質権者Bのもつ債権と質権とをあわせて質入れすることであり，質権の随伴性の当然の帰結にすぎないとする。これに対しては，それなら転質につき特別の規定を要しないはずだとする批判がなされる。

　②　**質権〔単独〕質入説**　　転質とは，原質権者Bのもつ質権そのものを質入れすることであるとする。

③　質物再度質入説　　転質とは、質物そのものが再び質入れされることであり、厳密には、原質権によって把握された担保価値が質入れされることであるとする。

①説と異なり、②説と③説とは、原質権者Bはその把握している担保価値を被担保債権から切り離して他に担保に供しうるとするもので（したがって、①説と要件・効果を一部異にする）、348条はこのような質権の処分を認めたものというべきである。現在、③説が多数説であり、以下、③説により、転質の要件・対抗要件および効果につき説明する。

(a)　要件　　転質権設定契約も要物契約であり、原質権者Bが転質権者Cに質物を引き渡すことにより効力が生ずる（344条）。転質の被担保債権額が原質権のそれを超過してもよい（(c)参照）。348条は、原質権の存続期間内において転質権を設定しうるとする。しかし、転質権の被担保債権の弁済期が原質権のそれより後に到来する場合も、転質権を無効と解すべきではなく、効果の問題として考えるべきである（(c)参照）。

(b)　対抗要件　　質物の継続占有が第三者対抗要件である（352条）。また、主たる債務者Aへの転質権設定の通知またはAの承諾が、A・保証人・原質権設定者（設例ではA）およびその承継人に対する対抗要件であると解する（377条類推または364条類推）。

(c)　効果　　転質権者Cは、転質権および原質権の被担保債権の弁済期が到来すれば、直接原質権を実行でき（366条1項類推）、売得金から原質権者Bに優先して弁済を受けることができる。転質権の被担保債権額が原質権のそれを超過しているときは、Cは、原質権の被担保債権額を限度として優先弁済を受ける。原質権の被担保債権の弁済期が転質権のそれよりも先に到来したと

きは，原質権設定者Aは供託をなすことにより，原質権，さらに転質権を消滅させることができる。原質権および転質権は供託金の上に存続する。

原質権者Bは，転質をしなければ生じなかったはずの損害は，不可抗力によるものであっても賠償しなければならない（348条後段）。転質により，原質権の放棄などが制限されるだけでなく，Bは原質権の被担保債権を消滅させることができなくなる。しかし，原質権設定者Aは，転質権設定の通知・承諾のない限りは，Cに弁済を対抗できるものと解される（377条または364条類推）。原質権の被担保債権額が転質権のそれを超過する場合の，原質権者Bの弁済受領・質権実行については，Ⅳ4(2)(ウ)参照のこと。

(キ) 動産質権の侵害　質権設定者が質物の占有を奪ったときは，質権者は質権に基づく返還請求権を行使しうるが，質物の占有奪取が第三者によるときは，前述のように占有回収の訴えのみによる（(1)(エ)）。質権の侵害が不法行為の要件を満たせば，損害賠償請求権が生ずる。

(3) 動産質権の消滅　特別の消滅事由として，①質物保管義務違反による債務者の質権消滅請求（350条・298条3項），②質権者の質物返還による消滅（(1)(イ)），がある。

3　不動産質

(1) 不動産質権の設定　(ア) 不動産質権の設定契約　不動産質権の設定契約（物権契約）も要物契約であり，目的不動産の引渡しを必要とする（344条・345条〔占有改定を含まない〕）。不動産質権成立後，質権者が目的物を設定者に返還した場合，動産質権の場合と同様，質権は消滅するか。判例（大判大5・12・25民録22輯2509頁）は，法律上代理占有の効力を生じないだけで質権は

消滅しないし,不動産質権の対抗要件は継続占有ではなく登記だから((イ)参照),対抗力も失わないとしたが,学説上は質権消滅説が多数である(**2**(1)(イ)参照)。

(イ) **不動産質権の対抗要件**　不動産質権は登記をもってその物権変動における対抗要件とする(361条・177条)。動産質権(352条)と異なり,継続占有は対抗要件とされていない。

(ウ) **存続期間**　不動産質権の存続期間は10年を超えることはできない(360条)。更新は10年間以下であれば可能である(同条2項)。

(エ) **不動産質権の目的物**　目的物は土地および建物である。

(オ) **被担保債権**　動産質権の場合と同様であるが,登記の必要がある(不登83条1項1号・95条)。

(2) 不動産質権の効力　(ア) **被担保債権の範囲**　原則として動産質権におけると同様である(346条)。ただ,不動産質権の場合は,使用・収益権が認められていることに対応して,質権者は特約のない限り利息を請求できないし(358条・359条。ただし,質権の目的不動産につき,抵当権者により担保不動産収益執行(Ⅳ3D(1)。民執180条2号)が開始されたときは,利息を請求できる。359条),元本・利息の特約・違約金・賠償額の定め等は登記しないと第三者に対抗できない(不登83条1項1号・95条参照)。利息等に関しては,抵当権についての375条の規定が準用される(361条)。

(イ) **効力の及ぶ目的物の範囲**　動産質権の場合と異なり抵当権についての370条・371条の規定が準用される(361条)。したがって,使用・収益をしない旨の定めのある不動産質権も,被担保債権につき債務不履行があったときは,果実にもその効力が及ぶ。物上代位性もある。

(ウ) **留置的効力**　動産質権と同様である。競売の場合につい

ては,民事執行法59条1項,2項,4項参照。

(エ) 使用・収益権　不動産質権者は,別段の定めのない限り,動産質権者や権利質権者と異なり,目的物の使用・収益権を有する(356条・359条)。第三者に賃貸したり,制限物権を設定し,その対価を受領してもよい。その反面,管理の費用や租税等の支払義務がある(357条・359条)。ただし,質権の目的不動産につき,担保不動産収益執行が開始されたときは,356条・357条は適用されない(359条)。

(オ) 優先弁済権　不動産質権の実行については抵当権の実行に準ずる(361条)。他の担保物権との優劣は,抵当権とは登記の前後により(373条),先取特権とは抵当権と先取特権との優劣(Ⅱ3(2)(イ))に準ずる。流質契約は禁止されている(349条)。

(カ) 転質　動産質権の場合と基本的には同様である(2(2)(オ)(カ)参照)。要件に関して,不動産質権の存続期間は10年である((1)(ウ))ため,348条の適用が問題となる。原質権の存続期間より後に債務の弁済期が到来する転質権の設定も無効と解すべきではなく,原質権の存続期間の経過により原質権が消滅し,転質権もそれに伴い消滅すると解すればよい(転質権の被担保債権につき期限の利益の喪失により,弁済期が原質権の存続期間内に到来することもありうる)。不動産質権の転質権の対抗要件は登記である。

(キ) 不動産質権の侵害　不動産質権には,352条の適用がないから,不動産質権者は質物の占有を喪失した場合,質権に基づき目的不動産の引渡しを請求できる。このために対抗要件としての登記は必要としない(異論はある)。

(3) 不動産質権の消滅　動産質権の場合と同様であるほか,①存続期間の経過,および,②抵当権規定の準用(361条)の関係から,代価弁済(378条)や抵当権・質権消滅請求(379条準用。

Ⅳ3G(3)(ニ)(オ)参照)により消滅する。

4 権 利 質

(1) 権利質の意義と性質・作用　権利質とは，債権，株式，無体財産権などの財産権を目的とする質権である（362条）。権利質も目的物の交換価値を優先的に把握する権利として，他の質権と同様の性質を有する。これらの財産権は，抵当権によっては担保とすることができないので，この分野では質権が重要な役割を果たしている。財産権の種類により，成立要件・対抗要件・効力などにつき大きな差異があるが，ここでは債権質を中心に簡単に述べるにとどめる。

(2) 債権質　(ア) 債権質の意義　有価証券（520条の2～520条の20）に化体されていない銀行預金債権，保険金請求権などふつうの債権を目的とする質権である。

(イ) 債権質の設定　債権質の目的となるのは，譲渡可能な債権である（343条）。法律により譲渡あるいは担保に供することを禁止された債権は，質権の目的となりえない（881条，国健保67条。なお恩給11条1項ただし書参照）。譲渡禁止の特約のある債権は，質権の目的とすることができる（466条2項）。ただし，譲渡禁止の特約につき悪意または善意重過失の質権者に対しては，債務者は，その債務の履行を拒むことができ，かつ質権設定者に対する弁済その他の債務を消滅させる事由をもって質権者に対抗することができる（466条3項。なお同条4項参照）。電話加入権も一種の債権であるが，「電話加入権質に関する臨時特例法」により一定の要件の下にその質入れが認められている。

質権設定契約の要物契約性から，かつては，債権証書のあるときには，その証書の交付によって質権が成立するとしていた。し

かし，権利が証券に化体されていないふつうの債権にあっては，必ずしも証書が存在するとは限らず，その場合には諾成契約とならざるをえない。そこで，平成15年に363条が改正され，その譲渡に証書の交付を要しないふつうの債権については，証書の交付を質権設定の効力発生要件としないこととした。

平成29年の改正法（法44）は，権利が証券に化体され，その成立，譲渡，行使等が原則として証券によって行われる有価証券について，一般規定を新設して（520条の2～520条の20），以下のような取扱いとした（そこで，363条および365条は削除された）。指図証券（手形，小切手，倉庫証券など，証券において権利者として指定された者またはその者が指示（指図）する者に対して弁済すべき旨の記載がある証券）の質入れにあっては，証書への裏書と証書の交付を（520条の7による520条の2の準用），記名所持人払証券（債権者を指名する記載がされている証券であって，その所持人に弁済をすべき旨が付記されている証券）の質入れにあっては，証券の交付を（520条の17による520条の13の準用），それぞれ質権の効力発生要件とした（要物契約）。債権者を指名する記載がされている証券であって指図証券および記名式所持人払証券以外のもの（裏書禁止手形・小切手，裏書禁止倉庫証券など）の質入れにあっては，債権を目的とする質権の設定に関する方式による（520条の19）。無記名証券（コンサートの入場券，乗車券，商品券など，権利者（債権者）を特定せず，証券の所持人に対して履行しなければならない債権を表示する証券）の質入れにあっては，記名式所持人払証券の質入れの520条の17が準用され（520条の20），証券の交付が質権の効力発生要件となる（要物契約）。

(ウ) 債権質の対抗要件　　債権質の対抗要件は，債権譲渡（467条）に準じて，設定者から第三債務者への質権設定の通知ま

たは第三債務者の承諾である（364条・467条1項。動産債権譲渡特14条による質権登記も参照）。質権設定を第三債務者以外の第三者（債権の譲受人や二重に質権設定を受けた者など）に対抗するためには，この通知・承諾が，確定日付のある証書（内容証明郵便や公正証書など）でなされることを要する（364条・467条2項）。債権の一種である記名社債（会社692条～694条）・記名国債（記名ノ国債ヲ目的トスル質権ノ設定ニ関スル法律）・記名株式（会社146条2項・147条）については特別の規定がある。証券の交付を効力発生要件とする有価証券の質入れにあっては，対抗要件は問題にならない。

㈣　債権質の効力　　特徴的な点は次のとおりである。質権の効力は，質入れされた元本債権のほか，利息債権，担保物権，保証債務などにも及ぶが，これらの権利につきそれぞれ質権の成立要件および対抗要件が必要である。

質権の留置的効力は，証券の交付を効力発生要件とする有価証券の質入れにおいては意義を有するが，その譲渡に証書の交付を要しない債権については意義はない。債権質においては，質権設定の第三債務者への通知・承諾（364条）が，債務の弁済を間接的に強制することになる。

債権質は，利息債権にもその効力を及ぼすが，質権者はこの法定果実である利息を直接取り立て，優先弁済にあてることができる（366条・350条・297条1項参照）。

債権質権設定者は，質権者に対し，当該債権の担保価値を維持すべき義務を負い，債権の放棄，免除，相殺等当該債権を消滅，変更させる一切の行為その他当該債権の担保価値を害するような行為を行うことは，同義務に違反するものとして許されない（最判平18・12・21民集60巻10号3964頁。そこでこの判例は，不動産賃貸借における条件付債権としての敷金返還請求権に質権が設定された場

合において，質権設定者である賃借人が，正当な理由に基づくことなく賃貸人に対し未払債務を生じさせて敷金返還請求権の発生を阻害することは，質権者に対する担保価値維持義務に違反するものというべきである，とした)。

　優先弁済権の行使として次の二つの方法が認められる。①直接取立て。質権者は自己の名において，第三債務者に対して債権の目的物を直接自己に引き渡すよう請求できる (366条)。②民事執行法に定める方法。同法193条による。裏書の禁止されていない有価証券 (520条の2～520条の18，520条の20) を目的とする質権は，動産質として実行される (民執190条～192条・122条1項)。

　債権質においても流質契約は禁止されるが (349条)，金銭債権の質入れにおいては，質入れされた債権の額が被担保債権の額を超えない以上，弁済の代わりにこの債権を直ちに質権者に帰属させる契約は認められると解されている。

　(3) その他の権利を目的とする質　　株式質 (会社146条以下参照)，地上権や永小作権を目的とする質 (不動産質に準ずる)，また特許権・実用新案権・意匠権・著作権などを目的とする無体財産権質については，それぞれ債権質と異なる取扱いがなされる。

Ⅳ　抵当権

1　序説

　(1) 抵当権の意義　　たとえば，AがBから1000万円を借りる場合に，A所有の家を担保とし引き続きAがその家を所有しかつ利用する場合のように，担保権設定者 (債務者または第三者＝物上保証人) は，担保権設定後も引き続き目的物を手許にとどめ使用・収益できるが，弁済期到来後も弁済がなされないときは，

担保権者が目的物の換価代金から優先的に弁済を受けることのできる担保物権を抵当権といい（換価手続である競売における買主を以下「買受人」とよぶ），質権と同様，約定担保物権の一つである。抵当権は質権と異なり，設定者は，担保の目的物を使用・収益しつつ債務の弁済を図っていくことができるから，企業が企業施設（土地や事業所・工場・店舗などの建物）自体を担保に供して事業資金を獲得する場合（生産信用）や，市民が不動産（土地・建物）の購入資金を調達する場合（購入した不動産の上に抵当権を設定）などに，多数利用されている。

抵当権は，質権と異なり，留置的効力も収益的効力も有せず，もっぱら優先弁済的効力だけを有する権利であり，目的物の交換価値のみを支配する権利であるといえる（使用価値は支配しない。ただし，平成15年の改正により，弁済期到来後は，優先弁済権行使の方法として担保不動産収益執行が認められた。3D(1))。

(2) 抵当権の機能と諸原則　抵当権は，もともとは個々の債権の担保のための制度であり，フランス民法にならったわが民法においてもこの傾向が強い。ここでは，抵当権の存在の公示を要求する「公示の原則」，抵当権の目的不動産につき特定を要求する「特定の原則」，および，抵当権者のいったん得た優先順位は，後から下降させられることがないという「順位確定の第一原則」が採用されている。

しかし，抵当権を債権担保の制度にとどめず，債務者の資金調達をより容易にするため投資の対象になるようにしている立法例（投資抵当権）も存在する（ドイツ，スイス）。ここでは，被担保債権が弁済されても付従性によって抵当権は消滅しないという「独立性の原則」がとられ，この場合，抵当権は所有者に帰属し（混同により抵当権は消滅せず，「所有者抵当」となる），また，後順位抵

Ⅳ 抵当権

当権の順位は昇進しないという「順位確定の第二原則」がとられている。さらに、抵当権の流通性の確保のために、「公信の原則」がとられており、債権の不存在や無効のために無効の抵当権登記を信頼して抵当権を譲り受けた者は保護される。そして、公信の原則によって強く保護されている流通抵当には、原則として抵当証券が作成され（もっぱら債権担保を目的とする保全抵当には、証券抵当は認められない）、証券抵当としてひろく流通している。

(3) わが国における抵当制度の発展とその機能　担保権設定後も設定者に目的物の使用・収益が認められる抵当権は、企業が企業設備を担保に資金を調達するためにはたいへん便利であるから、抵当権の利用の範囲をひろげるため、各種の特別法が制定されてきている。

(a) 立木抵当　立木法上の立木を土地とは別個に抵当権の目的とすることができる（同法2条2項）。

(b) 動産抵当　登記または登録により公示方法の可能な次の動産に抵当権の設定が認められた。すなわち、農業動産信用法による農業用動産（同法12条）、自動車抵当法による自動車（同法3条）、航空機抵当法による航空機（同法3条）、建設機械抵当法による建設機械（同法5条）、商法による船舶（同法847条）、である。

(c) 財団抵当　特別法により認められた一定の企業に属する土地・建物・機械等を一括して財団とし、これを抵当権の目的とすることができる。財団を組成すべき物については、財団目録への記載が必要となる。工場抵当法8条による工場財団、漁業財団抵当法による漁業財団、道路交通事業抵当法による道路交通事業財団、鉄道抵当法による鉄道財団などがある。

(d) 企業担保　(c)の制度の欠点（財団を組成すべき物の財団目録への記載の負担）を克服しようとして立法された企業担保法

(昭33）によるもので，株式会社が発行する社債を担保するために，企業を構成する全財産を一体として担保の目的とすることができる（同法1条）。しかし，個々の財産につき特定および公示の原則を欠いているから追及効がなく，企業担保権設定後に個々の財産につき設定された他の担保物権にも劣後する（同法6条・7条参照）。

(e) 抵当証券　抵当権の流通を図る目的で抵当証券法（昭6）が制定された。被担保債権と抵当権とが証券に化体されるが，付従性が克服されていない。賃貸ビルや賃貸マンションの建築資金を抵当証券会社から長期で融資を受ける場合などに一定の利用がみられる。

(f) 根抵当　一定の範囲に属するが将来増減変動する不特定の債権を，一定の限度額まで担保する抵当権で，これについては，7(1)参照。

(4) 抵当権の法的性質　付従性が認められるが，一定の局面で緩和されており，また，根抵当権は原則として付従性を有しない。随伴性も認められるが，根抵当権は原則として随伴性を有しない。不可分性（372条・296条）・物上代位性（372条・304条）も認められる。

2　抵当権の設定

(1) 抵当権設定契約　抵当権設定契約（物権契約）の当事者は，債権者と抵当権設定者（債務者または第三者＝物上保証人）である。物上保証人の求償権については，351条が準用される（372条。被担保債権の弁済期が到来しても，委託を受けた保証人の事前求償権に関する460条の規定を，委託を受けた物上保証人に類推適用することはできない。最判平2・12・18民集44巻9号1686頁）。物上保証人

Ⅳ　抵当権

から目的物を取得した第三取得者にも，物上保証人の求償権の規定が準用される（最判昭42・9・29民集21巻7号2034頁）。

抵当権設定契約は，諾成契約であり，当事者の意思表示のみで効力を生ずる。

(2) 対抗要件　**(ア) 登記**　抵当権は登記を対抗要件とする（177条。物権法編第3章Ⅲ2図4参照）。未登記抵当権は，第三者に対する対抗力はなく，優先弁済的効力は認められないが，競売権はある（民執181条1項の文書は必要）。

(イ) 無効登記の流用は認められるか　たとえば，Bの抵当権が★弁済により消滅したが，抵当権の登記が抹消されずに残っており，抵当権設定者AがYから融資を受けるときにこの抵当権の登記を流用した場合（手続的にはBからYへの抵当権の譲渡の付記登記がなされる），その後に抵当不動産を譲り受けたX（第三取得者）は，Yの抵当権実行に対して流用登記は無効であると主張できるか（図21参照）。判例（大判昭11・1・14民集15巻89頁。仮登記担保の

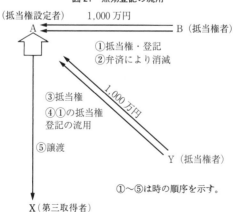

図21　無効登記の流用

事案につき,最判昭49・12・24民集28巻10号2117頁)は,無効登記の流用の時までに,後順位抵当権者や第三取得者等の第三者がその不動産上に正当な利害関係を有するにいたった場合には,流用登記は無効であるが,先の例のように登記の流用後にかかる第三者が出現した場合には,抵当権者は流用登記をもって第三者に対抗できるとしている。

(3) 抵当権の目的物　民法は,不動産(土地と建物とは別個に抵当権の目的となる),地上権および永小作権について抵当権の設定を認める(369条)。土地・建物の共有持分権の上にも抵当権を設定できる。

(4) 抵当権の被担保債権　(ア) 被担保債権の内容　抵当権の被担保債権は,通常は金銭債権であるが,それ以外の債権であっても,不履行の場合には,金銭債権である損害賠償請求権に原則として転換するから,被担保債権となる。被担保債権が金銭債権以外の場合には,金銭に換算して債権の価額を登記する(不登83条1項1号参照)。一個の債権の一部(たとえば800万円の債権のうち300万円)を被担保債権にすることもできる(一部抵当)。

(イ) 成立における付従性の緩和　抵当権の成立における付従性は緩和され,抵当権成立の時点では,債権の存在を要求するものではなくなっている。すなわち,消費貸借契約は要物契約であって金銭の授受によって効力を生じ(587条),それまでは債権は発生しないとされるが,判例は,抵当権設定と金銭の授受が数ヵ月離れている場合だけでなく(大判昭6・2・27新聞3246号13頁),将来発生する債権のための抵当権設定も(大判昭7・6・1新聞3445号16頁)有効とし,通説もこれを肯定している。なお,平成29年改正587条の2により,書面でする消費貸借は諾成契約となったが,金銭の授受がなされて初めて貸金債権が発生する。

IV 抵当権

(ウ) **貸付を受けた者が消費貸借契約の無効を理由に抵当権の実行を拒めるか** ★　たとえば，架空のA組合をつくってB労働金庫から融資を受け，自己の不動産に抵当権を設定したXが，抵当不動産の実行により買受人となったYに対し，貸付行為の無効（労働金庫の目的の範囲内に属さない員外貸付）を理由に，抵当権とその実行手続の無効を主張することはできるか。判例（最判昭44・7・4民集23巻8号1347頁）は，Xが，B労働金庫に負っている不当利得返還義務（貸付金相当の金員）を弁済せずに，抵当権とその実行手続の無効を主張することは，信義則上許されないとする。有力学説は，金銭が授受された後の返還請求権は，消費貸借に基づくものであれ不当利得に基づくものであれ，当事者にとって経済的意味は同じであるから，この場合には抵当権は有効であると解すべきものとする。なお，民事執行法の下においては，買受人Yが代金を納付した後は，Xは抵当権の不存在・消滅を理由にYの所有権取得を争いえないことになった（民執184条）。そこで，現在では，Yの代金納付以前に，Xが抵当権の不存在を理由に抵当権登記の抹消請求訴訟の提起や執行異議の申立て（民執182条）をし，競売手続の取消しを求めることができるかという形で問題となる。

3　抵当権の効力

A　被担保債権の範囲

　質権の場合と異なり，抵当権の場合は，後順位抵当権者や一般債権者などの保護のために，被担保債権の範囲がかなり制限されている（375条）。

　(1)　**元本**　元本債権は全額担保されるが，第三者との関係では，登記された債権額（不登83条1項1号）の範囲で優先弁済を

受ける。

(2) 利息　(ア) 範囲　利息は，原則として「満期となった最後の2年分についてのみ」担保されるにすぎない（375条1項本文）。もっとも，375条は，抵当権者と第三者の利益を調整しようとするもので，抵当権設定者に対する関係で抵当債務が縮減するわけではないから，かかる第三者が存在しない場合には，利息の全額について配当を受けうるし，後順位抵当権者が存在する場合でも，この者に配当してなお余剰があれば，抵当権者は，2年分を超える利息についてもさらに配当を受けることができる。

★　(イ)　**抵当不動産の第三取得者との関係でも375条の制限を受けるか**

通説は，第三取得者は，抵当不動産の残余価値を把握しようとする後順位抵当権者や一般債権者と異なり，目的物そのものを取得しようとする者であるから，抵当権設定者の有する負担をそのまま承継すべきであり，抵当権者は第三取得者との関係では375条の制限を受けないとする。これに対して，第三取得者も目的物の残余価値を期待してこれを取得するのがふつうであることなどを理由に反対説も主張されている。

なお，375条が適用されるのは，抵当権者が競売において優先弁済を受ける場合に限られるのであって，後順位抵当権者その他の第三者も，債務者に代わって弁済することにより先順位抵当権を消滅させ，あるいは全部について代位（499条・501条）するためには，延滞利息の全部を弁済しなければならない（通説・判例。大判大4・9・15民録21輯1469頁等）。

(3) 利息以外の定期金　利息以外の定期金（地代・家賃，終身年金，定期扶助料等）を請求する債権が被担保債権であるときにも，375条1項の制限を受ける。もっとも，これに対しては，批判が多い。

Ⅳ 抵 当 権

(4) 遅延損害金　弁済期を徒過すると，債務者は遅延損害金を支払うことになるが（419条1項。約定利率があるときは登記が必要〔不登88条1項2号〕），これについても最後の2年分のみが抵当権によって担保される。ただし，利息その他の定期金を通じて2年分を超えることはできない（375条2項）。

(5) 違約金　違約金については，質権の場合と異なり規定がない。違約金は，一般に賠償額の予定と推定される（420条3項）ので，その額が元本に対する率で定められているときは，遅延損害金（(4)）として扱われる。違約金が一定の額で定められると，実務上その額を登記できないので，第三者に優先権を主張しえない。

　B　抵当権の効力の及ぶ目的物の範囲

(1) 付加物　抵当権は，その「目的である不動産（以下「抵当不動産」という。）に付加して一体となっている物に及ぶ」（370条本文）。これを付加物（付加一体物）という。この付加物に付合物（242条）が含まれることには異論がないが，従物（87条）も含まれるかについては争いがある。なお，設定行為に別段の定めがある場合（登記が必要。不登88条1項4号），および，「債務者の行為について第424条第3項に規定する詐害行為取消請求をすることができる場合」には，例外的に抵当権の効力が付加物に及ばない（370条ただし書）。

(ｱ) 付合物　付合物（たとえば，土地との関係で石垣・敷石・立木・苗など）は，不動産の所有権に吸収されるから，付合する時期が抵当権設定後であってもよい。ただし，抵当権設定者以外の他人が「権原によって」不動産に附属させた場合には，抵当権の効力は付合物には及ばない（242条ただし書。抵当権設定時以前に対抗要件を備えた地上権に基づいて植えられた樹木など）。

277

(イ)　**従物**　　従物（土地に附属された石どうろう・取りはずしのできる庭石，建物に備えつけられた畳・建具など）は付加物に含まれるか否か，また，付加物に含まれないとしても，従物に抵当権の効力は及ぶか否か，が争われている。

★★　(ウ)　**従物は付加物に含まれるか**　　たとえば，抵当権者が競売の申立てをし，抵当建物とともに抵当権設定当時に存在した畳・建具，あるいは抵当権設定後に附属させられた畳・建具に対して競売手続が開始された場合，抵当権設定者は畳・建具には抵当権の効力が及ばないとして，畳・建具の競売に対し異議を申し立てることができるか。抵当権設定当時存在した従物には，抵当権の効力が及ぶとするのが判例であるが，根拠条文は確定していない。すなわち，古い判例（大連判大 8・3・15 民録 25 輯 473 頁等）は，従物は付加物に含まれないという前提に立ち，抵当権設定当時存在した従物には，民法 87 条 2 項により抵当権の効力が及ぶとする。他方，比較的近時の判例（最判昭 44・3・28 民集 23 巻 3 号 699 頁）は，「本件宅地の根抵当権の効力は，……右従物〔＝根抵当権設定当時存在した物〕にも及び……，この場合右根抵当権は本件宅地に対する根抵当権設定登記をもって，……民法 370 条により従物たる右物件についても対抗力を有するものと解する」とするから，抵当権設定当時に存在した従物は付加物に含まれるという考えに立ったともとれる表現を使用している（最判平 2・4・19 判時 1354 号 80 頁は，条文上の根拠をあげていない）。抵当権設定後に附属させられた従物にも抵当権の効力が及ぶか否かについては，判例が分かれているが，87 条 2 項を理由に肯定するものもある（大判昭 9・7・2 民集 13 巻 1489 頁〔傍論〕。大決大 10・7・8 民録 27 輯 1313 頁は，条文の根拠はあげず，従物にも抵当権の効力が及ぶことは従来の判例であるとする）。

他方，通説は，①抵当権設定後に附属させられた従物に抵当権の効力が及ばないとすることは不合理であること，②370条は，付加ないし附属させられる物に抵当権の効力が及ぶとするフランス民法の流れをくむものであること，さらに，③87条2項が処分の際の意思解釈規定であるのに対し，370条本文は抵当権の効力に関する規定で，そこにいう付加物とは，付合物と違って経済的観点から不動産との統一体をなしているものを指していると解すべきことを理由に，附属させられた時期を問わず，従物も370条の付加物に含まれるとしている。

(2) **抵当不動産の従たる権利についても抵当権の効力が及ぶか** ★★
たとえば，借地上の建物に抵当権を設定した場合，抵当権は，従たる権利である借地権にも及び，建物買受人は借地権付建物を買い受ける（ただし612条1項，借地借家20条1項）。

(3) **果実** (ア) **天然果実** 抵当権の効力は果実には及ばないが，平成15年改正前の371条（以下「旧371条」という）は，抵当不動産の差押え後（民執46条1項参照）または第三取得者が抵当権実行通知（旧381条〔平成15年改正前〕）を受けた後は，果実にも抵当権の効力は及ぶとしていた。旧371条は，370条を受けた規定であり，したがって，このことは天然果実については異論がなかった。

(イ) **371条は法定果実につき適用があるか** たとえば，抵当家屋 ★★
が借家となっており，抵当権設定者が賃料債権を有しているとき，抵当権の効力は，賃料債権に及ぶか。判例（大判大2・6・21民録19輯481頁）および従来の多数説は，法定果実は不動産に付加して一体となっていないから法定果実には370条の適用がなく，それゆえまた370条の例外規定である旧371条も法定果実には適用がないとし，そのうえで，抵当権者は，差押えの前後を問わず，

物上代位の方法により法定果実から優先弁済を受けることができるとしてきた（C(2)(イ)参照）。しかし，目的物を使用・収益しないという抵当権の性質から，法定果実についても旧371条の適用があると解し，差押え後に限って法定果実から優先弁済を受けうる（法定果実から優先弁済を受ける手続がないため物上代位の手続を借用する）とする説も多かった。平成15年の改正で，抵当権の実行方法の一つとして担保不動産収益執行（民執180条2号）の方法が採用され，被担保債権につき不履行が生じたときは，抵当権者は担保不動産収益執行を申し立て，賃料債権から優先弁済を受けることができることとなった。これに伴い旧371条も改正され，新しい371条は，被担保債権につき不履行が生じたときは，その後に生じた抵当不動産の果実にも抵当権の効力が及ぶとして，371条と370条との関連は切断され，371条の果実には天然果実のみならず法定果実も含まれることとなった。

★★　(4)　**抵当不動産より分離した物に抵当権の効力が及ぶか**　たとえば，抵当山林の競売開始時以前に，抵当権設定者が，正当な利用の範囲を超えて立木を伐採・搬出した場合，抵当権の効力は搬出された伐木に及ぶかについて，判例は明らかでない。学説は，①抵当山林から搬出されれば，第三者に譲渡される以前でも抵当権の効力は及ばないとする説，②物上代位制度の適用があり，木材が搬出されても，設定者の財産と混同しまたは他に処分されない間は，抵当権の効力は及ぶとする説，③抵当権の登記による対抗力は，木材が山林外に搬出されれば失われ，木材が第三者の所有に帰するともはや追及できないとする説，④第三者が即時取得（192条）するまで抵当権の効力は及ぶとする説，等に分かれている。②説に対しては，物上代位は抵当権の目的物に代わる金銭的価値についてだけこれを認めるべきである（伐木は，抵当権の目的

土地の定着物だったもの)とする批判が多い。なお,競売開始時(=差押え時)以降の伐採・搬出であれば,抵当権は,搬出された伐木に対しても,第三者の即時取得が成立するまで,優先的効力をもって追及しうる(差押えの効力による)とされる。抵当建物の崩壊後の木材についても,伐木の場合と同様に考えてよい(もっとも,大判大5・6・28民録22輯1281頁は,抵当権は消滅するとする)。

C 抵当権と物上代位

(1) 物上代位の意義　たとえば,抵当不動産が焼失し,設定者BがA保険会社に火災保険金請求権を取得するとき,この請求権の上にも抵当権の効力を及ぼさせることが妥当である。このように担保の目的物が滅失・損傷したような場合に,設定者の受けるべき「金銭その他の物」に対しても,担保権の効力を及ぼすことができることを,担保権の物上代位性といい,典型担保の場合,抵当権(372条・304条)のほか,優先弁済的効力を有する先取特権と質権に認められている(第1章4(4))。

(2) 代位の目的物　代位の目的物として,次の物があげられているが(304条),抵当権の場合には問題がある。なお,代位権行使の対象となるのは,代位物に対する請求権(債権)である((3))。

(ア) 売買代金　抵当権には,動産の先取特権と異なり追及力があるから,売買代金には物上代位は認められないとする説が有力であるが,多数説は,抵当権者は追及効か物上代位のいずれかを選択して行使すべきとする(判例はない)。

(イ) 賃料・用益物権の対価　従来の多数説は,賃料や地代への物上代位を肯定するが,従来の判例(大判大6・1・27民録23輯97頁等)は,抵当権を実行しうる場合には賃料に代位しえないとしていた。しかし,近年,最高裁は,抵当権を実行しうる場合も,

抵当権を実行するとともに、賃料への物上代位もできるとした（最判平元・10・27民集43巻9号1070頁）。もっとも、事案は、供託された、抵当不動産の競売開始決定（差押え）以降の賃料につき物上代位権が行使されたものであり、また、物上代位権を行使した抵当権者にまでは、抵当不動産の売却代金の配当がまわってこなかったというものである。

★★　抵当権設定者が抵当不動産を第三者に賃貸し、賃借人がこれをさらに転借人に転貸した場合、賃借人が転借人に対して有する**転貸賃料債権に抵当権者は物上代位しうるか**について、判例（最判平12・4・14民集54巻4号1552頁）は、原則否定説の立場に立つ。その理由として、この判例は、①抵当権設定者は被担保債権の履行について抵当不動産をもって物的責任を負担するものであるのに対し、抵当不動産の賃借人は、このような責任を負担するものではなく、賃借人に属する債権を被担保債権の弁済に供されるべき立場にはないこと、②民法304条1項の文言に照らしても、賃借人を「債務者」に含めることはできないこと、および③転貸賃料債権を物上代位の目的とすることができるとすると、正常な取引により成立した抵当不動産の転貸借関係における賃借人（転貸人）の利益を不当に害することにもなること、をあげている。また、この判例は、例外的に抵当権者が賃借人の有する転貸賃料債権に物上代位することができる場合として、抵当不動産の賃借人を所有者（抵当権設定者）と同視することを相当とする場合（所有者の取得すべき賃料を減少させ、または抵当権の行使を妨げるために、法人格を濫用し、または賃貸借を仮装した上で、転貸借関係を作出した者であるなど。福岡地小倉支決平19・8・6金法1822号44頁参照）をあげている。

(ウ)　目的物の滅失・損傷によって受けるべき金銭その他の物

不法行為に基づく損害賠償請求権，土地収用法に基づく補償金（同法104条）や土地改良法に基づく補償金・清算金（同法123条2項）の請求権などがこれにあたる。火災保険金請求権に対する物上代位については，火災保険金請求権は保険料支払の対価として生ずることなどを理由に消極説もあるが，判例（大連判大12・4・7民集2巻209頁）・通説は，これを肯定する。

(3) 物上代位権行使の要件　(ｱ) 請求権の差押え　抵当権者が物上代位によって優先弁済を受けるためには，設定者に代位物（金銭その他の物）が払い渡される前に，設定者の有する代位物に対する請求権を差し押さえなければならない（372条・304条1項ただし書）。この差押えの意味をめぐって，大きな争いがある。なお，物上代位権行使の手続は，債権を目的とする担保権の実行手続と同様である（民執193条1項後段・2項）。

(ｲ) 物上代位の目的債権の差押え・転付・第三者への譲渡後も物上代位権を行使しうるか　抵当建物が焼失し，設定者BがA保険会社に火災保険金請求権を取得したところ，まずBの一般債権者Yがこの請求権につき強制執行としての差押え（または仮差押えの執行）をし，ついで抵当権者Xが同請求権につき物上代位に基づき差押命令・転付命令を取得した場合，XはYに対し優先弁済権を主張しうるか（図22参照）。物上代位権者に要求される304条1項ただし書の払渡し前の差押え（ｱ)の趣旨をどのように解するかにより，答えは異なることになる。主な見解として，第三債務者保護説，特定性維持説，および優先権保全説がある。

第三債務者保護説（旧民法制定時の見解であり現在の判例）は，この払渡し前の差押えは，第三債務者AがBに払い渡した後も抵当権者が物上代位権を行使しうるとするとAに二重払いを強いることになるために要求されるもので，もっぱら第三債務者保護

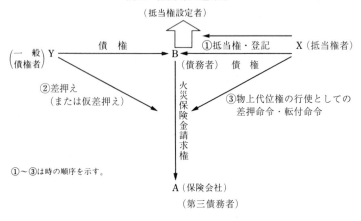

図 22　物上代位と差押え

のためのものであるとする。この説によると，(i) B の一般債権者 Y が火災保険金請求権につき差押えまたは仮差押えの執行をしたにすぎない場合はもとより，(ii)差押債権者 Y が同請求権につき転付命令を取得し，または第三者 Y が同請求権を B から譲り受けた（対抗要件具備）が，Y が第三債務者 A から同請求権の払渡しを受けていない場合（図 23 参照）にも，抵当権者 X は同請求権に対し物上代位権を行使し優先弁済を受けることになる。

特定性維持説（従来の通説）は，この差押えは，代位物が弁済によって債務者 B の一般財産に混入した後も物上代位権を行使しうるとすると B の一般債権者を害するから，B の一般財産に混入することを防ぎ目的債権の特定性を維持することを唯一の目的とするとする。この説によるも，前記(i)(ii)二つの場合には第三債務者保護説によるのと同じ答えとなる。

他方，優先権保全説（従来の判例・近時の多数学説）は，差押えの趣旨は，目的債権の特定性の維持による物上代位権の効力の保

Ⅳ 抵当権

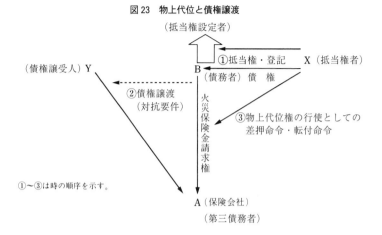

図23 物上代位と債権譲渡

①〜③は時の順序を示す。

全と，目的債権の弁済をした第三債務者または目的債権の譲受人もしくは転付債権者等の第三者の不測の損害の防止とにあるとする（前掲大連判大12・4・7，最判昭59・2・2民集38巻3号431頁，最判昭60・7・19民集39巻5号1326頁等。後の二つの判例は動産売買先取特権に基づく転売代金債権への物上代位に関するもの）。この説によると，(ⅰ)の場合は，なお物上代位権の効力が保全されているから抵当権者Xは物上代位権を行使しうるが，(ⅱ)の場合は，もはや物上代位権を行使しえないことになる。

　しかし，最高裁平成10年1月30日判決（民集52巻1号1頁）は，304条1項ただし書の文言や抵当権登記により目的債権への抵当権者の優先権が公示されていること（この点には，学説上批判が多い）などを理由に，第三債務者保護説をとり，物上代位の目的となる賃料債権譲渡（対抗要件具備）後の抵当権に基づく賃料債権への物上代位（図23参照）を肯定した。もっとも，最高裁平成14年3月12日判決（民集56巻3号555頁）は，第三債務者へ

の転付命令送達後の抵当権者による物上代位権の行使を，転付命令の制度趣旨等（民執159条3項参照）を理由に否定した。他方，最高裁平成17年2月22日判決（民集59巻2号314頁）は，動産売買先取特権に基づく物上代位については，公示方法が存在せず，差押えに第三者の利益保護の趣旨があるとして，これまで通り目的債権譲渡後の物上代位を否定している（優先権保全説）。なお，最高裁平成13年10月25日判決（民集55巻6号975頁）は，すでに他の債権者により目的債権が差し押さえられている場合にも抵当権者X自身の差押えは必要とする。

★★　㈦　**保険金請求権上の質権者と物上代位権者とはどちらが優先するか**
　　二番抵当権者（あるいは一般債権者）YがBの有する火災保険金請求権に質権の設定を受けていた（対抗要件具備）ところ抵当建物が焼失した場合，一番抵当権者Xは物上代位権に基づきこの火災保険金請求権を差し押さえ，Yに優先して弁済を受けうるか。優先権保全説によれば，質権者Yが優先することになり（福岡高判平元・12・21判時1356号139頁参照），第三債務者保護説および特定性維持説によれば，登記を先にした一番抵当権者Xが優先することになる（鹿児島地判昭32・1・25下民集8巻1号114頁）。

★★★　㈣　**抵当不動産の賃借人が賃貸人に対して取得した債権をもってする賃料債務との相殺と抵当権者の賃料債権への物上代位の優劣**　　304条1項ただし書の差押えについて第三債務者保護説をとる判例の考え方は，さらに発展し，抵当権者が物上代位権に基づき賃料債権の差押えをした後は，抵当不動産の賃借人は，抵当権設定登記後に賃貸人に対して取得した債権を自働債権とする賃料債権との相殺をもって，抵当権者に対抗することはできない，とした（最判平13・3・13民集55巻2号363頁）。この判例は，その理由として，物上代位権の行使としての差押えがされる前においては，賃借人

のする相殺は何ら制限されるものではないが，物上代位権の行使としての差押えがされた後においては，抵当権の効力が物上代位の目的となった賃料債権にも及ぶこと，および，物上代位により抵当権の効力が賃料債権に及ぶことは抵当権設定登記により公示されているとみることができることをあげ，抵当権設定登記後に取得した賃貸人に対する債権と物上代位の目的となった賃料債権とを相殺することに対する賃借人の期待を，物上代位権の行使により賃料債権に及んでいる抵当権の効力に優先させる理由はないとする。またこの判例は，以上の説示からすれば，抵当不動産の賃借人が賃貸人に対して有する債権と賃料債権とを対当額で相殺する旨を賃貸人と賃借人とであらかじめ合意していた場合においても，賃借人が賃貸人に対する債権を抵当権設定登記の後に取得したものであるときは，物上代位権の行使としての差押えがされた後に発生する賃料債権については，物上代位をした抵当権者に対して相殺合意の効力を対抗することはできない，としている。

未払賃料債権の敷金による充当はどうか。すなわち，敷金が授受された賃貸借契約に係る賃料債権を抵当権者が物上代位により差し押えたが，賃料未払のまま当該賃貸借契約が終了し，目的物が明け渡されたときは，未払の賃料債権の敷金による充当を抵当権者に対抗しうるか。これについては，判例（最判平14・3・28民集56巻3号689頁）は，①目的物の返還時に残存する賃料債権等は，敷金が存在する限度において敷金の充当により当然に消滅することになること，②このような敷金の充当による未払賃料等の消滅は，敷金契約から発生する効果であって，相殺のように当事者の意思表示を必要とするものではないから，511条によって上記当然消滅の効果が妨げられないことは明らかであること，③抵当権者は，物上代位権を行使して賃料債権を差し押さえる前は，原則

として抵当不動産の用益関係に介入できないのであるから，抵当不動産の所有者等は，賃貸借契約に付随する契約として敷金契約を締結するか否かを自由に決定することができ，したがって，敷金契約が締結された場合は，賃料債権は敷金の充当を予定した債権になり，このことを抵当権者に主張することができるというべきであること，を理由に，敷金の充当による賃料債権の消滅を抵当権者に対抗しうるとしている。

★★　(オ) **第三債務者に供託義務を要求する特別法の下で第三者への転付以前の差押えが必要か**　特別法には，補償金・清算金などにつき物上代位権者から供託をしなくてもよい旨の申出のない限り，支払義務者はこれを供託しなければならないと定めているものがある（区画整理112条1項，土地改良123条1項等）。そこで，たとえば，土地区画整理法により抵当権設定者Aが換地処分施行者Yに対して有する清算金請求権につき，Aの債権者Xが差押・転付命令を取得し，ついでYがAおよび抵当権者Bを被供託者として清算金を供託した場合，XはYに対して，Xが転付命令により清算金請求権を有効に取得した後でなされたこの供託は無効であるとして清算金を請求しうるかが問題となる（図24参照）。判例（最判昭58・12・8民集37巻10号1517頁）は，AはYに対し直接清算金の支払を請求することができず，単に清算金の供託を請求しうるにすぎないから，抵当権者B等が物上代位権を行使して差押えをする以前に清算金請求権を譲渡・転付等により取得した者（X）も，Yに対し直接清算金の支払を請求することはできないとする（Bの物上代位は可能）。従来の判例（大決昭5・9・23民集9巻918頁）は，第三債務者Yに供託義務を課していない民法の場合と同様，物上代位権者の差押え以前に清算金等の請求権が第三者に譲渡（転付も同じ）されると，物上代位権はもはや行使で

Ⅳ 抵当権

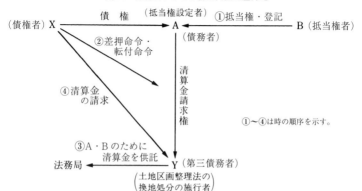

図24 特別法の下での物上代位と差押え

きないとしてきたのである（民法の場合も，現在この考えは否定されている。(イ)）。これまで有力学説は，この従来の判例を批判し，供託が要求される場合には，担保権は当然にそれらの清算金等の請求権の上に及び（債権質権に類似した関係），補償金が供託された後は担保権は供託金還付請求権の上に移行するから，この請求権が第三者に譲渡されても請求権の上の担保権は追及力を失わないとする見解などを主張してきていたところである。

D 抵当権の優先弁済的効力

(1) 序　弁済期が到来しても被担保債権の弁済がなされないときは，抵当権者は抵当不動産から被担保債権の優先弁済を受けることができる（369条1項）。この優先弁済的効力が，抵当権の最も中心的な効力である。優先弁済権の行使方法としては，抵当不動産を「担保不動産競売」（民執180条1号）により換価して，その売却代金から優先弁済を受けることが一般的であるが，物上代位の方法で優先弁済権を行使することもある（C参照）。なお，抵当不動産につき他の債権者の申立てにより競売手続（強制競売

または担保不動産競売）が行われるときは，抵当権者は，抵当不動産の売却代金から，原則として実体法上の優先順位に従い弁済を受けることになる（民執85条・87条・188条）。

さらに平成15年の改正により，優先弁済権の行使方法として，抵当不動産を管理人に管理させてその不動産から生ずる収益から優先弁済を受ける「担保不動産収益執行」も認められた（民執180条2号。不動産質権の場合も同様。359条参照）。

以下，抵当権者と他の債権者との優劣関係，および抵当権の実行としての担保不動産競売・担保不動産収益執行の要件・手続につき述べる。

(2) 他の債権者との優劣　(ア) 一般債権者との関係　抵当権者は，登記を経由していれば，担保をもたない一般債権者に常に優先する。なお，抵当権者が，抵当不動産以外の債務者の一般財産から一般債権者の地位で弁済を受ける場合には，他の一般債権者の保護の関係上，一定の制限がある（394条）。

(イ) 抵当権相互の関係　登記の前後による（373条）。同順位の抵当権者間では，債権額に比例して配当を受ける。

(ウ) 他の担保権者との関係　先取特権との優劣については，Ⅱ3(2)，質権との優劣については，Ⅲ3(2)(オ)参照。

(エ) 国税・地方団体の徴収金との関係　抵当権の設定時以前に法定納期限（税徴2条10号，地税14条の9第1項2項）等の到来した国税債権・地方団体の徴収金債権は，登記簿上に公示がないにもかかわらず抵当権に優先して弁済を受けることができる（税徴8条・16条，地税14条・14条の10参照）。

(3) 抵当権の実行の要件　抵当権の実行としての担保不動産競売（以下一般に「競売」という）および担保不動産収益執行の申立てには，次の要件を具備していなければならない。①抵当権が

存在すること，および，②被担保債権の弁済期が到来していること，の二つである。例外的に弁済期到来前の競売申立てが認められる場合がある（385条による抵当権消滅請求に対する競売の申立ておよび仮登記担保12条による後順位抵当権者の競売申立て）。

手続的要件としては，次の二つの要件がある。①抵当権の存在を証する一定の文書（抵当権登記（仮登記を除く）に関する登記事項証明書など）の提出（民執181条）。したがって，未登記または仮登記の抵当権者の競売申立ては困難である（民執181条1項1号または2号の文書が必要）。②障害事由の不存在。抵当権設定者につき会社更生手続の開始決定があったときは，抵当権は更生担保権となり（会社更生2条10項），抵当権に基づく競売の申立てはできなくなる（会社更生50条1項。なお7項8項参照）。これに対して，破産手続が開始されたときは，抵当権者は別除権者として（破2条9項10項），破産手続によらずに競売の申立てをなしうる（破65条）。

(4) 抵当権の実行手続 担保不動産競売と担保不動産収益執行の手続について簡単に説明する。

(ア) 担保不動産競売 抵当権の実行は，民事執行法の定める担保不動産競売（民執180条1号）の方法によってなされるのが原則である。

(a) 競売手続 抵当権者の申立てを受けて，執行裁判所（地方裁判所）が競売手続を行う。原則として期間入札の方法によるが，期日入札や競り売りの方法もありうる（民執64条，民執規34条〜51条）。最高価で入札した者が抵当不動産を買い受けることになり，売却代金から抵当権者は順位に従い優先弁済を受け（民執84条〜88条），抵当不動産上の抵当権は消滅する（民執59条1項）。競売手続の詳細は，民事執行法の教科書の説明に譲る。

(b) 流抵当の特約　抵当権者は，債務の弁済がなされないとき，競売の方法を回避し，債務の弁済に代えて抵当不動産を抵当権者に帰属させる旨の特約（流抵当または抵当直流の特約）を，あらかじめ抵当権設定者と締結しておくことがある。この特約は，代物弁済の予約＝仮登記担保契約とみるべきであり，仮登記担保法の適用があると解する（第3章Ⅱ1(2)参照）。

(イ) 担保不動産収益執行　バブル経済の崩壊（平成2年）以降長期にわたる不動産価額の大暴落により抵当不動産を競売や任意売却により換価しても債権の十分な回収が見込めなくなったこともあり，抵当不動産の法定果実である賃料債権への物上代位（C(2)(イ)）により被担保債権の回収を図る事例がひろく見られるようになった。しかし物上代位の方法によると，①賃料に含まれている抵当不動産の管理費用も抵当権者の優先弁済に充てられて，抵当不動産の管理費用を捻出できなくなることがあること，②抵当権の優先順位とは無関係に，先に賃料債権に物上代位した抵当権者が優先弁済を受けてしまうことがあること，③たくさんの賃借人がいる賃貸ビルや賃貸マンションのような場合，抵当権者はそれぞれの賃料債権に個別に物上代位して賃料を回収することになり，煩わしいこと，などの難点がある。また，わが国でも一般債権者が行う金銭執行の場合には，収益に対する執行方法としての強制管理がすでに認められている（民執43条1項・93条～111条）。そこで，平成15年の改正により，抵当権の実行方法として，不動産から生ずる収益を被担保債権の優先弁済に充てる担保不動産収益執行制度が創設された（民執180条2号）。

収益執行の手続には，一般債権者の申立てにかかる強制管理の手続が準用される（民執188条）。抵当権者の申立てを受けて，執行裁判所が収益執行開始決定をし，賃借人は収益執行管理人に賃

料を支払うことになる（民執93条）。管理人は，収益から不動産の管理に必要な費用を控除した後，執行裁判所の定める期間毎に配当等を実施するが，債権者間に協議が調わない場合は，執行裁判所により配当等が実施される（民執107条・109条準用）。抵当権者は，自ら収益執行の申立てをしないと配当にあずかれない（民執107条4項1号ハ）。賃料債権に対する物上代位の場合と異なり，現在抵当不動産が賃貸借に供されていない場合であっても，管理人はこの不動産を第三者に賃貸することができる（民執95条2項準用）。また，抵当権設定者が使用している建物であっても，管理人は，抵当権設定者の占有を排除して第三者に賃貸することができる（民執96条・97条準用）。収益執行が行われている建物について競売が行われたときは，抵当権に後れて設定された賃借権は，管理人により設定された賃借権といえども競売により消滅し，賃借人は買受人の買受け後6ヵ月以内に建物を明け渡すべきことになる（平成15年改正後の395条）。

　立法論としては，①担保不動産収益執行は，非占有担保である抵当権に基づくものであり，また抵当権者には競売の申立ても認められているのであるから，一般債権者の行う強制管理と異なり，収益執行管理人が抵当不動産を新たに第三者に賃貸したり，抵当権設定者の占有を排除して第三者に賃貸することまで認めるべきではないのではないか，②平成15年法改正で執行妨害目的の濫用的短期賃貸借の存在などを理由に短期賃貸借保護制度（平成15年改正前395条）が廃止されることと，新たに収益執行管理人が第三者に賃貸できるようにする（第三者に占有の機会を与える）こととは，矛盾しないのか，③平成15年法改正で短期賃貸借保護制度が廃止され，抵当権に後れる賃借権が競売により消滅する（明渡猶予期間が認められても，賃貸借は買受人に承継されないから買受

人は敷金返還義務は負わない)ことになったので、収益執行が開始された場合、いつ競売手続も開始されるか分からないから、抵当不動産を新たにまともに賃借する者はほとんど現れないのであり、短期賃貸借保護廃止と担保不動産収益執行制度の創設は矛盾を孕んでいるのではないか、などの見解が主張されたが、経済界等の強い要求のもと上記のような取扱いとなった。

なお、収益執行の制度を設ける以上、賃料債権への物上代位は認めるべきではないという見解も有力であったが、抵当権者はどちらの手段も選択できるということになった。その結果、賃料債権への物上代位と収益執行の競合が生じうるが、収益執行のほうが優先し、収益執行開始決定の効力が給付義務者である賃借人に対して生じたときは、すでに効力を生じていた賃料債権への物上代位による差押えは効力を停止し、物上代位による差押えをしていた者は、収益執行において配当等を受けることになる(民執93条の4第1項3項)。

E　抵当権と利用権の関係

(1)　抵当権と利用権の調整に関する従来の取扱い　　抵当不動産に設定されている不動産利用権は、抵当不動産が競売にかけられ、買受人が不動産を買い受けると、買受人のもとで存続するものであるか、それとも競売により消滅するものであるか。平成15年改正により旧395条の短期賃貸借保護の制度が廃止されたが、それまでの取扱いをまず見ておくことにする。

抵当権設定登記前に設定された対抗力ある利用権(地上権や賃借権など)は、抵当権に対抗できるから、抵当不動産の競売により影響を受けず、買受人がこれらの負担を引き受けることになる(民執59条2項の反対解釈)。この点は、今後も同様である。

これに対して、抵当権設定登記後に設定された利用権(地上権

や賃借権など)は，抵当権に対抗できないから，競売により消滅する（民執59条2項）。しかし，不動産利用権の存在が抵当不動産の担保価値にあまり影響を与えないものであれば，競売後も目的不動産を利用できることとし，抵当不動産の合理的利用を図ることが望ましい。そこで，旧395条は，短期の賃貸借（602条。建物：3年，建物所有目的の土地：5年）は，抵当権設定登記後に対抗要件を備えたものでも，抵当権者，したがって買受人に対抗できるとし，競売により賃借権は原則として直ちには消滅せず，短期とはいえ賃借権を買受人が引き受ける取扱いであった。

しかし，現実に存在する短期賃貸借には，①旧395条の本来予定する実際に用益を伴う通常の賃貸借（＝正常型短期賃貸借。建物賃貸借の場合は，借地借家31条により引渡しにより対抗要件を備え，ふつうは賃借権の登記や仮登記はなされない）のほか，②後順位の短期賃貸借を排除し抵当不動産の価値を維持するために先順位抵当権者が抵当権と併用する賃貸借（＝担保価値維持型短期賃貸借あるいは併用賃借権。最判昭52・2・17民集31巻1号67頁。用益を伴うことはほとんどなく，賃借権の登記や仮登記がなされる），および，③抵当不動産を賃借人自身またはその縁故者がかなり低額で買い受けることなどを目的として，先順位担保権の存在のためすでに担保価値を失った抵当不動産の所有者にわずかな金を貸し与えるなどによって街の金融業者等が設定を受ける賃借権（＝濫用的あるいは詐害的短期賃貸借。抵当権と併用されることもあり，賃借権の登記や仮登記がなされ，また通常の賃借人を装った占有がなされることもある。賃料全額前払済みの主張，異常に高額の敷金の差し入れの主張，賃料の異常低額あるいは譲渡・転貸の特約の存在などの特徴がある）がある。この③の濫用的短期賃貸借および濫用的短期賃借人の不動産占有を，競売手続において買受申出人が現れるより前に排除できないかが，

重要な課題となっていた（(3)およびH(2)参照。②の担保価値維持型短期賃借権等，後順位短期賃借権の排除を目的として抵当権者が自ら併用する賃借権は，抵当不動産の用益を目的とする真正な賃借権ということはできないから，抵当権者がこの併用賃借権に基づいて，後順位短期賃借人に対し抵当不動産の明渡しを求めることはできないとするのが，最高裁の考えである。最判平元・6・5民集43巻6号355頁）。

短期賃貸借の保護が認められると，買受人は，賃借権の負担のある不動産を取得するから，賃貸人の地位を承継し，その後，賃貸借が終了した場合の敷金返還義務なども承継する。なお，建物所有を目的とする土地の短期賃貸借の期間が終了した場合，賃借人は土地買受人に対して建物買取請求権（借地借家13条1項）を行使しえないとされた（最判昭53・6・15民集32巻4号729頁）。

(2) 短期賃貸借保護廃止に至る立法の経緯　平成13年5月より開始された法制審議会担保・執行法制部会における最も中心的なテーマの一つは，短期賃貸借保護制度をどのようにすべきかというものであった。規制緩和の立場に立つ論者（有力な経済界を含む）は，短期賃貸借保護制度は，濫用的あるいは詐害的短期賃貸借の形で主として競売妨害の手段として使用されているものであり，抵当権に後れて設定された賃借権は競売により消滅するとする短期賃貸借保護単純廃止論を主張した（政府の改正法律案提出の理由も，「抵当権等の担保物権の規定を整備し，かつ，担保権の実行手続その他の執行手続の実効性を向上させるため，短期賃貸借制度の廃止，民事執行法上の保全処分等の要件の緩和……等の措置を講ずる必要がある。」というものであった）。他方，賃貸ビルや賃貸マンションなど収益物件における賃借人は，多くはすでに抵当権の設定されている物件を借り受けており，しかも大半は期間3年以下の短期の賃借人であって，短期賃借人のほとんどはむしろ正常型短期賃

借人であり，その多くが濫用的短期賃借人であるという認識は誤っており，借地借家法の精神からも，正常型賃借人をより一層保護すべきであるとする主張も有力であった。この立場からは，次のような見解が表明された。①執行裁判所は，現況調査（民執57条）や審尋（民執5条）により抵当不動産上の賃貸借が正常型短期賃貸借なのかそれとも濫用型短期賃貸借なのかを基本的に識別しうるのであり，両者の識別が困難であることを理由に正常型短期賃貸借まで保護を廃止するのは不適切であること，②抵当不動産の占有により競売の妨害をねらう者は，「占有屋」と呼ばれるように，何らかの方法で抵当不動産を占有できればよいのであって，短期賃貸借保護制度が廃止されても，賃借権・使用借権・留置権などを主張して占有するのであるから，競売による売却手続が行われるまでにこれらの競売妨害者の不動産占有をいかにして排除するかこそが重要であり（民事執行手続の改善および競売妨害者に対する刑事的制裁の強化こそが重要である），短期賃貸借保護廃止によって解決する問題ではないこと，③賃貸ビルや賃貸マンションなど収益物件を競売で買い受けようとする人は，むしろきちんと賃料を支払っている賃借人が多数存在している物件の買受けを望むのであって，競売により賃借人が退去してしまっている物件の買受けを望むわけではないこと，④競売により賃借権が消滅し，買受人が賃貸人たる地位を承継しないということは，賃借人は買受人に対して従来の賃貸人に預けていた敷金の返還を求めえないことを意味し（従来の賃貸人は所有不動産が競売にかけられるような経済状態であるから，通常敷金を返還しうる資力はない），業務用賃貸ビルの賃借人や関西地方などの居住目的の賃借人のように高額の敷金を預けている賃借人には，大きな不利益をもたらすこと，⑤不動産を担保にとって融資をしようとする金融機関は，融資先の

返済能力を調査したうえで，短期賃貸借保護が存続するとすればその分を考慮に入れて融資額を決定することができるし，貸付先の一部に不良債権が生じても，他の貸付先からの返済により危険を分散しうるが，不動産の賃借人は，比較的新しい賃貸物件であれば通常は抵当権がすでに設定されている物件を，しかも相当多額の敷金を賃貸人に預けて借り受けざるをえず，抵当不動産が競売にかけられた場合，損害を回避しえないこと，⑥明治時代に制定された民法においてさえ抵当権と賃借権の調整に意を用いているのに，借地借家法の存在する現在において競売を契機に賃借権を消滅させるのは，時代に逆行すること。

多数の学説や執行実務に携わる裁判官の多くは，短期賃貸借保護の単純廃止には反対で，短期賃貸借の保護を図るべきだとしていたが，有力な経済界の強い主張が通り，すべての抵当権者が競売後の賃借権の存続について同意をしその旨の登記をしない限り，抵当権に後れる賃借権は，すべて競売により消滅し，買受人はかかる賃借権を承継しないこととなった。結局，短期賃貸借保護廃止は，競売を奇貨として賃借権を消滅させるもので，収益物件として抵当建物を買い受ける者にとっては，賃料値上げの機会を確保し，気に入った賃借人のみを賃借人として残し，気に入らない賃借人を追い出す手段を手に入れたことになり，また，再開発等をねらって抵当建物を買い受ける者にとっては，賃借人を容易に追い出す手段を手に入れたことになるといってよいであろう。

なお，旧395条ただし書は，短期賃貸借が抵当権者に損害を及ぼすときは，抵当権者は裁判所に賃貸借解除請求訴訟を起こすことができるとしていたが，この解除請求訴訟も廃止された。したがって，賃借権を利用した競売妨害目的の占有者に対しては，抵当権者は賃貸借契約を解除したうえでの明渡請求ではなく，直接

に抵当権侵害を理由とする抵当権に基づく妨害排除請求（H(2)）や民事執行法に規定されている手段（民執 55 条・187 条等）などによって対処することになる。

(3) 抵当権設定に後れて設定された賃借権の競売における現在の取扱い (ｱ) 土地賃借権の取扱い 土地抵当権設定に後れて設定された土地賃借権は、賃貸借期間の長短にかかわらず、原則通り競売により消滅する（民執 59 条 2 項）。土地に利用権（特に建物所有を目的として）の設定を受ける場合には、土地の権利関係を慎重に調査して利用権の設定を受けるべきであるから、短期賃貸借保護制度が廃止されたこともやむをえないであろう（特に建物所有を目的として土地利用権の設定を受ける場合は、通常長期の利用権の設定であり、抵当権に後れて設定された長期賃借権は判例法上は従来も保護を受けえなかった。最判昭 38・9・17 民集 17 巻 8 号 955 頁）。競売における買受人の買受け後賃借人に一定の明渡猶予期間を認める現行 395 条も、土地賃借権には適用されない。F(4)で述べるように、土地抵当権設定に後れて設定された建物所有を目的とする土地賃借権に基づき建物が建築されたときは、土地抵当権者は土地とこの建物とを一括して競売にかけることができる（389 条）。

(ｲ) 建物賃借権の取扱い (a) 一般の建物賃借権の場合 建物抵当権設定に後れて設定された建物賃借権も、賃貸借期間の長短にかかわらず、原則通り競売により消滅する（民執 59 条 2 項）。したがって、競売における建物買受人は、建物賃貸人の地位を承継せず、建物賃借人は、賃貸借に際し従来の賃貸人に預けた敷金の返還を建物買受人に対して請求しえない（従来の賃貸人には敷金返還を請求しうるが、ほとんどの場合賃貸人に資力がないため、事実上敷金の返還を受けえない）。

395 条 1 項は、かかる建物賃借人に対して 6 ヵ月の明渡猶予

間を認めた。競売により賃借権が消滅し、賃借人が直ちに建物を明け渡さなければならないとすると、賃借人にあまりに酷だからである（政府提出の法律案では、3ヵ月の明渡猶予期間とされていたが、国会の審議において6ヵ月に修正された）。もっとも、明渡猶予期間を認められる元建物賃借人は、競売手続開始前より賃貸借により建物の使用または収益をしていた者、および強制管理または担保不動産収益執行の管理人が競売手続開始後に行った賃貸借により建物の使用または収益をしていた者に限られ（395条1項1号2号）、競売手続開始後に抵当建物所有者から賃借権の設定を受けて使用または収益を始めた者には明渡猶予期間は認められない。なお、この明渡猶予期間中も元建物賃借人が建物を使用するときは（この場合、元建物賃借人を「抵当建物使用者」という。395条1項）、建物使用の対価を建物買受人に支払わなければならない。建物使用者が1ヵ月分以上の建物使用の対価の支払を滞納するときは、建物買受人は建物使用者に対して相当の期間を定めて1ヵ月分以上の対価の支払を催告し、その相当の期間内に履行がないときは明渡猶予は認められなくなり、建物使用者は直ちに建物を明け渡さなければならない（395条2項）。

　(b)　すべての抵当権者が賃借権の存続に同意しその旨を登記した場合　　387条は、建物抵当権設定に後れて設定された建物賃借権（賃借権設定登記がなされることが必要）も、この建物賃借権に優先するすべての抵当権者が競売後の建物賃借権の存続に同意しかつその同意を登記したときは、競売後も建物賃借権は消滅せず、買受人に引き受けられるものとした（なお、同条2項も参照）。これは、極めて高品質の賃貸ビル・賃貸マンションに、とりわけ優良なテナント（一流の銀行・保険会社・商社・メーカー等）や富裕な賃借人が入居している場合のように、競売により賃借権を消滅

Ⅳ　抵当権

させないほうが建物買受人にとってもメリットがあり，むしろ高額で売却できるため抵当権者にとっても有利であるケースもあり，多額の保証金等を支払って入居している優良なテナント側も，賃借権を買受人が引き受けることを強く望むためである。また，この制度を利用するためには，建物賃借権についても賃借権設定登記が必要となる。もっとも賃貸ビルや賃貸マンションの多くは，区分所有建物として登記がされているのではなく，1棟を所有する者が1棟につき所有権登記を備え，抵当権者もこの1棟につき抵当権の設定を受けている。したがってこのような場合は，1棟全部を不動産管理業者などが賃借して賃借権設定登記を備え，各抵当権者から上記の同意を得てその同意を登記した上で，各テナントや賃貸マンションの居住者に転貸するという方法がとられよう。それゆえ，一般市民や中小業者の建物賃貸借への利用はほとんど考えられない。

　この制度が利用される場合，買受人は賃貸人の地位を承継することになるから，賃借人に対する敷金返還義務も承継する。そこで，不動産登記法を改正して，敷金に関する事項が賃借権設定等の際の登記事項とされた（不登81条4号）。

　　F　法定地上権

(1)　法定地上権の意義　　たとえば，A所有の建物とその敷地のうち建物についてだけ，Bが抵当権の設定を受け，抵当権の実行としての競売によりCが建物買受人となった場合，法律上の特別の手当てがなければ，Cは土地の利用権限を有しないから，建物を収去する必要にせまられる。なぜなら，①競売以前にAのために土地利用権を設定しておくことは，混同の法理により不可能であり（179条。わが国では，原則として自己借地権の設定は認められていない。借地借家15条参照），また，②不特定の建物買受人

のために条件付借地権をあらかじめ設定することもできないからである（この点，仮登記担保の場合と異なる）。そこで388条は，土地と建物が同一の所有者に属する場合において，その土地または建物に抵当権が設定され，競売により土地所有者と建物所有者が異なるにいたるときは，土地所有者である抵当権設定者は競売の際に地上権を設定したものとみなした。これを法定地上権という。

(2) 法定地上権の成立要件　判例・通説は，以下の(ア)〜(エ)の四つの要件を要求している。

(ア) 抵当権設定当時の建物の存在　抵当権設定当時，抵当権の目的である土地がいわゆる更地であって建物が存在しないときは，後日，抵当地上に建物が建てられても（図25参照），建物所有者のために法定地上権は認められないとするのが，判例（最判昭36・2・10民集15巻2号219頁）・通説である（反対説もある）。このことは，388条，389条の規定から明らかであり，これを前提に，抵当権者は，更地に抵当権の設定を受ける場合には，借地権の負担が生ずる場合に比べて土地の担保価値を高価に評価している，とされている。

★★　(a) **土地抵当権者の建物建築承認があった場合は法定地上権の成立は認められるか**　Aが更地に抵当権を設定する際に，土地抵当権者Bが抵当地上の建物の建築をあらかじめ承認していた場合には，Aは，その後に建築した建物所有のための法定地上権を，土地買受人Cに対して主張しうるか（図25参照）。判例（前掲最判昭36・2・10）は，抵当権者Bが抵当地を更地と評価して抵当権の設定を受けていることが明らかである以上，法定地上権の成立は認められないとする。また判例（大判大7・12・6民録24輯2302頁）は，更地に抵当権を設定する際に，AとBとの間で，将来その土地の上に建物を建築したときは競売の時に地上権を設定した

Ⅳ 抵当権

図 25 法定地上権の成否(1)

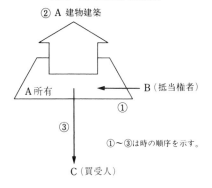

ものとみなすとの合意がなされても，Aは土地買受人Cに地上権を主張しえないとしている。

　(b)　土地に抵当権を設定した当時建物が存在していれば，後にその建物が改築されたり，滅失して再築された場合でも法定地上権は成立する。もっとも，この地上権の内容（地上権の成立する土地の範囲等）は，改築・再築前の建物が標準となる（大判昭10・8・10民集14巻1549頁）。

　(c)　**建物が再築された場合にどのような内容の法定地上権が成立するか**　　★★
BがAの土地につき抵当権の設定を受けた当時は，土地上にAの所有する非堅固建物が存在していたが（旧借地2条1項により借地期間30年），Bが近い将来この建物が取り壊され，堅固建物が建築されることを予定して土地の担保価値を算定したときは，Aは土地買受人に堅固建物所有を目的とする法定地上権（旧借地2条1項により借地期間60年）の成立を主張しうるかが，旧借地法のもとでは問題となった。判例（最判昭52・10・11民集31巻6号785頁）は，かかる場合，抵当権者の利益を害しないことを理由にこれを肯定した。このような判例の出現は，抵当権者の担

保価値の評価にウェイトを置く前掲の判例（最判昭36・2・10）からは予想されたところである。本判例のように抵当権者B自身が土地買受人であるときには問題がないが、そうでないときには、買受人は抵当権者の担保評価を必ずしも知りえないから、問題がないわけではない。判例を前提とすると、抵当権者の担保評価を知りえない買受人は、現在建っている建物が堅固建物であれば、堅固建物所有を目的とする地上権の成立を前提に買受けの申出をすることになろう。もっとも、借地借家法においては、借地法（同法2条1項）におけるのとは異なり、成立する法定地上権の存続期間につき、堅固建物所有を目的とするか否かで差異はなくなったから（借地借家3条）、このような問題は、借地借家法の適用される借地については生じない。しかし、抵当土地の片隅に建っていたA所有の小さな建物が近い将来取り壊され、敷地いっぱいの大きな建物が建築されることを予定して、Bが土地の担保価値を算定したときは、Aは土地買受人に、抵当土地の全部につき法定地上権の成立を主張しうるか（(3)(ｱ)参照）、といった問題は、なお存在しうる。

(d) **土地とその上の建物に共同抵当権が設定され、その後建物が取り壊されて建物が再築された場合**　　バブル経済による地価の高騰により、甲土地・乙建物共同抵当（**6**(1)参照）のケースにおいて、抵当権の目的である乙建物を取り壊して建物上の抵当権を消滅させ、簡易建物（バラック小屋など）を再築して、土地の競売の際に、簡易建物所有者のための法定地上権の成立を主張し、土地・建物共同抵当権者であった金融機関の抵当権実行を妨害する者が現れた。そこで、裁判所には、再築建物のために法定地上権の成立を否定する法的構成が求められた。この問題については、全体価値考慮説と個別価値考慮説との対立がある。

IV 抵当権

判例（最判平9・2・14民集51巻2号375頁）は，「新建物の所有者が土地の所有者と同一であり，かつ，新建物が建築された時点での土地の抵当権者が新建物について土地の抵当権と同順位の共同抵当権の設定を受けたとき等特段の事情のない限り，新建物のために法定地上権は成立しないと解するのが相当である」，と述べ，全体価値考慮説をとる。その理由としてこの判例は，①土地および地上建物に共同抵当権が設定された場合，抵当権者は土地および建物全体の担保価値を把握しているから，建物が取り壊されたときは土地について法定地上権の制約のない更地としての担保価値を把握しようとするのが，抵当権設定当事者の合理的意思であり，抵当権が設定されない新建物のために法定地上権の成立を認めるとすれば，抵当権者は，当初は土地全体の価値を把握していたのに，その担保価値が法定地上権の価額相当の価値だけ減少した土地の価値に限定されることになって，不測の損害を被る結果になり，抵当権設定当事者の合理的な意思に反すること，②このように解すると，建物を保護するという公益的要請に反する結果となることもありうるが，抵当権設定当事者の合理的意思に反してまでもこの公益的要請を重視すべきであるとはいえないこと，をあげる。これに賛成する学説も多いが，建物再築には，地震や火災で建物が滅失したため再築する場合の通常再築型もあり，①土地・建物共同抵当の場合，この共同抵当権は，土地抵当権により法定地上権の負担のある土地としての価値（底地価格）を，建物抵当権により法定地上権付建物の価値（建物価格＋借地権価格）を，それぞれ個別に把握していること，②執行妨害再築型の場合には，権利濫用の理論により法定地上権の成立を認めなければよいこと，などを理由に，個別価値考慮説をとる学説も多い。

(イ) 抵当権設定当時に土地と建物とが同一の所有者に帰属して

いたこと　抵当権設定当時，土地と建物とがすでに異なった所有者に帰属していた場合には，その建物のために利用権が設定されているはずであり，法定地上権を認める必要はない（B(2)参照）。

★★　(a)　**抵当権設定後に土地または建物の一方または双方が第三者に譲渡された場合に法定地上権は成立するか**　土地だけにXのために抵当権が設定された後に，建物がYに譲渡され，その後，土地の競売によりXが買受人になった場合，XよりYに対して建物収去・土地明渡しを求めうるか（図26参照）。判例（大連判大12・12・14民集2巻676頁）は，かかる場合，Yのために法定地上権が認められるとし，通説もこれを肯定する。このように土地だけに抵当権が設定された後に建物または土地の一方または双方が譲渡された場合，および建物だけに抵当権が設定された後に建物または土地の一方または双方が譲渡された場合は，譲渡の際に建物のために土地利用権が設定されていたはずであるが，前者においては，この利用権は抵当権に後れるため競売により消滅するし，後者においては，建物買受人はこの利用権を取得するが，この利用権が賃借権であるときは，民法612条，借地借家法20条の適用

図26　法定地上権の成否(2)

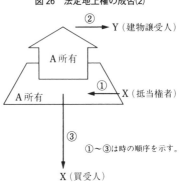

IV 抵当権

を受ける。したがって、いずれの場合にも法定地上権の成立を認めるべきであり、前者においては、成立を認めても、土地の抵当権者に不都合は生じないし、後者においては、成立を認めないと建物抵当権者に不利益を生ずることになるのである。

(b) **抵当権設定の当時別異の者に帰属し後に同一人に帰属した場合に法定地上権は成立するか** ★★ Xの土地上の借地人A所有の建物につきBのために抵当権が設定されたが、その後この建物は、地主Xに譲渡されて、土地と建物は同一人に帰属した。この建物をYが買い受け、XがYに対して建物収去・土地明渡しを請求した場合、Yは法定地上権の成立を主張しうるか(図27参照)。判例(最判昭44・2・14民集23巻2号357頁)は、これを否定する。多数の学説も、建物の抵当権は借地権にも及ぶ(B(2)参照)から借地権は混同の例外として存続し(179条1項ただし書参照)、Yは借地権付建物を取得するのであり、民法612条、借地借家法20条の問題があるからといって、法定地上権は成立しないとする。なお、判例(大判昭14・7・26民集18巻772頁)は、建物への一番抵当権設定当時には、土地と建物の所有者が異なっていたが、二

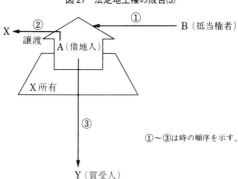

図27 法定地上権の成否(3)

①〜③は時の順序を示す。

番抵当権設定当時には双方が同一人に帰属していたケースについては，一番抵当権者の申立てによる競売が行われたときでも，法定地上権の成立は認められるとする。借地権者の建物の存在する土地に抵当権が設定され，後に建物と土地とが同一人に帰属した場合も，借地権は混同の例外として存続するから（179条1項ただし書参照），土地の競売の際に法定地上権は成立しない（借地権が対抗力を有していれば買受人にもこれを対抗しうる）。

このことは，建物と土地とが同一人に帰属した段階で土地につき二番抵当権が設定され，一番土地抵当権者の申立てによる競売（二番土地抵当権者の申立てによるときも同様であるが）が行われたケースにおいても，同じである（最判平2・1・22民集44巻1号314頁）。土地の一番抵当権者は，法定地上権の負担のないものとして，土地の担保価値を把握するのであるから，この場合に，法定地上権が成立するものとすると，一番抵当権者が把握した担保価値を損なわせることになるのであり，先の建物抵当権のケース（このケースでは，法定地上権の成立を認めても，一番建物抵当権者が把握した担保価値を損なわせることにはならない）と同じに扱うことはできないのである。しかしながら，上記ケースにおいて，一番土地抵当権（甲）が被担保債権の弁済や抵当権設定契約の解除などにより消滅してから二番土地抵当権者が土地につき競売を申し立て，土地を第三者が買い受けた場合については，判例（最判平19・7・6民集61巻5号1940頁）は，建物所有者のために法定地上権の成立を認める。その理由としては，①抵当権は，被担保債権の担保という目的の存する限度でのみ存続が予定されているものであり，先順位抵当権（甲）が被担保債権の弁済等により消滅することもあることは抵当権の性質上当然のことであるから，後順位抵当権者としては，そのことを予測したうえ，その場合におけ

る順位上昇の利益と法定地上権成立の不利益とを考慮して担保余力を把握すべきものであったといえること，および，②388条の文理からみても，競売前に消滅していた先順位抵当権（甲）ではなく，競売により消滅する最先順位の抵当権ではあるが，設定当時は後順位の抵当権（乙）の設定時において，同一所有者要件が充足していることを法定地上権の成立要件としているものと理解することができること，があげられている。

　(c) **土地共有または建物共有の場合**　　Aが甲土地またはその上の乙建物に共有持分権を有し，他方乙建物または甲土地につき単独所有権または共有持分権を有している時に，Aの共有持分権または単独所有権に抵当権の設定がなされ，その後，競売により甲土地と乙建物が異なった所有者に帰属するに至った場合，法定地上権の成立が認められるかが問題となる。様々なケースが生ずる複雑な問題なので，判例理論を要約するにとどめる。判例理論は，Aが甲土地を単独所有し，乙建物に共有持分権を有している場合には，Aは甲土地全体に対する処分権を有しているから，競売により法定地上権の成立を認めても問題がないが（最判昭46・12・21民集25巻9号1610頁），A・Bが甲土地を共有している場合には，Aは甲土地全体に対する処分権を有していないから，原則として法定地上権の成立を認めない（最判昭29・12・23民集8巻12号2235頁，最判平6・12・20民集48巻8号1470頁），ということになろう。ただし，甲土地も乙建物もA・B共有で，甲土地または乙建物に共有者全員（A・B）により抵当権が設定され，甲土地または乙建物を競売によりDが買い受けた場合については，388条がそのまま適用され，乙建物所有者のために法定地上権が認められる。

★　(d)　土地と建物とが同一人に帰属していることが登記簿上も明らかであることを要するか　たとえば土地抵当権設定時に，建物に土地所有者名義の登記がなされていなければ，法定地上権は成立しないか。判例（最判昭48・9・18民集27巻8号1066頁）は，法定地上権制度の根拠は，建物収去による社会経済上の不利益の防止の必要と，抵当権設定者の建物のための土地利用の存続の意思と抵当権者のこのことへの予期にあり，土地抵当権者は，現実に土地をみて地上建物の存在を了知しこれを前提として評価するのが通例であり，買受人は抵当権者と同視すべきであるから，建物につき登記がされているか，所有者が取得登記を経由しているか否かにかかわらず，法定地上権の成立は認められるとする。また，建物抵当権設定時に，土地に建物所有者名義の移転登記がなされていなくともよいとするのが，判例（最判昭53・9・29民集32巻6号1210頁）・多数説である。

(ウ)　土地と建物の一方または双方の上に抵当権が存在すること
　388条の文言とは異なるが，土地と建物の双方の上に抵当権が設定された場合でもよい（最判昭37・9・4民集16巻9号1854頁）。土地と建物の双方に抵当権の設定がないときは，強制競売により双方が異なる所有者に属するにいたることがあり，この場合は，民事執行法81条により法定地上権の成立が認められる。

(エ)　競売が行われて土地と建物が別異の者に帰属するにいたること　この競売は，担保不動産競売でも強制競売でもよい。

(3)　法定地上権の内容と対抗要件　(ア)　内容　法定地上権の及ぶ土地の範囲は，建物を利用するのに必要な範囲である（大判大9・5・5民録26輯1005頁）。当事者の協議が調わないときは，存続期間は，借地借家法3条により定まると解され，地代は，当事者の請求により裁判所が定める（388条後段）。

(イ) 対抗要件　　法定地上権も第三者に対しては対抗要件を必要とする（建物保存登記でもよい）。

(4) 抵当地上の建物競売権　　判例・通説によると，更地に抵当権を設定した後に建築された建物のためには，法定地上権は認められないが（(2)(ア)），このような建物が存在すると土地の競売が困難になる。そこで，389条1項は，土地抵当権者に，土地と建物を一括して競売に付する（同一人が土地も建物も買い受ける）権限を与えた。抵当権者は土地の売却代金だけから優先弁済を受ける（同項ただし書）。従来は，土地抵当権設定者が建築した建物だけが一括競売の対象であったが，平成15年の改正で，土地抵当権者に対抗しうる占有権原を有しない土地占有者が土地抵当権設定後に建築した建物も，一括競売の対象になることとなった（389条1項2号）。これは土地抵当権設定後に抵当権実行妨害目的で第三者が簡易な建物を建築することがしばしばあり，かかる場合には第三者に建物収去を求めるより土地買受人に建物も買い受けさせたほうが簡単に結着を図りうること，建築された建物がまともな建物である場合には，土地と建物を一括して競売にかけたほうが建物所有者にとっても土地抵当権者にとっても都合がよいときもあることなどによる。

G　抵当不動産の第三取得者の保護

(1) 抵当不動産の売買と第三取得者の保護　　抵当不動産の売買は次のように行われる。抵当不動産の時価（たとえば500万円）が抵当債務額（たとえば300万円）を上まわるときは，抵当権設定者A・抵当権者B・第三取得者（＝抵当不動産の譲受人）C三者の協議により，Cは売買代金500万円のうち300万円をBに支払い抵当権を消滅させ，残り200万円をAに支払って，抵当権の登記を抹消したうえで，所有権移転登記を経由する。抵当債務の

弁済期が未到来であれば，Cは200万円をAに支払い，抵当債務（300万円）を引き受ける方法（免責的債務引受）をとることもある。

これに対して，抵当不動産の時価（たとえば500万円）が抵当債務額（たとえば600万円）を下まわるときは，通常，買主は現れない。買主Cは，競売により抵当不動産を失ったときは，売主Aに対し債務不履行責任を追及でき，競売を避けるため抵当債務を債務者に代わって弁済したときは，売主Aに対し費用償還を請求しうるが（570条），Aに資力がないことが多いからである。このような場合に，抵当不動産を時価あるいは時価に近い価格（たとえば450万円）で買い受ける第三取得者を保護するために代価弁済と抵当権消滅請求の制度が存在する。

(2) 代価弁済　代価弁済（378条）は，抵当権者が，競売代価は一般に時価（先の例で500万円）より低く，また抵当不動産の値上りの見込みもないと考えて，実際に行われた売買代金（先の例で450万円）で満足するときに，抵当権者の請求により第三取得者がこの代金を抵当権者に支払って抵当権を消滅させるものである。代価弁済は，抵当権者が請求してはじめて働くものであるから，第三取得者の保護としては十分とはいえない。代価弁済は，所有権・地上権について認められ，永小作権・賃借権については認められていない。代価弁済により抵当権は第三取得者のために消滅する。代価弁済により完済されない債務（先の例で150万円）は無担保の債務となる。第三取得者が地上権取得者（抵当権に後れる地上権の買主）であるときは，抵当権そのものは消滅しないが，地上権は抵当権に対抗しうるものとなる。第三取得者は，抵当権者に支払った範囲で代金債務を免れる。

(3) 抵当権消滅請求　㋐ 意義　かつては，抵当不動産の

Ⅳ 抵当権

第三取得者が自分の権利に優先する抵当権を消滅させる方法として，滌除(てきじょ)という制度が存在した（旧378条以下〔平成15年改正前〕）。滌除制度は，第三取得者（抵当不動産の所有権取得者のほか，地上権・永小作権の取得者も含んでいた）が買受代価または第三取得者が抵当不動産を適宜評価して指定した金額（滌除金額）を抵当権者に申し出て，各抵当権者がこれを承諾し受領する場合には，これにより抵当権が消滅するが，抵当権者がこの申出を拒否する場合には，抵当権者は直ちに増価競売を申し立て，増価競売で滌除金額の一割以上の高価で買い受ける者がいないときは，抵当権者自らが一割増の価額で買い受ける義務を負うというものである。そこで，この制度は，目的不動産の値上がりを待とうとする抵当権者に対して第三取得者から競売を強い，抵当権の追及力に重大な制限を加えるものであり，また，増価競売の申立ておよび申立てに伴う保証提供の負担によって，抵当権者に第三取得者の決定する評価額を承認させることになりやすいとして，立法論としては廃止論が有力であった。

しかし，平成15年の法改正は，滌除制度の内容を一定程度修正したものとして次のような「抵当権消滅請求」の制度を設けた。すなわち，第三取得者（抵当不動産の所有権取得者に限る）が自らの買受代価または自らが抵当不動産を適宜評価して指定した金額を抵当権者に申し出て（これらの金額を以下「申出金額」という），各抵当権者がこれを承諾し，順位に従って弁済を受ける場合には，これにより抵当権が消滅するが，抵当権者がこの申出を拒否する場合には，抵当権者は直ちに通常の担保不動産競売（民執180条1号参照）を申し立てる必要がある。この競売において買受申出人が現れなくとも，抵当権者は買受けの義務を負わない。

この制度は，抵当権者に対して第三取得者から競売を強いると

いう意味では滌除と共通であるが，抵当権者から増価競売の申立てに伴う保証提供や増価買受けの負担を取り除きつつ，第三取得者の不当に低い申出金額による抵当権消滅請求を担保不動産競売という方法を使って排除しようとする点，および被担保債権額が抵当不動産の時価を上まわっている場合に抵当不動産を相当な価額で第三者に譲渡し，債務額をできるだけ減少させようとする債務者に一つの手段を与えようとする点においては積極的な意義を有するといえる。ただ抵当権者自身が目的不動産を買い受けるつもりがなく，また競売において買受申出人が現れない場合には，抵当権者が競売手続に要する費用を負担することになるから，第三取得者の濫用的な抵当権消滅請求を排除する必要は生じよう。

(イ) 抵当権消滅請求権者　抵当不動産につき所有権を取得した者が抵当権消滅請求権者である（379条）が，次の者は除かれる。①主たる債務者，保証人およびそれらの承継人（380条）。これらの者は，債務の全額を弁済すべきで，これに満たない金額で抵当権を消滅させることを認めるべきではないからである。②条件の成否未定の間の停止条件付第三取得者（381条）。第三取得者たる地位を現実に取得した者のみに抵当権消滅請求を認めるべきだからである。

(ウ) 抵当権消滅請求をなしうる時期　抵当権消滅請求は，被担保債権の弁済期到来前でもなしうるが，担保不動産競売が申し立てられ差押え（競売開始決定）が効力を生じた後はなしえない（382条）。

(エ) 抵当権消滅請求の方法　第三取得者より「抵当権消滅請求の通知」が，登記（仮登記も含む）をしたすべての債権者（抵当権者のほか先取特権者や質権者も含む）になされる（383条各号に掲げる書面の送付による）。債権者が抵当権消滅請求通知を受けてから

IV 抵当権

2ヵ月以内に担保不動産競売の申立てをしないときは,第三取得者の申出金額を承諾したものとみなされる(384条1号)。登記をしたすべての債権者が第三取得者の申出金額を承諾し,第三取得者がこの金額を債権の順位に従って弁済または供託すると,抵当不動産上のすべての抵当権(先取特権や質権も)は消滅する(383条3号・386条)。

(オ) 抵当権消滅請求を拒否する方法　抵当権者(先取特権者や質権者も同じ)は,抵当権消滅請求に応じないときは,抵当権消滅請求通知を受けてから2ヵ月以内に担保不動産競売の申立てをするとともに,債務者および抵当不動産の譲渡人に競売申立てを通知しなければならない(384条1号・385条)。この競売において,競売を申し立てた抵当権者は抵当不動産の買受けの義務はない。競売の申立てを取り下げた場合も(他の債権者の同意は不要),抵当権者は第三取得者の申出金額を承諾したものとみなされる(384条2号)。

　　H　抵当権の侵害

(1) 抵当権侵害の意義　抵当権の内容が侵害されたときは,その排除を求める物権的請求権が生じ,また,不法行為に基づく損害賠償請求権を生ずることがあるが,抵当権は目的物の利用を伴わない価値権であるため,若干の特徴がある。また,期限の利益の喪失や増担保の問題も生ずる。

(2) 抵当権に基づく妨害排除請求　抵当不動産の侵害があり目的物の価値が減少するときは,たとえ目的物がなお被担保債権の弁済に十分な価値を有している場合にも,妨害排除請求権は生ずると解される(抵当権の不可分性)。

妨害排除請求の例としては,抵当山林の立木の伐採および伐木搬出の禁止請求,法律上は無効であっても抹消されずに残ってい

て事実上抵当権行使の障害となりうる登記の抹消請求，あるいは抵当不動産の従物のみに対してなされた強制執行に対する第三者異議の訴え（民執 38 条）などがある。これに対して，抵当権は価値権であるため，設定者が目的物を第三者に不法に用益させたり第三者が目的物を不法占拠したりしても，それだけでは目的物の価値が損傷されたとはいえず，妨害排除請求はなしえないとされてきた（大判昭 5・4・16 新聞 3121 号 7 頁等）。

★★ **抵当不動産の不法占拠者や抵当権実行妨害目的の賃借人等に対して抵当権者は自己への明渡しを請求しえないか**　　しかしながら，平成 15 年改正前の短期賃貸借解除請求訴訟（旧 395 条ただし書〔平成 15 年改正前〕。E(2)末尾）により賃貸借契約を解除された濫用的短期賃借人（E(1)参照）や抵当不動産所有者から占有権限を与えられずに占有している者等無権原占有者が抵当不動産を占有している場合には，競売がなされてもスムーズな明渡しが期待できないため，担保不動産競売において買受希望者が現れにくくなり，その結果不動産の売却価額は低下する。そこで多くの学説は，かかる第三者の不法占有は抵当権の侵害にあたり，抵当権者はかかる第三者に対して抵当権に基づいて不動産の明渡しを請求できるし（物権的請求権の行使・物上請求），所有者に代位して明渡しを求めることもできる（債権者代位権の転用・代位請求）としてきたが，最高裁平成 3 年 3 月 22 日判決（民集 45 巻 3 号 268 頁）は，抵当権は非占有担保であることや，買受人は明渡しの強制執行により不動産の価値の回復を図ることができること等を理由に，かかる考え方を否定した。

しかし，最高裁平成 11 年 11 月 24 日大法廷判決（民集 53 巻 8 号 1899 頁）は，「第三者が抵当不動産を不法占有することにより，競売手続の進行が害され適正な価額よりも売却価額が下落するお

それがあるなど，抵当不動産の交換価値の実現が妨げられ抵当権者の優先弁済請求権の行使が困難となるような状態があるときは，これを抵当権に対する侵害と評価することを妨げるものではない」として，不法占有者に対する抵当権者の物上請求も代位請求も認めるに至ったのである。さらに，最高裁平成17年3月10日判決（民集59巻2号356頁）は，抵当権設定登記後に抵当不動産の所有者から，賃借権等の占有権原の設定を受けてこれを占有する者についても，①その占有権原の設定に抵当権の実行としての競売手続の妨害目的が認められ，②その占有により抵当不動産の交換価値の実現が妨げられて抵当権者の優先弁済請求権の行使が困難となるような状態があるときは，抵当権者は，その占有者に対し，抵当権に基づく妨害排除請求（物権的請求権の行使・物上請求）として占有状態の排除を求めることができる，とした。その理由として，この判例は，抵当不動産所有者は，抵当不動産を使用・収益するにあたり，抵当不動産を適切に維持管理することが予定されており，抵当権の実行としての競売手続を妨害するような占有権原を設定することは許されない，ということをあげている。さらに，この判例は，抵当不動産所有者において抵当権侵害が生じないように抵当不動産の適切な維持管理を期待できない場合には，非占有担保権者である抵当権者は，占有者に対し，直接自己への抵当不動産の明渡しを求めることができる，とした。この抵当権者による抵当不動産の占有は，抵当不動産が競売手続にかけられるまでの間の管理占有とみるべきで，使用・収益権は伴わないと考えるべきである。したがって，この判例は，抵当権者は，競売手続妨害目的で占有をした賃借人に対して，その占有による抵当権侵害として，賃料相当額の損害賠償請求をすることはできない，としている。いずれも妥当な判断である。

(3) 抵当権侵害に対する損害賠償請求　侵害により目的物の価値が減少して、被担保債権が十分には満足されなくなる場合にはじめて、不法行為に基づく損害賠償請求権が生ずる。

(4) 期限の利益の喪失・増担保請求　(ア)　期限の利益の喪失
　債務者が、自己の責めに帰すべき事由により抵当不動産を滅失・損傷または減少させたときは、債務者は期限の利益を失う（137条2号）。なお、銀行取引では、債務者の責めに帰すべき事由によるかどうかを問わず、抵当権の侵害のあるときには期限の利益を失わせる旨の特約が通常なされている。

(イ)　増担保請求　抵当不動産の損傷・滅失の場合に、抵当権者は増担保を請求しうるかについては、規定がない。銀行取引では、このような場合に増担保の請求を認める特約が通常なされている（東京高判平19・1・30判タ1252号252頁は、具体的な増担保の対象となる物件、設定すべき担保の種類、内容などが定められていない場合には、設定者は、増担保につき抵当権者との交渉に応じ、提供可能な物件を担保に供する義務はあるが、抵当権者に、その一方的意思表示により設定者の特定の財産に抵当権が設定される形成権を与えたものと解することはできない、とする）。特約がないときは、債務者が不法行為上の責任を負うべき場合などに限り増担保請求をなしうるとする説が有力である。

4　抵当権の処分

(1) 抵当権の処分の意義　抵当権の処分の形態として、転抵当、抵当権または抵当権の順位の譲渡・放棄（以上、376条1項）、ならびに抵当権の順位の変更（374条）が認められている。これらの抵当権の処分は、多かれ少なかれ被担保債権と切り離して抵当権の処分を認めるものである（付従性の緩和）。転抵当は、被担

Ⅳ 抵当権

保債権の譲渡・質入れ（抵当権はこれに随伴する）と同様，抵当権者の投下資本の回収を目的とするが，それ以外の抵当権の処分は，先順位抵当権者の協力で債務者（設定者）が新たな融資を受ける場合に利用される。

(2) 転抵当　　たとえば，Aに500万円の融資をしその担保としてAの建物に抵当権の設定を受けたBが，自分もCから300万円の融資を受けたい場合に，その抵当権（原抵当権）を担保としてCに供することを「転抵当」といい（376条1項），A・B・Cを図28のように呼ぶ。376条1項に規定する転抵当の設定には，Aの承諾を必要とせず，これを責任転抵当という。なお，Aの承諾を得て行われる承諾転抵当も有効であり，その内容は契約により定まる。転抵当は，複雑な法律関係を生ずるため，その利用は少ない。

　転抵当の法律的性質については，転質の場合（Ⅲ2(2)(カ)参照）と同様の見解の対立がある。①債権・抵当権共同質入説。転質における債権・質権共同質入説に対応する。②抵当権〔単独〕質入説。転質における質権〔単独〕質入説に対応する。③抵当物上再度抵

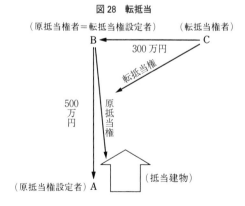

図28　転抵当

当権設定説。転質における質物再度質入説に対応する。②説と③説とは，原抵当権によって把握された担保価値を被担保債権から切り離して他の担保に供しうるとするもので，③説が多数説であるが，376条1項の文言から②説も有力である。

(ｱ) 要件　転抵当権設定契約は，諾成契約である。転抵当権の被担保債権額が原抵当権のそれを超過してもよいし，被担保債権の弁済期が原抵当権のそれより後に到来してもよい（(ｳ)参照）。

(ｲ) 対抗要件　転抵当権設定も不動産物権変動であるから，登記が第三者対抗要件である（177条。付記登記による）。また，原抵当権の被担保債権の主たる債務者Aへの転抵当権設定の通知またはAの承諾なしに，転抵当権の設定を，主たる債務者A，保証人，原抵当権設定者（設例ではA）およびその承継人に対抗できない（377条1項）。これは，転抵当により原抵当権の被担保債権が拘束されるからである。

(ｳ) 効果　転抵当権者Cは，転抵当権および原抵当権の被担保債権の弁済期が到来すれば，原抵当権を実行し，原抵当権者Bに優先して弁済を受けることができる。転抵当権の被担保債権額が原抵当権のそれを超過しているとき，および，原抵当権の被担保債権の弁済期が転抵当権のそれより先に到来したときの取扱いについては，Ⅲ2(2)(ｶ)(c)参照。なお，375条の適用がある。

原抵当権者Bは，転抵当権設定により，原抵当権の放棄などが制限されるだけでなく，原抵当権の被担保債権を消滅させることができなくなるから，一般にはBは弁済を受けられないし，競売の申立てもできない。しかし，原抵当権の被担保債権額が転抵当権の被担保債権額を超過する場合につき，従来の有力学説は，その超過額につきBは弁済を受けられるとし，判例（大決昭7・8・29民集11巻1729頁）も，Bは自ら抵当権を実行して超過額の

弁済を受けることができ，Cの受け取るべき金額については，弁済または供託すべきであるとする。しかし近時は，転抵当権の被担保債権額が不確実であることと抵当権の不可分性を理由に，反対説も多い。

(3) 抵当権の譲渡・放棄および抵当権の順位の譲渡・放棄

(ア) 抵当権の譲渡・放棄　たとえば，A所有の800万円の不動産上に，一番抵当権者B（債権額600万円），二番抵当権者C（債権額200万円）がおり，新たにAがDから200万円の融資を受けようとする場合，Dのために三番抵当権を設定するのではなく，Bの協力を得て，BがDの利益のために自己の抵当権を譲渡しその限度で無担保債権者になることを抵当権の譲渡といい，BがDの利益のために優先弁済権の利益を放棄することを抵当権の放棄という（376条1項）。

Dの債権額・弁済期は，Bの債権額・弁済期の範囲内でなくともよい。譲渡につき，抵当権設定者Aや後順位抵当権者Cの承諾を必要としない。しかし，転抵当の場合と同様の対抗要件（(2)(イ)参照）が必要である。

抵当権の譲渡の場合は，売却代金を800万円とすると，Bに本来配当されるべき600万円から，まず譲受人Dが配当を受け，残りから譲渡人Bが配当を受ける（D200万円，B400万円）（表7参照）。

抵当権の放棄の場合は，Bに本来配当されるべき600万円が，BとDの債権額に比例して分配される（B450万円，D150万円）（表7参照）。

Dは，抵当権を実行し，優先弁済を受けることができるが，それは，Bの有していた被担保債権の額および弁済期の制限を受けるから，抵当権の譲渡・放棄は，第三者の利益に影響を与えない

担保物権法編　第2章　民法典上の担保物権（典型担保）

表7　抵当権の譲渡・放棄

（売却代金800万円の場合）		抵当権の譲渡		抵当権の放棄	
	債権額	譲渡前の配当額	BからDへ譲渡後の配当額	放棄前の配当額	BからDへ放棄後の配当額
B(一番抵当権者)	600万円	600万円	②→400万円	600万円	①→450万円
C(二番抵当権者)	200万円	200万円	200万円	200万円	200万円
D(無担保債権者)	200万円	0	①↘200万円	0	①↘150万円

（後順位抵当権者Cの配当額にも影響はない）。

★　(イ)　**抵当権の譲渡・放棄等の効力は相対的か絶対的か**　抵当権の譲渡等の効力については，譲渡等の当事者間で競売代金の配当における計算上順位が入れ替わるにすぎないとする相対的効力説が通説であり，第三者との関係でもBとDの地位が入れ替わる（抵当権の帰属自体に変更が生ずる）とする絶対的効力説は少数である。たとえば，BからDに抵当権の譲渡がなされた後，AがDに弁済したときは，後説によるとBの一番抵当権が復活しないのに対し，前説によるとBは一番抵当権者として配当を受ける。また，AがBに弁済したときは，後説によるとDの地位は影響を受けないのに対し，前説によると，もととなるBの抵当権が消滅するのでDは譲り受けた抵当権を行使できなくなる。そこで通説は，377条2項の規定は，後説によると不要であり，民法は前説を前提としその不都合を避けるためにこの規定を置いたとするのである。なお，抵当権の順位の変更の制度（(4)）が，抵当権の譲渡・放棄等の効力を相対的とする通説を前提として創設されたため，現在では絶対的効力説は成立の余地はなくなったとされている。

(ウ)　**抵当権の順位の譲渡・放棄**　抵当権の譲渡・放棄との違いは，処分の利益を受けるDが，後順位抵当権者（たとえば三番

IV 抵当権

抵当権者)であるということだけで，要件・対抗要件・効果は，それに準じて考えればよい。抵当権の順位の変更の制度が創設されるまでは，抵当権の順位の譲渡は，抵当権の処分のなかでは実際上重要な意味をもっていた。

(4) 抵当権の順位の変更　たとえば，A所有の800万円の不動産に，一番抵当権者B（債権額600万円），二番抵当権者C（債権額200万円），三番抵当権者D（債権額700万円）がいて，抵当権の順位を絶対的効力をもってD・B・C，あるいはD・C・B等に変更することを，抵当権の順位の変更という（374条1項）。

(ア)　要件　抵当権の順位が絶対的に変更する（帰属自体に変更を生じる）から，各抵当権者（B・C・D）の合意が必要である（374条1項本文。D・C・Bに変更するときも，Cの優先弁済の範囲に変更を生じうる）。利害関係人（376条の抵当権処分の利益を受けている者や被担保債権の差押債権者・質権者など）の承諾も必要である（374条1項ただし書）。債務者，抵当権設定者，保証人などは利害関係人ではない。権利関係を明確にするため，登記は，376条の処分の場合と異なり，単なる対抗要件ではなく，効力発生要件とされている（374条2項）。

(イ)　効果　各債権者への配当は，D・B・Cの場合，それぞれ700万円，100万円，0円，D・C・Bの場合，700万円，100万円，0円のようになる。抵当権の順位の変更は，絶対的効力を生ずるから，合意の当事者や利害関係人に対してはもとより，債務者や抵当権設定者に対しても効力を生ずる。もっとも抵当権の順位の変更にとどまり，他の権利の順位を変更するものではないから，たとえば，先の例でCより先に用益権の設定を受けた者は，変更前の先順位抵当権者Bに弁済することにより，自己より先順位の抵当権を消滅させることができる。

5 抵当権の消滅

(1) **抵当権の消滅**　物権共通の消滅原因（目的物の滅失，取得時効の完成，混同，放棄〔376条1項の抵当権の放棄ではない〕など）および担保物権共通の消滅原因（被担保債権の弁済など付従性による消滅）で消滅するほか，代価弁済，抵当権消滅請求，競売により消滅する。このほか民法は，抵当権の消滅について以下の規定を置いている。

(2) **抵当権の時効消滅**　抵当権は20年間行使されないときは時効消滅する（166条2項）。もっとも，396条は，抵当権は債務者および抵当権設定者に対しては，被担保債権と同時でなければ時効によって消滅しないとする。そこで判例（大判昭15・11・26民集19巻2100頁）は，抵当権は，抵当不動産の第三取得者との関係では，396条の適用がなく，166条2項により20年の時効で消滅するとする。判例に賛成する説も多いが，抵当権の効力を弱めるものであるとする批判も有力である。

(3) **目的物の時効取得による消滅**　抵当不動産の時効取得により抵当権も消滅するが（(1)），債務者および抵当権設定者にまでこれを認めることは適当でないので，これらの者を除外するのが397条の趣旨である。判例（大判昭15・8・12民集19巻1338頁）は，第三取得者も除外されるべきだとし，これに賛成する学説も多いが，反対説もある。

(4) **目的たる用益権の放棄**　地上権または永小作権につき抵当権を設定した者は，これらの用益権を放棄しても，これを抵当権者に対抗しえない（398条）。借地上の建物に抵当権を設定した者の借地権の放棄・借地契約の合意解約の場合も，同様に解される（判例・通説）。

Ⅳ 抵当権

6 共同抵当

(1) 共同抵当の意義　たとえば，AがBに対して有する500万円の債務を担保するため，A所有の土地（価額800万円）と建物（価額200万円）の上に抵当権を設定するように，同一の債権を担保するために，二つ以上の不動産の上に設定された抵当権を共同抵当という（392条）。共同抵当は，担保価値の集積や一部の抵当不動産の価額の下落や滅失などの場合の危険の分散のために，ひろく利用されている。

共同抵当である旨の登記がなされ，共同担保目録が登記所に備えられるが，この登記がなくとも後順位抵当権者等は共同抵当である旨の主張をし，その利益を受けることができる。この登記は，後順位抵当権者等にとってプラスになるのであるから，対抗要件としての意味はない。

(2) 共同抵当における配当　共同抵当権者Bは，土地・建物の双方につき競売を申し立てて優先弁済を受けてもよいし，土地からだけ優先弁済を受けてもよいが，抵当不動産上の後順位抵当権者等（ほかに〔仮〕差押債権者や配当要求債権者など）は，Bの優先弁済の受け方いかんによっては大きな不利益を被る。そこで民法は，共同抵当における配当について一定のルールを定めている。

(ア) 同時配当の場合　先の例で土地につき二番抵当権者C（債権額500万円），建物につき二番抵当権者D（債権額150万円）が存在し，Bが土地と建物の双方につき競売を申し立て同時に配当が行われるときは（これを「同時配当」という），Bは，各不動産からその価額（売却代金）の割合に応じて配当を受ける（392条1項。これを「割付け」という）から，各債権者の配当額は表8のようになる。一方の不動産に後順位抵当権者等が存在しない場合に

325

表8 同時配当の場合

共同抵当目的物	売却代金	一番抵当権（共同抵当）		二番抵当権	
		債 権 額	配 当 額	債 権 額	配 当 額
土　地	800万円	B　500万円	400万円	C　500万円	400万円
建　物	200万円		100万円	D　150万円	100万円

も「割付け」は行われる。

(イ)　異時配当の場合　　(ア)の例でBが土地についてだけ競売の申立てをし，土地の売却代金だけが配当される場合は（これを「異時配当」という），Bは債権全額の配当を受けることができる（392条2項前段）。しかしこれだけでは，土地の後順位抵当権者Cは同時配当の場合に比べて不利益を受けるので，民法は，同時配当の場合であればBが建物から受けるべき配当額の限度で，CはBに代位して，建物につき競売を申し立て配当を受けることができるとしている（392条2項後段）。各債権者への配当は表9のようになる。なお，逆に，Bがまず建物についてだけ競売の申立てをした場合には，Bは債権の一部（200万円）しか弁済を受けないので，なお共同抵当となっている土地につき競売の申立てをして残債権の弁済を受けるが，建物の後順位抵当権者Dは，やはりBに代位して土地の売却代金から配当（100万円）を受けることができる（大連判大15・4・8民集5巻575頁）。

　CあるいはDが代位により配当を受けようとするときは，B

表9　異時配当の場合

共同抵当目的物	配当の順序	売却代金	一番抵当権（共同抵当）		二番抵当権	
			債 権 額	配 当 額	債 権 額	配 当 額
土　地	1	800万円	B　500万円	500万円	C　500万円	300万円 (＋100万円)
建　物	2	200万円		代位したCに100万円	D　150万円	100万円

の抵当権の登記に代位の付記登記をしなければならない（393条）。したがって，付記登記がされる前に，Bはすでに債権の満足を受けたとしてBの抵当権の登記が抹消され，第三者Eが抵当権の設定を受け設定登記を経由したときは，CあるいはDはEに対しては代位を主張できない（大判昭5・9・23新聞3193号13頁）。

(ウ)　392条2項後段の規定は抵当不動産の一部が物上保証人や第三取得者に帰属しているときにも適用されるか　　たとえば，先の例で土地は債務者Aに属するが，建物は物上保証人Fに属している場合，Bが物上保証人所有の建物についてまず競売の申立てをし，売却代金200万円全額を取得したとき，物上保証人Fは499条（弁済者の法定代位）によりBに代位する（501条）が，このFのする代位と債務者所有の土地上の二番抵当権者Cに392条2項後段により認められる権利との衝突および物上保証人所有の建物上の二番抵当権者Dの地位はどうなるだろうか。判例は，499条（平成29年改正前500条）の存在により，392条2項後段は，共同抵当の目的物がいずれも債務者の所有に属する場合にのみ適用があるとし（大判昭4・1・30新聞2945号12頁。もっとも，共同抵当の目的物のいずれもが同一の物上保証人の所有に属する場合にも，392条2項後段の規定は適用される。最判平4・11・6民集46巻8号2625頁），また，物上保証人Fとしては，物上保証人になる時点で他の共同抵当物件である債務者所有の土地から自己の求償権の満足を期待していたものというべく，その後に土地に二番抵当権が設定されたことによりこの期待を失わせるべきではないから，FはBが土地に有した抵当権の全額について求償権の範囲で代位するのであり（先の例ではBはなお300万円の弁済を得ていないからBがまず300万円の配当を受け，残りの200万円からFが配当を受ける），要するに債務者所有不動産の二番抵当権者Cに392条2項後段によ

り認められる権利と物上保証人Fのする代位とが衝突する場合には後者が保護されるのであるとする（最判昭44・7・3民集23巻8号1297頁。同旨－最判昭60・5・23民集39巻4号940頁。Cは300万円の配当を受けるだけ）。また，物上保証人所有不動産の二番抵当権者Dに関して判例（大判昭11・12・9民集15巻2172頁）は，物上保証人FがBに代位する抵当権について，Dはあたかも物上代位（304条）をなすと同じように実行し，優先弁済を受けることができるとしている（200万円中150万円の債権額の限度で弁済を受ける。なお，これは物上代位そのものではないので，差押えは不要とされる。最判昭53・7・4民集32巻5号785頁）（以上，表10参照）。

先の例でBが土地について競売の申立てをしたときは，土地の売却代金800万円からB・Cはそれぞれ500万円，300万円の弁済を受ける。Cは物上保証人F所有の建物につき392条2項後段により代位しうるか。判例（前掲最判昭44・7・3）は，前述の理由により，Cは物上保証人所有の建物には代位できないとしている。

多数学説は以上の判例理論に賛成するが，かかる場合にも392条2項後段の代位を認めるべきであるとする説もある。

判例理論を前提とすると，物上保証人所有の不動産の後順位抵当権者と異なり，債務者所有の不動産の後順位抵当権者は，共同抵当権の被担保債権額全額の負担を覚悟すべきことになる。

Fが物上保証人ではなく債務者からの譲受人（第三取得者）であった場合にも，物上保証人であった場合と同様に解する説があるが，譲渡の当時他の債務者所有の不動産にすでに後順位抵当権が設定されていたときには，この後順位抵当権者Cの期待を裏切るべきではないから，Cに392条2項後段の代位を認めるべきであるとする説が有力であり，このほうが妥当であろう。

Ⅳ 抵当権

表10 物上保証人所有の不動産につき先に抵当権の実行がされた場合

共同抵当目的物	所有者	配当の順序	売却代金	一番抵当権(共同抵当)		二番抵当権	
				債権額	配 当 額	債権額	配 当 額
土地	債務者A	2	800万円	B 500万円	B 300万円 499条により代位したFに200万円(Dがさらに代位)	C 500万円	300万円
建物	物上保証人F	1	200万円		B 200万円	D 150万円	0 (+150万円)

7 根抵当権

(1) 根抵当権の意義と性質　(ア) 根抵当権の意義　たとえば，小売店Aが，問屋Bから継続的に供給を受ける甲商品の代金債務を500万円の限度で担保するため，自分の土地に抵当権を設定する場合のように，「一定の範囲に属する不特定の債権を極度額の限度において担保する」抵当権を根抵当権という(398条の2第1項)。ここにいう「不特定」とは，個々に発生する債権のうちどの債権が担保されることになるかが特定していないことをいい，根抵当権の確定((7)参照)により担保される元本債権が特定する。それまでは，個々の債権の発生・消滅により根抵当権は影響を受けない(付従性はない)。

このような根抵当権は，通常の抵当権(普通抵当)と異なるものであるが，古くから慣行として行われ，判例法上も認められ，頻繁に利用されてきた。しかし，以前には規定がなかったため，解釈論上の争いも多かった。とりわけ，根抵当権によって担保される不特定の債権を発生させる「基本契約」(甲商品供給契約，当座貸越契約，手形割引契約などの具体的な継続的信用取引契約)の存在する根抵当権のみが有効であり，根抵当権は基本契約に付従する

と解すべきなのか,それとも,実際上はしばしば行われてきたような,A・B間の商品供給契約から生ずる一切の債権や,AとB銀行間の当座貸越・手形割引をはじめとする銀行取引から生ずる一切の債権を担保する根抵当権(抽象的な継続的信用取引(契約)は存在する),あるいはさらに,取引・非取引にかかわらず「BのAに対する一切の債権」を担保する根抵当権(包括根抵当)も有効と解すべきなのかが,激しく争われた。このような解釈論上の争いを解決するため,根抵当権の立法化が行われ,昭和46年に民法の一部が改正されたのである(398条の2~398条の22の追加)。

(イ) 根抵当権の性質　根抵当権の上記の特質から,根抵当権は確定するまでは付従性・随伴性を有しない((4)(6)参照)。不可分性・物上代位性(ただし398条の20第1項1号参照)は認められる。

(2) 根抵当権の設定と内容　(ア) 根抵当権の設定契約・対抗要件　根抵当権は,根抵当権設定者Aと根抵当権者Bとの設定契約により設定される。設定契約には,必ず被担保債権の範囲(被担保債権の範囲を定めるには,いかなる債務者に対する,いかなる種類の債権であるかを明らかにする必要がある。(イ)(a)参照)および極度額を定めなければならない。元本確定期日が定められることもある(398条の6)。根抵当権の対抗要件は登記であり,設定登記には,これらの事項が記載される(不登88条2項)。

(イ) 根抵当権の内容　根抵当権の内容は,次の三つにより定まる。

(a) 被担保債権の範囲　根抵当権によって担保される不特定の債権は,一定の範囲に属するものでなければならず(包括根抵当の禁止。398条の2第1項),原則として,債務者との一定の種類の取引によって生ずるものに限定される(398条の2第2項)。甲商品の継続的供給契約・当座貸越契約などの具体的な継続的信

Ⅳ 抵当権

用取引契約（基本契約）によって生ずるものはもとより，商品供給取引・銀行取引などの抽象的な継続的信用取引によって生ずるものであってもよい（基本契約は必ずしも必要としない。最判平5・1・19民集47巻1号41頁は，被担保債権の範囲が「信用金庫取引による債権」とされた場合，信用金庫の根抵当債務者に対する保証債権も被担保債権に含まれるとした）。第三者と債務者との取引によって第三者が取得した債権を根抵当権者が譲り受けても，被担保債権とはならない。

例外的に，債務者との取引によって生ずる債権ではないが，契約により被担保債権となしうるものがある（398条の2第3項）。①特定の原因に基づき債務者との間に継続して生ずる債権。A工場の排水により継続的に生ずるBの損害賠償請求権など。②手形上または小切手上の請求権（いわゆる「回り手形（小切手）」上の請求権）。Aが第三者のために振出・裏書し転々流通した手形（小切手）を根抵当権者Bが取得した場合，Bの手形（小切手）上の請求権を，根抵当権によって担保させることができる。ただし，債務者Aの資力が悪化した場合にもこれを認めると，極度額に余裕のあるBがAに対する手形を安く買い集めてこれを被担保債権にしてしまうことがあるので，一定の制限が設けられている（398条の3第2項1号～3号）。③電子記録債権（電子記録債権法2条1項に規定する電子記録債権）。これについても②の請求権と同様の制限が設けられている。

　(b) 極度額　　根抵当権によって優先弁済を受けうる上限額を極度額といい，元本，利息その他の定期金および債務不履行による損害賠償の全部につき極度額を限度として優先弁済を受ける（398条の3第1項）。元本のみが極度額によって制限されるとする元本極度額ではなく，債権極度額がとられたわけである。375条

の制限を受けない。

(c) 確定期日　根抵当権の確定により担保される債権の元本が特定するが，根抵当権の確定すべき期日を，当事者は5年以内の日においてあらかじめ定めることができる（398条の6第1項3項。なお，398条の19参照）。

(3) 根抵当権の内容の変更　(2)(イ)の根抵当権の内容は，根抵当権設定者と根抵当権者の合意によってこれを変更することができる。極度額の変更以外は，確定前になされなければならない。

(ア) 被担保債権の範囲および債務者の変更（398条の4）　甲取引を乙取引に変更したり，甲取引に乙取引を追加したりすることができるし，債務者Aを債務者Dに変更したり，債務者Aに債務者Dを追加したりすることもできる。後順位抵当権者その他の第三者の承諾は不要である。元本確定前に登記をしないと，変更の効力は生じない。

(イ) 極度額の変更（398条の5）　極度額の増額・減額が可能である。ただし，利害関係人（たとえば，増額の場合には後順位抵当権者・差押債権者，減額の場合には転根抵当権者など）の承諾が必要となる。通説は，登記が効力発生要件であるとしている。

(ウ) 確定期日の変更（398条の6）　確定期日が定められていた場合，5年以内の日においてこれを変更することができ，また廃止することもできる。変更につき登記が必要であり，すでに定められていた確定期日前に登記をしないときは，その期日に根抵当権は確定する。

(4) 被担保債権の譲渡・質入れおよび債務引受と根抵当権の随伴性の否定　元本の確定前に，根抵当権者Bが債務者Aに対して有する被担保債権をCが譲り受けても，根抵当権はこの債権に随伴しない（398条の7第1項前段）。債務者Aのために，ま

Ⅳ 抵当権

たはAに代わって被担保債務をBに弁済したCも，Bの有する債権には代位するが，根抵当権には代位しえない（398条の7第1項後段。499条〜501条参照）。BがAに対して有する被担保債権が質入れされたり，差し押さえられたりした場合の根抵当権の随伴性については，規定がなく争われており，債権が依然として根抵当権者に帰属していることから肯定する見解も有力であるが，否定する見解がやや多い。

同様に，元本の確定前に，AのBに対する被担保債務をCが引き受けたとき，Bはその債務につき根抵当権を行うことができないし（398条の7第2項），元本の確定前に免責的債務引受があった場合における債権者は，472条の4第1項の規定にかかわらず，根抵当権を引受人が負担する債務に移すことができない（398条の7第3項）。また，元本の確定前に債権者の交替による更改があった場合における更改前の債権者は，518条1項の規定にかかわらず，根抵当権を更改後の債務に移すことができない（398条の7第4項前段）。元本の確定前に債務者の交替による更改があった場合における債権者も，同様である（398条の7第4項後段）。

(5) 確定前の根抵当権者または債務者の相続・合併（会社分割の場合は398条の10）　(ｱ)　根抵当権者の相続（398条の8第1項）

元本確定前に根抵当権者Bにつき相続が開始したときは，相続開始時点でBのもとで発生していた債権を根抵当権が担保するのは当然であるが，Bの相続人と設定者aとの合意がなされれば，合意によって定められた相続人B′が相続開始後に債務者Aに対して取得した債権も担保する（この(5)では，合意の当事者との関係で物上保証の例により説明する）。合意を必要としたのは，合併の場合と異なり，相続人が複数いるときはどの相続人が継続的

333

取引関係を引き継ぐかを明らかにする必要があるし，またそもそも相続人が継続的取引関係を引き継ぐことを相続人，あるいは逆に設定者が望まないこともあるからである。この合意には後順位抵当権者などの承諾を必要としないが，合意につき相続開始後6ヵ月以内に登記をしないときは，元本は相続開始の時に確定したものとみなされる（398条の8第3項4項）。

(イ)　債務者の相続（398条の8第2項）　元本確定前に債務者Aにつき相続が開始したときは，相続開始時点でAのもとで発生していた債務を根抵当権が担保するのは当然であるが，根抵当権者Bと設定者aとの合意がなされれば，合意によって定められた相続人A'が相続開始後にBに対して負担した債務も担保する。なお，継続的取引関係の引継ぎについては，BとAの相続人との合意が必要となる。後順位抵当権者等の承諾不要や6ヵ月以内の登記の必要は，(ア)と同様である。

(ウ)　根抵当権者の合併（398条の9第1項）　元本確定前に根抵当権者であるB法人につき合併がありB'法人となったときは，根抵当権は，合併の時に存する債権のほか，合併後にB'法人が取得した債権も当然に担保する。設定者aとB'法人の合意を不要としたのは，合併の場合は相続の場合と異なり，従来からの取引が新法人にそのまま引き継がれるのが一般的だからである。ただし，設定者（債務者が設定者であるときでもよい）がこれを望まないときは，設定者は元本の確定を請求することができる（398条の9第3項4項。なお5項の期間の制限参照）。

(エ)　債務者の合併（398条の9第2項）　元本確定前に債務者A法人につき合併がありA'法人となったときは，根抵当権は，合併の時に存する債務のほか，A'法人が合併後に負担する債務も当然に担保する。ただし，債務者以外の設定者aは，これを

IV 抵当権

望まないときは，元本の確定を請求することができる（398条の9第3項〜5項）。債務者A′法人が設定者である場合に確定請求ができないのは，設定者の側の都合で合併がなされたからである。

(6) 確定前の根抵当権の処分　元本の確定前には，転抵当以外の376条1項の処分（相対的効力をもつ処分）はなしえない（398条の11第1項）。転抵当，および根抵当権を被担保債権から完全に切り離した絶対的効力をもつ処分である以下の(イ)(ウ)(エ)の処分が，元本の確定前には認められる。絶対的効力をもつ根抵当権の順位の変更（374条1項）は，元本の確定の前後を問わず認められる。

(ア)　根抵当権の転抵当（転根抵当）（398条の11第1項ただし書）
　Cの根抵当権者Bに対する債権（300万円）を担保するために，Bは根抵当権を担保に入れることができる（転抵当）。しかし，被担保債権が増減変動する根抵当権の特質上，債務者Aは転抵当権者Cの承諾なしには原抵当権者Bに弁済しえないとする377条2項は適用されない（398条の11第2項）。したがって，転根抵当権実行時には，BのAに対する債権がわずかになってしまっている（たとえば50万円）ということもあり，転根抵当権は確実な担保方法とはいえない。

(イ)　根抵当権の全部譲渡（398条の12第1項）　元本確定前には，根抵当権者Bは，設定者Aの承諾を得て根抵当権をCに譲渡することができる。登記が第三者対抗要件である。Bの債権は無担保債権になる。譲受人CのAに対する債権で被担保債権の範囲に属するものは，根抵当権によって担保される。CがすでにAに対して取得していた債権も，被担保債権の範囲に属するものであれば，担保されると解する。これに対して，BのAに対する債権がCに譲渡されても，この債権は根抵当権によっては当然には担保されない（特定の債権であるが，被担保債権の範囲の変

更によりこれを被担保債権の範囲に加えうる)。根抵当権の全部譲渡には、設定者と譲渡人との合意により被担保債権の範囲の変更や債務者の変更を伴うことが多い。

(ウ) **根抵当権の分割譲渡**(398条の12第2項)　元本確定前には、たとえば根抵当権者Bが極度額500万円の根抵当権を設定者Aの承諾を得て、極度額400万円と100万円の根抵当権に分割して、極度額100万円の根抵当権をCに譲渡することができる(登記は(イ)と同様)。根抵当権を目的とする権利者がいるときは、その承諾が必要である(398条の12第3項)。BとCとは同順位のそれぞれ独立の抵当権者となる。競売の場合、BとCとはそれぞれの極度額を限度として配当を受けるから、売却代金(配当にあてられるべき金銭。民執84条・86条参照)がBとCの極度額の合計額より多くても、債権額がB200万円、C800万円であれば、B200万円、C100万円の配当を受けるにすぎない。根抵当権の上の権利は、譲り渡した根抵当権については消滅する(398条の12第2項後段)(表11参照)。

(エ) **根抵当権の一部譲渡**(398条の13)　一部譲渡は、分割譲渡と異なり、たとえば根抵当権者Bの有していた極度額500万円の根抵当権を設定者Aの承諾を得て、Bと譲受人Cとで準共有することである。競売の場合、BとCは、極度額を限度として配当を受け、BとCの各債権額に応じて割りふられる(398条の14第1項)。売却代金が極度額(500万円)より多く、債権額がB200万円、C800万円であれば、B100万円、C400万円の配当を受ける。ただし、元本確定前にこれと異なる割合を定め、あるいは、一方が他方に優先して弁済を受けるべきことを定めたときは、それによる。この特約については登記が必要である(不登88条2項4号。また398条の14第2項参照)(表12参照)。

表11 〔分割譲渡〕売却代金 700 万円の場合

根抵当権者	Cへ分割譲渡		配　　当		
極　度　額	根抵当権者	極　度　額	債　権　額	配　当　額	
B	B	400 万円	B　200 万円	B　200 万円	
500 万円	C	100 万円	C　800 万円	C　100 万円	

表12 〔一部譲渡〕売却代金 700 万円の場合

根抵当権者	Cへ一部譲渡		配　　当		BがCに優先する特約のある場合の配当額
極　度　額	根抵当権者	極　度　額	債　権　額	配　当　額	
B	B・C	500 万円	B　200 万円	B　100 万円	B　200 万円
500 万円	（準共有）		C　800 万円	C　400 万円	C　300 万円

(オ) 抵当権の順位の譲渡などを受けた根抵当権の譲渡（398条の15）　元本確定前にも，根抵当権者が普通抵当権者から抵当権の順位の譲渡または放棄を受けることは可能であり，このような処分の利益を受けた根抵当権者が，根抵当権の譲渡または一部譲渡（(イ)(ウ)(エ)）をしたときは，譲受人もその処分の利益を受けることができる。

(7) 根抵当権の確定　(ア) 確定の意義　根抵当権の確定とは，根抵当権によって担保される元本債権が特定することであり，その後に発生する元本債権は担保されなくなる。民法は，これを「元本の確定」という。これにより，根抵当権はほぼ普通抵当と同様になるが，利息についてはなお極度額まで担保される。

(イ) 確定を生ずる場合　次の事由が生じたとき根抵当権は確定する。①確定期日の定めのある場合にその期日が到来したとき。②確定期日の定めのない場合に，根抵当権設定後3年を経過してから，設定者が根抵当権の確定請求をし，2週間を経過したとき

(398条の19第1項3項)。これは，設定者（とくに物上保証人）が長期間根抵当権に拘束されることを防ぐためである。③確定期日の定めのない場合に，根抵当権者が根抵当権の確定請求をしたとき（398条の19第2項3項）。④398条の20第1項に掲げる確定事由が発生したとき。⑤相続の場合に合意の登記がなされないとき（398条の8第4項）。⑥合併の場合に確定請求があったとき（398条の9第3項4項）。(5)参照。

(ウ) 確定の効果　(a) 確定の効果　根抵当権の確定により，担保されるべき元本債権が特定し，それ以後に発生した元本債権は担保されないことになる。ただし，利息については，確定後に発生したものでも，極度額までは担保される（375条の適用なし）。確定により根抵当権は，普通抵当と同じようになり，確定前にはできた根抵当権の内容の変更（(3)参照。極度額の変更は可能）や根抵当権の処分（(6)の(イ)(ウ)(エ)）などができなくなるが，逆に確定前にはできなかった転抵当以外の376条1項の処分ができるようになり，また，付従性・随伴性が認められるようになる。このほか，設定者あるいは利害関係人のために，確定後には次の権利が認められている。

(b) 極度額減額請求権（398条の21）　元本確定時に存在する債権額が極度額をかなり下まわっている場合に，根抵当権者は，利息・遅延損害金を極度額まで担保させるために，抵当権の実行をしないでいることがあるが，これは担保価値の有効利用に反する。そこでこのような場合，設定者は，根抵当権の極度額を，現に存在する債務の額とその後2年間に生ずる利息や遅延損害金の額とを加えた額（375条参照）に減額するよう請求できる。この請求権は，根抵当権者への一方的意思表示により効力を生ずる。後述の共同根抵当（(8)）では，この請求は一つの不動産について行

えばよい（398条の21第2項）。

(c) 根抵当権消滅請求権（398条の22）　(b)とは反対に，元本確定時に存在する債権額（たとえば800万円）が極度額（500万円）を上まわっている場合には，物上保証人，あるいは抵当不動産について所有権，地上権，永小作権もしくは対抗力のある賃借権を取得した第三者は，極度額の500万円を根抵当権者に支払うか供託して，根抵当権の消滅を請求できる。物上保証人やこれらの第三者は，抵当不動産の競売によって不利益を被るので，被担保債権を弁済して根抵当権を消滅させたいが，そのために極度額を超える債権全額を支払わなければならないとすると，これらの者に気の毒だからである。残りの300万円は無担保債権となる。これは，普通抵当の場合の抵当権消滅請求（3G(3)）に類似するものであるから，抵当権消滅請求をなしえない者（380条・381条）は，この請求をなしえない（398条の22第3項）。次の共同根抵当では，この請求は一つの不動産について行えばよい（398条の22第2項）。

(8) 累積根抵当と共同根抵当　たとえば，A所有の甲地および乙地にBが被担保債権の範囲を共通にする根抵当権（極度額500万円）の設定を受けた場合，Bは，各々の不動産につき極度額の500万円まで（あわせて1000万円）優先弁済を受けうるのか，それとも，普通抵当の場合のように，両不動産からあわせて500万円の限度でしか優先弁済を受けえないのかが問題となる。前者を累積根抵当といい，後者を共同根抵当（純粋共同根抵当）という。民法は，累積根抵当を原則とし，次の要件がある場合に限り，共同根抵当としている（398条の18）。

共同根抵当とするためには，根抵当権設定と同時に共同担保である旨の登記がなされなければならず（398条の16），また，被担

保債権の範囲，債務者および極度額が各不動産について同一でなければならない。共同根抵当については，共同抵当に関する392条・393条が適用される。被担保債権の範囲，債務者もしくは極度額の変更，または根抵当権の譲渡・一部譲渡は，すべての不動産について同一に行わなければならないし，またその登記をしなければ効力を生じない（398条の17第1項）。また一つの不動産について確定事由が生じたときも，共同根抵当の担保すべき元本は確定する（398条の17第2項）。

第3章　非典型担保

I　序　説

1　非典型担保の意義と種類

(1)　**非典型担保とは**　Aが，Bに対する債権を確実に回収できるようにするために，A・B間の合意によりBまたは第三者（物上保証人）に属する物または財産権を担保にとる方法として，民法は，質権と抵当権とを設けている。しかし，実際の取引社会では，これら以外に，たとえば，Aが，あらかじめB所有の物の所有権を取得しておいて，債務が履行されたら返還するが，債務不履行の場合にはこれを確定的に取得することで本来の債務の弁済に代えるといったように，質権・抵当権以外の制度を利用して担保の目的を達しようとすることが，かなり頻繁に行われている。

このように実務界の要請から生まれた民法の予定していない特殊な形態の物的担保を「非典型担保」あるいは「変形担保」，「変態担保」などと呼んでいる。

(2)　**非典型担保の種類**　非典型担保の内容はきわめて多様であるが，最も代表的なものとして，①あらかじめ担保の目的となる権利を債権者に移転させておいて，債務が履行されるとこれを設定者に返還するタイプのものと，②債務が履行されないときにはじめて目的となっている権利を債権者に移転させるタイプのも

のとがある。①は，目的物をあらかじめ債権者に譲渡しておく点に特色を有しているところから「譲渡担保」と称され，②のタイプのものは，債務不履行があったときには目的物を取得できるという債権者の期待権を仮登記（不登105条以下）等によって保全するところから「仮登記担保」と呼ばれている。

これらのほかに，多少特殊な要素を含むものとして，「所有権留保」と呼ばれるものがある。これは，商品を代金分割払で売却した場合などに，商品は直ちに買主に引き渡すが，代金が全額支払われるまではその所有権を売主のもとに留保しておくといった形式のものであり，売買代金債権を売買の目的物の所有権で担保する点に特色を有するが，債務が弁済されるまで債権者が目的物の所有権を保持するという点では，譲渡担保と同様の法形式をとるものといってよい。

2 非典型担保の特色と機能

(1) 権利移転型非占有担保　　非典型担保は，目的物の占有を設定者から奪うことを必要としていない点で，質権と異なり，抵当権と共通の特徴を有する（非占有担保）。また，目的物の所有権その他の権利を債権者が取得することによって債権を回収する点で，他物権（制限物権）としての質権や抵当権と根本的に異なっている（権利移転型ないし所有権取得型担保）。

しかし，非典型担保は，債権者が所有権その他の権利を取得するという法形式をとってはいるが，その実質的・経済的な目的が債権の担保にあるという点では質権・抵当権と変わりがない。この法律上の形式（財産権の移転）と経済的・実質的目的（債権の担保）の間の食い違いを最も合理的に埋めていくにはどうしたらよいかということが，非典型担保をめぐる解釈論の中心的な課題と

なる。この点についての検討を進めるためには，なぜ非典型担保が用いられるようになったかを明らかにしておく必要がある。

(2) なぜ非典型担保が用いられるのか 非典型担保が実務上ひろく用いられるようになった主要な理由としては，次のようなことが考えられる。

① 動産は原則として抵当権の目的とすることができないが，営業活動や日常生活に不可欠な動産のように質に入れる（債権者に占有を移す）のになじまない動産を担保に入れる方法が必要とされる。また，「のれん」のような形成途上にある財産権や将来取得するかもしれない財産を担保化したり，各種財産を含む事業体を担保に入れたりする場合にも，法定の担保方法だけでは不十分といわざるをえない。非典型担保は，目的物の占有を移すことなくして，所有権その他の観念的なタイトルだけを移転するという法形式をとるものであるから，譲渡可能な財産権でありさえすれば，何でも目的とすることができる（譲渡禁止特約の付された債権については，代理受領・振込指定などの方法が用いられてきた）。

② 目的物の価額が被担保債権額よりも高額な場合や目的物の価額が上昇している場合には，債権者が目的物を取得することにより，その差額や上昇益を利得しうる。

③ たとえば，石油販売会社が多額の資金援助をして自社系列のガソリン・スタンドを育成するような場合に，その債権を担保する手段として抵当権を用いると，当該スタンドが倒産して抵当権を実行した際に，競争会社がこれを競落するという事態が生じうる。非典型担保によるときは，債権者が目的物を確実に取得することが可能となり，そうした不都合を避けることができる。

④ 競売手続は手数と費用がかかるうえに，売却価格も低くなりがちで，債権者のみならず債務者にとっても利益が少ないが，

非典型担保によるときは，当事者間で簡易に実行ができる。

⑤　抵当権については，抵当権設定後の賃借人による占有の負担を受けたり（395条），抵当権の消滅を請求されたり（379条以下），優先弁済を受けうる債権の範囲が限定される（375条）といった制限が課されているが，非典型担保には，こうした制限が存しない。

以上の各理由のうち，①および③④⑤については一応その合理性を認めることができるから，それが債務者や第三者の権利を不当に害することのない限りにおいては，当事者意思に応じた効果を認めてよいが，②については，これを自由に認めると，経済的な強者が債務者の窮迫状態に乗じて暴利をむさぼることになるので，債権者に必要以上の利益を与えることのないように配慮しなければならないといえよう。

3　本章の内容と叙述の順序

非典型担保に関する議論は，当初，譲渡担保をめぐって発展した。しかし，昭和40年代を中心に仮登記担保をめぐる判例法の形成が目ざましく，これが譲渡担保等に影響を及ぼすようになり，やがて，昭和53年には「仮登記担保契約に関する法律」（以下，本章で引用する際は「仮登」とする）が制定されるにいたった。今日，非典型担保について考察する際に，同法の存在を無視することはできない。それゆえ，本章では，まず仮登記担保の概要について説明し（Ⅱ），その後に譲渡担保（Ⅲ）および所有権留保（Ⅳ）について概説する。

Ⅱ 仮登記担保

1 序 説

(1) 仮登記担保とは　AがBにお金を貸したときに、もしBが約定の期日に借金を返さなかったら、Bまたは第三者（物上保証人）に属する所有権その他の財産権を債権者Aに移転させ、それによって本来の債務の履行に代える旨を約束し、この約束に基づいて将来財産権を取得できるかもしれないというAの期待権を仮登記または仮登録によって保全する、といった形式の担保を「仮登記担保」と称する（仮登1条参照）。

(2) 仮登記担保の社会的機能　仮登記担保は、担保権実行の時まで目的物の使用・収益を設定者にとどめておくことができるので、生産活動や日常生活に必要な物を担保化するのになじむ。しかし、債権者の権利取得の期待権を仮登記または仮登録によって保全しなければ実効性がないため、実際にはもっぱら不動産について用いられており、抵当権を設定できない財産についての非占有担保手段としての機能はほとんど認められない。

　実務上仮登記担保が用いられるようになった主な理由は、抵当権の実行に伴うさまざまな不都合を回避しようとするところにあると解され、実際にも、抵当権と併用されている例が多い。その限りでは、抵当権の実行方法に関する特約（抵当直流・流抵当特約）にすぎないともいいうるが、抵当権と併用されないケースもあり、両者を統一的に把握するために、これを抵当権とは別個独立の担保制度として理解するようになっている。

　仮登記担保を用いることの債権者にとっての最大の利点は、目的物価額と被担保債権額の差額を利得しうるところにあった。確

かに，目的物の価額は当事者が自由に評価すればよく第三者の干渉すべきことがらではないといいうるし，代物弁済の場合には目的物の価額と本来の債権額とに差額があっても原則としてその清算を請求することはできないと解されている。しかし，金銭を貸与するのと引き換えに所有権その他の財産権を債権者に移転することを約するときには，しばしば債務者の窮迫状態に乗じた暴利行為が行われてきたので，民法も流質契約についてはこれを禁止しており（349条），仮登記担保も，同様の危険性を内包しているということができる。判例は，当初，被担保債権額に比べて目的物の価額が著しく高く暴利行為に相当する場合について，個別的に民法90条を適用して無効としていたが，やがて，仮登記担保が債権担保の手段にすぎないという実質に着目して，原則として常に目的物価額と被担保債権額の差額を清算すべきものとするようになり（最判昭42・11・16民集21巻9号2430頁等），これが仮登記担保法に受け継がれている。

2　仮登記担保権の設定

(1)　仮登記担保契約とは　　上に述べたような目的を達するための契約としては，伝統的に，①代物弁済の予約，②停止条件付代物弁済契約，③売買予約の3種のものが用いられてきた。

これらの契約を文言どおりに解釈すると，①および③（予約型）の場合は，債権者が予約完結の意思表示をした時にはじめて目的物が債権者に移転して債務が消滅するから，債務者は，弁済期が過ぎた後でも予約が完結されるまでなら，本来の債務を弁済することで目的物を保持できるのに対し，②（停止条件付契約型）の場合には，債務不履行によって当然に停止条件が成就して，目的物は債権者に移転し，債務は消滅してしまうから，債権者との間で

改めて売買契約を結ぶ以外に目的物の所有権を回復する途がないことになる。そのため、かつて判例・学説は、①か②か明らかでないときは債務者に有利な①の形式のものと解すべきであるといった解釈論を展開していた。しかし、その後、原則として常に目的物価額と被担保債権額の差額を清算すべきであり、清算金の支払の時までは、債務全額を弁済して仮登記担保権を消滅させることができると解されるようになり（最大判昭49・10・23民集28巻7号1473頁）、その限りで、①と②とを区別する実益は失われた。同じく、代物弁済の制度を利用する①②と売買契約を利用する③とを区別して取り扱う必要もないと解されるようになり（最判昭45・8・20民集24巻9号1320頁）、結局、いずれの形式を用いるものであっても同様に、一種の債権担保契約と解すればよいこととなった（ただし、売買予約には、担保のために行われるものと、本来のものとがあるため、その両者の区別は今日においてもなお問題となる）。

仮登記担保法は、こうした判例法の展開を受けて、「金銭債務を担保するため、その不履行があるときは債権者に債務者又は第三者に属する所有権その他の権利の移転等をすることを目的としてされた代物弁済の予約、停止条件付代物弁済契約その他の契約で、その契約による権利について仮登記又は仮登録のできるもの」を一括して「仮登記担保契約」と称し、基本的に共通の規制に服させることとしている（仮登1条）。

(2) 仮登記担保契約の締結　(ア) 当事者等　債権者と設定者（債務者または物上保証人）との間の諾成・無方式の契約によって行われる。

(イ) 契約の内容　仮登記担保法の適用の対象となる「仮登記担保契約」は、①担保を目的とするものであること、②金銭債務を担保するものであること、③債務不履行があるときに、所有権

その他の権利（地上権・賃借権など）を債権者に移転することを内容とする契約であること，④仮登記または仮登録をすることができるものであること（実際に仮登記または仮登録をしていなくてもよい），の四つの要件をすべて満たすものに限られる（仮登1条）。これらの要件のいずれかを欠く代物弁済予約その他の契約も有効であるが，仮登記担保法の適用範囲外に置かれる。

なお，仮登記担保法は，土地・建物（の所有権）に関する仮登記担保契約についての規定のみを置き，その他のものについては，これを準用するものとしている（仮登20条）。

(3) 公示方法　　仮登記または仮登録によって公示する。この場合の仮登記（仮登録もこれに準ずる。以下同じ）を「担保仮登記」と称する（仮登4条1項・20条）。本来，仮登記には順位保全の効力のみが認められ（不登106条），対抗力は認められないのであるが，担保仮登記は，所有権取得権についての順位保全効と同時に，優先弁済権の「本登記」としての効力をも有すると考えてよい（仮登13条1項・20条参照）。ただし，担保仮登記は，所有権等に関する登記として登記簿に記入され，債務者や被担保債権についての記載がなく，その公示機能には限界がある。

3　仮登記担保権の効力

(1) 所有権取得的効力と優先弁済的効力　　仮登記担保契約は，債権者に目的物を取得させることを内容としている。しかし，その実質的な目的は債権担保にあるのだから，被担保債権について優先弁済を受けさえすれば目的は達せられるのであって，必ずしも常に所有権を取得させる必要はないということもできる。そこで，仮登記担保法は，一方で，仮登記担保権者が私的実行手続により目的物の所有権を取得することを認めながら，他方で，他の

債権者によって競売手続が開始された場合には，その手続内で順位に応じた配当を受けさせるにとどめ，仮登記担保権者が所有権取得権能を行使して進行中の競売手続を覆すことはできないものとしている（後述 **5**）。

(2) 目的物の範囲　仮登記担保権の効力の及ぶ目的物の範囲は，抵当権と同様に解すればよく，民法 370 条等を類推適用することができる。不可分性（296 条・372 条），物上代位性（304 条・372 条）も認められる。

(3) 被担保債権の範囲　普通仮登記担保と根仮登記担保に分けて考える必要がある。

(ア) 普通仮登記担保　①仮登記担保権者が，目的物の所有権を取得することによって債権の満足を得ようとするときには，清算期間（後述 **4**(2)）経過の時に存する債権および設定者が負担すべき費用で債権者が代わって負担したものの全額が担保され（仮登 2 条 2 項），民法 375 条の定めるような制限はない。②これに対し，他の債権者によって開始された競売手続のなかで優先弁済を受けようとする場合，または，先順位仮登記担保権の実行に際して清算金債権に物上代位しようとする場合には，民法 375 条に準じて，最後の 2 年分の利息・遅延損害金についてのみ権利を行うことができる（仮登 4 条 3 項・13 条 2 項 3 項）。破産手続，再生手続および会社更生手続との関係では，抵当権に準じて取り扱われる（仮登 19 条 1 項〜4 項）。

(イ) 根仮登記担保　担保仮登記には，被担保債権の種類や極度額を記載することができないため，根仮登記担保を無限定に認めると第三者に不測の損害を与えるおそれがある。そこで，仮登記担保法は，その効力を当事者間に限定し，根仮登記担保権に基づいて目的物の所有権を取得することは認めるけれども，競売手

担保物権法編　第3章　非典型担保

続，破産手続，再生手続および会社更生手続との関係では，その効力を否定し（仮登14条・19条5項），先順位仮登記担保権者の支払う清算金への物上代位も認められないものとした（仮登4条2項括弧書）。

4　仮登記担保権の私的実行

(1)　私的実行開始の要件　　仮登記担保権者が目的物の所有権を取得することで債権の満足を受けることを私的実行という。私的実行を開始するためには，被担保債権の債務者が履行遅滞に陥ったこと，および，仮登記担保契約において定められた所有権移転の要件（停止条件付契約の場合には条件の成就，予約型の場合には予約完結の意思表示）が満たされたことが必要である。

(2)　所有権の取得　　(1)の要件が満たされたとしても，それによって直ちには所有権が債権者に移転せず，債権者から設定者

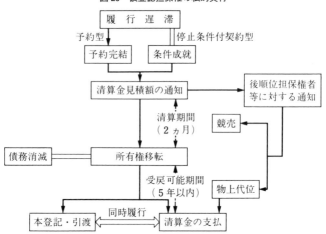

図29　仮登記担保権の私的実行

Ⅱ 仮登記担保

(目的物が第三者に譲渡されていても当初の設定者。第三取得者等の取扱いについては後述(4)(6)参照) に対して，清算金の見積額（清算金がないと認めるときは，その旨）を通知し，その通知が到達してから2ヵ月の期間（清算期間）が経過した日にはじめて所有権移転の効力が生ずる（仮登2条1項）。

(3) **債務の消滅と受戻し**　所有権の移転によって，被担保債権は目的物価額の限度で消滅するが（仮登9条），設定者は，清算金の支払を受けるまでは，債務が消滅しなかったならば支払うべきであった金額を債権者に提供して所有権の受戻しを請求することができる。ただし，清算期間が経過した時から5年が経過したとき，または第三者が所有権を取得したときは，この限りでない（仮登11条）。

(4) **本登記および引渡しの請求**　清算期間が経過して所有権が移転すると，仮登記担保権者は，設定者に対し本登記および引渡しをせよと請求する権利を取得する。ただし，本登記および引渡しをなす義務と清算金支払債務とは同時履行の関係に立ち（留置権も成立する。最判昭58・3・31民集37巻2号152頁），これに反する特約で設定者に不利なものは，清算期間経過後に合意されたものを除き，無効とされる（仮登3条2項3項）。

担保仮登記後に登記された権利を有する者（後順位担保権者・第三取得者など）があるときは，その者の承諾書またはこれに対抗することのできる裁判の謄本がなければ，本登記をすることができない（不登109条1項，不登令別表69）。この場合，後順位担保権者等は，承諾を拒むことができず，その権利は設定者の清算金請求権を差し押さえることによって保全することになる。

(5) **清算**　仮登記担保権者は，清算期間経過の時の目的物価額と被担保債権額との差額（清算金）を設定者（第三取得者や後順

351

位担保権者がいる場合でも同じ）に支払わなければならない。これに反する特約で設定者に不利なものは，清算期間経過後になされた場合を除き，無効とされる（仮登3条）。これとは逆に，清算期間経過の時の目的物価額が被担保債権額を下まわっているときには，反対の特約がない限り，被担保債権は目的物価額の限度においてのみ消滅し，債務者は差額分の債務を免れない（仮登9条）。

(6) 後順位担保権者の地位　　仮登記担保権が本来の所有権取得権であるとするならば，仮登記後に対抗要件を備えた後順位担保権は，仮登記担保権者が本登記をなすのと同時に当然に消滅するはずであるが（不登109条2項参照），担保権としての実質に着目するときは，目的物の残存担保価値は後順位担保権者に帰属していると解することができる。仮登記担保法は，この後者の考え方に基づいて，後順位担保権者は，①清算金の支払までに競売を申し立てて，競売手続中で配当を受けるか（仮登12条・15条等参照），②仮登記担保権者が設定者に支払う清算金に物上代位することによって，その順位に応じた弁済を受けられるものとした（仮登4条）。

後順位担保権者が物上代位をするためには，清算金が設定者に払い渡される前に差押えをしなければならない（仮登4条1項2項）。この差押えを確実に行えるようにするために，私的実行を開始した債権者はその旨を後順位担保権者に通知するものとし（仮登5条1項），清算期間満了までは清算金債権について譲渡その他一切の処分を禁じ，清算期間経過前に清算金を支払ってもそれをもって後順位担保権者に対抗しえないものとしている（仮登6条。なお，仮登5条1項の趣旨につき，最判昭61・4・11民集40巻3号584頁も参照せよ）。

5 競売手続等と仮登記担保権

　仮登記担保権の目的物について競売手続が開始されたときに，仮登記担保権をどのように処遇するかが問題となる。仮登記担保権を純然たる所有権取得権と考えると，先順位担保権が実行されたときには，これに対抗できないために消滅し（民執59条2項），後順位担保権の実行または一般債権者による強制執行の場合には，本登記を条件として競売手続が排除されるか，仮登記担保権が買受人に引き受けられると解すべきことになる。しかし，仮登記担保法13条は，これを担保権と考えて，いずれの場合にも，競売手続が開始された以上は競売手続のなかで優先弁済を受けて消滅すべきものとしている。さらに，仮登記担保権の私的実行が開始された後であっても，清算金が支払われるまでに競売手続がとられた場合には担保仮登記に基づく本登記の請求をすることができないとして，競売手続優先の考え方を貫いている（仮登15条）。なお，破産手続・民事再生手続・会社更生手続との関係においても，仮登記担保権は抵当権とみなされている（仮登19条1項～4項）。これらの手続において根仮登記担保権の効力が否定されている点については，すでに述べた。

6 仮登記担保権と用益権の調整

(1) 民法395条等は類推適用されるか　　仮登記担保権が実行さ　★★
れるまでは，目的物の所有権は設定者にとどめられているから，設定者は，これを第三者に利用させたり，譲渡したりできるが，それらの中間処分によって成立した第三者の権利は，仮登記担保権の実行によって覆る。こうした関係は，抵当権の場合と同様であるが，抵当権の場合には，民法387条と395条が，例外的に賃貸借ないし借家人の一定の保護を図っている。仮登記担保権にそ

れらの規定を類推適用することができるであろうか。

平成15年改正前の395条（短期賃貸借の保護）について，判例は，これを否定した（最判昭56・7・17民集35巻5号950頁）。学説では，正常型短期賃借人は保護されるべきであり，抵当権と仮登記担保権が併用されている場合にどちらの権利が実行されるかで結論が異なるのはおかしい等の批判もあったが，短期賃貸借の濫用等の傾向に照らして旧395条の類推適用を否定すべきであるとする説が多かった。判例は仮登記担保法は民法旧395条の準用を否定する立場をとっていると解しうることを重視していると評価することができ，改正後の395条も，特別に例外的な保護を与えるものであるから，明示的な準用規定がない以上これを仮登記担保に類推適用することはできないと解される可能性が高いであろう。

平成15年改正法によって新設された387条についても，担保権者の意思を尊重するものであるから，仮登記担保権についてこれを類推適用することを否定する必要はないように思われるが，395条と同様に，明示的な準用規定がないこと等の理由で，これを消極に解する説が有力である（登記実務も仮登記担保権者の同意の登記を受理しないものとしているようである）。

★ **(2) 法定借地権**　同一の所有者に属する土地・建物の一方のみについて仮登記担保権が実行されて所有者を異にするにいたった場合の土地利用関係はどのようになるであろうか。仮登記担保法10条は，土地に担保仮登記がなされ，これに基づく本登記がされた場合には，その土地上に存する建物の所有を目的とする賃借権（法定借地権）が成立するものとしている。これに対して，建物の仮登記担保権が実行された場合については，何らの規定も置いていない。

建物の仮登記担保の場合には，契約を締結する際に，債権者が

将来建物を取得したときのために停止条件付きの約定借地権を成立させて、その旨の仮登記をしておくことができるから、あえて法定借地権を成立させるまでもないのに対し、土地について仮登記担保契約を締結する際には、設定者が債権者に将来の借地権の設定を求めても応じてもらえる可能性は少ないし、これに応じてもらっても、その借地権を保全するための適切な登記手続は用意されていないから、土地について担保仮登記がなされた場合に限って法定借地権を成立させるものとしたのである。

もっとも、実際には、建物の仮登記担保の場合にも土地利用権の設定に関する合意がなされない場合が少なくない。そのような場合にも、仮登記担保権者が建物所有権を取得した後にこれを収去するつもりで建物を仮登記担保にとることは考えられないので、特段の事情のない限り、黙示の敷地利用権設定契約があったものと解するのが一般的である（東京地判昭60・8・26判時1191号93頁等参照）。

なお、仮登記担保の場合に法定地上権ではなく法定借地権（法定賃借権）が成立するとされているのは、実社会で建物所有のための地上権が設定されることはほとんどなく、もっぱら賃借権が用いられていることを理由とする。しかし、民法388条、民事執行法81条、国税徴収法127条などは法定地上権が成立するものとしており、立法の不統一が指摘されている。

7 仮登記担保権の消滅

仮登記担保権も、通常の担保物権と同じく、弁済・時効等による被担保債権の消滅（消滅における付従性）、目的物の競売（仮登16条1項）、目的物の滅失などによって消滅する。なお、仮登記担保権の設定された不動産の第三取得者は、被担保債権の消滅時

効（最判昭 60・11・26 民集 39 巻 7 号 1701 頁），および予約完結権の消滅時効（最判平 4・3・19 民集 46 巻 3 号 222 頁）を援用することができる。

Ⅲ　譲渡担保

1　序　説

(1)　譲渡担保とは　　たとえば，A が，B にお金を貸したときに，借金を返したら所有権を返還するという約束の下に，B が所有する物の所有権を取得しておいたとする。この場合，B は借金を返して目的物を取り戻そうと努力するであろうし，万一約束の期日に借金を返さなかった場合にも，A は借金の代わりに目的物を確定的に取得して債務の弁済にあてることで担保目的を達することができる。このように，債務者または第三者（物上保証人）に属する所有権その他の財産権を債権者に譲渡し，債務が弁済されたらその権利は設定者に復帰するが，債務不履行の場合には確定的に債権者に権利が帰属して，これによって債務は弁済されたものとするという形式の担保を，「譲渡担保」と称する。

(2)　譲渡担保の社会的機能　　譲渡担保は，譲渡性のある財産であればどのようなものでも目的にすることができ，しかも，目的物の占有を債権者に移転することを必要としていないから，生産活動や日常生活に必要な動産，のれん・顧客のような無形の財産，将来取得する予定の財産，さらには，それらのものを含む企業の総体などを担保化する手段として重要な機能を有しており，ヴェンチャー企業など十分な不動産を有しない中小企業の資金調達やプロジェクト・ファイナンスに伴う担保手法としての活用などが期待されている。

Ⅲ 譲渡担保

また，譲渡担保は，目的となっている権利をあらかじめ債権者が取得する構成をとっているので，競売手続等によらないで簡易・迅速に担保目的を実現できる。さらに，不動産の場合には，最初から債権者のための所有権移転登記をしてしまうので後順位担保権者等の登記上の利害関係人が出てこない。これらの点で質権，抵当権さらには仮登記担保権のどれよりも債権者に有利であるため，抵当権や仮登記担保権を設定できない財産だけでなく，不動産についても用いられている（ただし，登録免許税等の経費が抵当権や仮登記担保よりも高くなり，所有名義人としての責任も生ずる）。また，債権譲渡登記制度の創設以後，債権譲渡担保の設定例が急速に増大し，平成16年改正によって動産譲渡登記制度が創設されたことによって，動産譲渡担保の一層の活用も可能になった。

(3) 譲渡担保は有効か　譲渡担保は，とくに債権者にとって多くの利点があるために，ふるくから相当頻繁に用いられてきたが，それらの利点が，逆に譲渡担保は有効かという疑問を生む原因にもなった。

たとえば，民法345条は質権設定者が質物を占有することを禁じ，同じく349条は流質契約を禁止しており，譲渡担保はこれらの規定を潜脱するための脱法行為ではないかとの疑いが生ずる。これに対しては，早い時期から，判例は，質と譲渡担保とは無関係な制度であること等を理由に脱法行為にはならないとし（大判大3・11・2民録20輯865頁等多数），学説も，動産抵当が認められていないことから生ずる経済的必要に応えるものとして，これを支持している。ただし，流質契約禁止の規定が予想しているような暴利行為の危険性は，譲渡担保についても同様に認められるのであるから，これに対する手当てが必要とされる。判例は，かつては，暴利行為にあたるような契約について個別的に民法90条

を適用していたが，その後，仮登記担保の場合と同様に，原則として常に目的物価額と被担保債権額の差額を清算すべきものとして，暴利行為の発生する可能性をなくしている（最判昭46・3・25民集25巻2号208頁等）。

同様に，譲渡担保契約は虚偽表示（94条）ではないか，あるいは，物権法定主義（175条）に反するのではないか，といった疑問も出されたことがあったが，今日これらの問題を改めて論ずる意義はない。ただし，譲渡担保は，所有権その他の権利の移転という法形式を用いてはいるが，その実質的・経済的な目的は債権の担保であり，形式と実質の間に齟齬があることには留意する必要がある。当事者間の利害を適正に調整するためには，実質的目的に即して担保権的に構成することが望ましいが，外部からは譲渡担保権者が真実の所有者であるかのようにみえ，これを前提として目的物について利害関係をもつにいたった第三者を保護するためには，むしろ法形式を尊重した解釈が必要となり，これをどのように調整すればよいかという困難な問題が生ずる。

(4) 譲渡担保の種類　(ア) 譲渡担保と売渡担保　譲渡担保の契約形式には，①AがBに100万円を貸して，その貸金債権を担保するために，B所有の物の所有権をAに移転するといったもの（狭義の譲渡担保）と，②AがBに100万円を貸す代わりにB所有の物を100万円で買ったことにして，Bが約束の期日までに100万円を支払えば所有権をAからBに売り戻すといった約束をするもの（売渡担保）がある。②は，AのBに対する貸金債権（被担保債権）が存しない点に特色を有するが，今日では，どちらも実質的には債権の担保を目的としている以上同一の法理に服させるべきであると解されており，区別の実益は少ない（最判平18・2・7民集60巻2号480頁は，目的不動産の占有の移転を伴わ

ない買戻特約付売買契約は，特段の事情のない限り，債権担保の目的で締結されたものと推認され，その性質は譲渡担保契約であるとする。同旨，最判平18・7・20民集60巻6号2499頁)。

(イ) 譲渡抵当と譲渡質　譲渡担保の目的物の現実の占有が設定者にとどめられているものを譲渡抵当と称し，目的物が譲渡担保権者に現実に引き渡されたものを譲渡質と称する。

(ウ)　強い譲渡担保と弱い譲渡担保　判例は，当初，譲渡担保には，所有権が「外部的にのみ移転」し，当事者間では設定者が所有者として取り扱われるものと，所有権が「内外部ともに移転」し，当事者間でも債権者が所有者として取り扱われるものがあり，前者を原則とすると解していた。この区別は，譲渡担保の実質的な目的は債権の担保にあるのだから，その効力も担保の目的を達するのに必要にして十分な範囲においてのみ認めるのを原則としようという考慮から生まれたものであったが，後にその趣旨が忘れられ，所有権の相対的帰属は原則たりえないとして，後者が原則であるという立場に転じてしまった（大連判大13・12・24民集3巻555頁）。そこで，今度は，前者を「弱い譲渡担保」，後者を「強い譲渡担保」といいかえることによって，その趣旨を生かすこととなったが，この区別はなお抽象的であり，学説は，さらに一層具体的に，債権者が所有権を確定的に取得するにはその旨の請求を要するもの（請求帰属型）と請求を要しないもの（当然帰属型），目的物価額と被担保債権額の差額の清算を要するもの（清算型）と要しないもの（丸取り型・流担保型），目的物を債権者が取得してその評価額と債権額の差額を清算するもの（帰属清算型）と目的物を処分してその売却価額と債権額の差額を清算するもの（処分清算型）等を区別するようになった。しかし，今日の判例は，仮登記担保に関する判例理論の進展等を受けて，原則と

して，常に清算が必要であり，目的物の引渡しと清算金の支払が同時履行の関係に立つものとするにいたっているので，清算の方法に関する区別以外のものは，あまり大きな意味をもたなくなっているということができる。

(5) 譲渡担保の法的構成 譲渡担保の実質的・経済的な目的と法律上の形式との間には齟齬がある。これを前提にして譲渡担保権の法的性格をどのようなものと把握すればよいかについて学説はさまざまに分かれている。

　法的形式を尊重するならば，目的物の所有権は債権者に移転し，債権者は設定者に対して目的物を担保目的以外には利用しないという債務を負っているだけだということになる（信託的譲渡説＝所有権的構成）。これに対し，実質的な目的を重視すると，債権者は譲渡担保権という担保権の設定を受けただけで，所有権は設定者にとどまっていると構成すべきこととなる（担保権説＝担保権的構成）。ひろい意味での担保権的構成に属するものとしては，端的にこれを譲渡担保権という制限物権であると解する説（譲渡担保権説）のほか，債権者・設定者の一方または双方が所有権取得の物権的期待権を有するとの説（物権的期待権説），所有権が債権者に移転し，かつ，所有権マイナス担保権が設定者に復帰すると構成する説（二段物権変動説）などがあり，担保権的構成を最も徹底させたものとして，譲渡担保権を抵当権そのものと解する説（抵当権説）がある。これら各説は，第三者との関係をどのように規律するかの点で結論を異にする（後述 **4**）。判例は，基本的には所有権的構成を維持しつつ，必要に応じて担保としての実質に即した修正を加えているということができる。

Ⅲ　譲渡担保

2　譲渡担保権の設定

(1) 設定契約　㋐　当事者等　債権者と債務者または第三者（物上保証人）の間の諾成・無方式の契約によって設定される。ふるい判例に，債権者以外の者も譲渡担保権者になりうるとしたものがあるが（大判大7・11・5民録24輯2122頁），譲渡担保権を担保権的に構成するときには，これをそのまま認めうるか疑問である（帰属における付従性，随伴性）。

㋑　契約の内容　所有権その他の財産権を債権者に譲渡する行為と，それが債権担保の目的である旨の合意があれば，譲渡担保設定契約が成立する。担保目的の買戻特約ないし再売買予約の付された売買契約等も，これと同視されることは既に述べた。

被担保債権の種類に制限はない。原則として被担保債権が有効に成立し，または特定していることを要するが（成立における付従性），不特定の債権を担保することも可能である（根譲渡担保）。

目的物は，譲渡性のある財産であれば，その性質を問わない。構成部分の変動する集合動産も，その種類・所在場所・量的範囲などにより目的物の範囲が特定される場合には，一個の集合物として譲渡担保の目的となる（最判昭54・2・15民集33巻1号51頁，同昭62・11・10民集41巻8号1559頁）。現在および将来の債権を一括して担保に供する集合債権譲渡担保も実務界ではかなりひろく用いられている（最判平11・1・29民集53巻1号151頁など参照）。

(2) 公示方法　㋐　不動産の場合　所有権移転登記による（177条）。登記原因を「譲渡担保」とすることが認められているが，これを「売買」等とする例もあるようである。登記原因が売買とされているときはもちろん，譲渡担保とされているときであっても，それがすでに実行されているものか否か，被担保債権額はいくらかなどを知ることはできず，公示機能が十分に果たされ

ているとはいえない。

　(イ)　動産の場合　　引渡しを対抗要件とする（178条）。通常は，目的物を設定者が利用し続けるので，占有改定（183条）の方法で行われ，譲渡担保契約が締結され，設定者が引き続き目的物を占有していれば，それだけで占有改定があったものとされている（最判昭30・6・2民集9巻7号855頁）。集合動産譲渡担保の場合には，新たに目的物の範囲に加わった物についても，あらかじめなされている集合物自体の占有改定によって，当然に対抗力が具備されると解されている（前掲最判昭62・11・10。なお，最決平29・5・10民集71巻5号789頁は，輸入業者による譲渡担保権の設定につき，海運貨物取扱業者を通じて輸入商品の間接占有しか有しない輸入業者から債権者への占有改定を認めている）。しかし，占有改定には公示機能をほとんど期待することができず，譲渡担保の存在を知らないで設定者と取引をした第三者との利害の調整等の問題が生ずる。実務界では，こうした事態を避けるために，ネーム・プレートを設置するなどの方策がとられてきた。

　こうした公示方法の不完全性に起因する問題点を解決すると同時に，特定の財産の交換価値よりも事業の収益性に着目した融資を実現するために設備備品・原材料・在庫商品等を包括的に担保化したいというニーズに応えること等も目的として，平成16年の債権譲渡特例法改正によって動産譲渡登記制度が設けられた。これによれば，法人が動産（倉荷証券，船荷証券等が作成されているものを除く）を譲渡した場合（担保目的に限らない）において，当該動産の譲渡につき動産譲渡登記ファイルに譲渡の登記がされたときは，その動産について，民法178条の引渡しがあったものとみなされる（動産債権譲渡特3条1項）。

　(ウ)　債権の場合　　裏書や証券の交付が債権譲渡の効力要件で

ある場合（520条の2・520条の13など）を除いて，債権譲渡の対抗要件の規定（467条）に従う（最判平13・11・22民集55巻6号1033頁）。ただし，集合債権譲渡担保のように第三債務者が多数または不特定であるため確定日付ある通知を発することが困難または不可能な場合や，債権を譲渡担保に供したことを第三債務者に知られたくない場合などに対処するため，平成10年に債権譲渡登記制度が創設され，法人が金銭の支払を目的とする指名債権を譲渡した場合においては，債権譲渡登記ファイルに譲渡の登記をすることによって，債務者以外の第三者に対する関係では，民法467条2項の規定による確定日付のある証書による通知があったものとみなされることになった（動産債権譲渡特4条1項）。

なお，将来発生すべき債権を目的として譲渡担保契約が締結された（466条の6参照）後に，その債権を目的として第三者が利害関係を有するに至った場合，第三者が利害関係を有するに至ったのが当該債権発生の前であるか否かにかかわらず，両者の優劣関係は第三者対抗要件具備の先後によって決せられる（最判平19・2・15民集61巻1号243頁参照）。

3 譲渡担保権の対内的効力

(1) 効力の及ぶ範囲　　(ア) 目的物の範囲　　抵当権に準じて，付加物・従物および従たる権利（最判昭51・9・21判時833号69頁等）に効力が及ぶ（370条参照）。不可分性（296条），物上代位性（304条。最決平11・5・17民集53巻5号863頁〔転売代金〕，最決平22・12・2民集64巻8号1990頁〔損害保険金〕，前掲最決平29・5・10〔転売代金〕）も認められる。

(イ) 被担保債権の範囲　　譲渡担保の場合には，抵当権や仮登記担保権の場合と違って，後順位担保権者の登場する可能性が少

ないから，被担保債権の範囲につき375条や398条の3のような制限を課す必要はないが，譲渡担保権者が先順位担保権者の被担保債権を代位弁済したことにより取得した求償債権は，特約のない限り被担保債権の範囲に含まれないとされている（最判昭61・7・15判時1209号23頁）。

(2) **目的物の利用関係** 譲渡担保契約によって目的物の所有権は債権者に移転するが，占有を移す必要はない。したがって，目的物の利用関係は当事者の合意によって自由に決めればよい。何も定められていないときには，設定者が利用し続けてよいと解されている。

設定者が目的物を占有し続ける場合の利用権限は何か。ふるい判例は，所有権が「外部的にのみ移転」する譲渡担保の場合は，設定者は所有権に基づいて目的物を利用でき，したがって，仮に賃貸借・使用貸借等の契約が結ばれていても，自分の物を借りる契約は無効であるから，賃貸借契約の解除や存続期間の満了による明渡請求は認められないが，「内外部ともに移転」する場合には，賃貸借契約は有効で，賃料不払等により契約が解除されたときには，設定者は目的物を明け渡さなければならないとしていた（しかも，形式論理を貫けば，被担保債権は消滅しない）。しかし，実態に即してみれば，賃料とされているのは貸金の利息であり，賃料不払による解除とは利息の不払による譲渡担保権の実行にほかならないといえよう。そこで，近時の学説では，譲渡担保権の担保権としての実質を直視して，設定者が目的物を利用できるのは抵当権設定者が目的物を利用できるのと同様に担保権設定者の所有権に基づく当然の権利であり，この権利は換価処分の完了の時まで認められるべきであるから（Ⅱ5(2)），それ以前の賃貸借契約解除等による明渡請求は認められないと解されている。

なお，借地上の建物が譲渡担保に供された場合には，借地権もまた従たる権利として譲渡担保の目的となるが，設定者が引き続き建物の利用を継続する場合には，第三者に賃借物の使用または収益をなさしめたものということができず，612条2項の解除権は発生しないと解すべきである（最判昭40・12・17民集19巻9号2159頁参照。これに対し，譲渡担保権者が使用収益をするときには，譲渡担保権実行前であっても，612条が適用される。最判平9・7・17民集51巻6号2882頁）。

(3) 担保物保存義務　(ア) 設定者の義務　譲渡担保権設定者が目的物を滅失・毀損し，または第三者に即時取得させたような場合には，設定者は所有権ないし譲渡担保権侵害の不法行為責任または設定契約上の債務不履行責任を負う。なお，目的物を滅失・毀損した者が債務者である場合には，被担保債権につき期限の利益を喪失する（137条2号）。増担保義務についても抵当権と同様に考えるべきである。

ただし，構成部分の変動する集合動産（流動動産）の譲渡担保においては，集合物の内容が譲渡担保設定者の営業活動を通じて当然に変動することが予定されているのであるから，設定者には通常の営業の範囲内で目的動産を自由に処分する権限が与えられていると解すべきことになる（最判平18・7・20民集60巻6号2499頁，前掲最決平22・12・2参照）。

(イ) 譲渡担保権者の義務　所有権的構成による場合，譲渡担保権者は所有権者ではあるが，設定者に対して担保目的以外には目的物を利用しないという義務を負っており，債務の弁済期前に目的物を壊したり，その所有権を第三者に取得せしめたりした場合には，債務不履行責任を負う（最判昭35・12・15民集14巻14号3060頁。ただし，担保権的構成の場合には，所有権侵害の不法行為責任

が発生すると解すべきであろう)。なお,債務者が被担保債務の履行を遅滞した場合には,譲渡担保権者は担保目的物を処分する権能を取得し,設定者は目的物が譲渡担保権者によって換価処分されることを受忍すべきことになる(最判昭57・1・22民集36巻1号92頁参照)。

4 譲渡担保権の対外的効力

(1) 序　　譲渡担保の実質は担保であり,当事者間では担保権としての実質に応じた解釈をすることが合理的である。しかし,公示方法が不完全なため,第三者の眼からは,登記をしていない動産譲渡抵当の場合には設定者が,動産譲渡質や所有権移転の登記をした動産譲渡抵当,不動産譲渡担保の場合には譲渡担保権者が,それぞれ完全な所有者のようにみえる。被担保債権の弁済期到来前に,目的物につき第三者が法律上の利害関係を有するにいたった場合,設定当事者と第三者の利害をどのようにして調整すればよいだろうか。

(2) 設定者と第三者との関係

★★ (ア) **譲渡担保権者による処分の効力**　　(a) 譲渡担保権者Aが目的物をCに譲渡した場合　　①所有権的構成によると,対外的にはAが完全な所有者であるから,Cは悪意でも有効に所有権を取得できる(大判大9・9・25民録26輯1389頁など参照。ただし,被担保債権弁済後に譲渡担保権者が目的物を処分したときは二重譲渡類似の関係になり,最判昭62・11・12判時1261号71頁は,背信的悪意者排除説をとって,単純悪意の転得者による所有権取得を認めている)。設定者Bは,Aに対して債務不履行責任を問いうるだけである。②譲渡担保権説によると,Aは譲渡担保権のみを有するから,Cは所有権を取得できず,譲渡担保権のみを取得する。この場合,

Ⅲ　譲渡担保

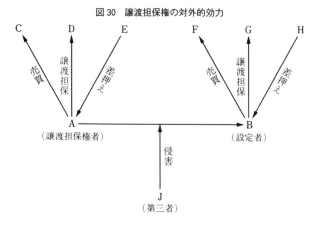

図30　譲渡担保権の対外的効力

BがAに債務を弁済するとCの譲渡担保権が消滅し，債務不履行の場合にはCが所有権を取得してC・B間で清算が行われる。ただし，CがAを完全な所有者と誤信していたときには，不動産の場合には94条2項の類推適用により，動産の場合には192条により，完全な所有権を取得しうる。物権的期待権説も同旨を説く。③二段物権変動説によると，Aのもとにとどめられた担保権能が有効にCに移転するほか，所有権マイナス担保権のAからBへの復帰とAからCへの譲渡とが二重譲渡関係になり，B・C間の関係は対抗問題となる。動産の場合には②と同じ結論になるが，不動産の場合には実際上Bが登記または仮登記を備えることは不可能に近く，ほとんど常にCが善意・悪意を問わず完全な所有権を取得することになろう。

(b)　DがAから譲渡担保権の設定を受けた場合　　Dは，①所有権的構成なら，Bの権利による拘束を受けない所有権を取得し，②譲渡担保権説では，転抵当類似の再譲渡担保権を取得するのを原則とし（最判昭56・12・17民集35巻9号1328頁参照），D

が善意または善意・無過失の場合には，94条2項の類推または192条によって，A・B間の関係に拘束されない譲渡担保権を取得することになる（ただし，動産の場合「指図による占有移転と即時取得」の問題が生ずる）。物権的期待権説や二段物権変動説の場合もほぼ同様の結論となろう。

★★　(イ)　**譲渡担保権者Aの一般債権者Eが目的物を差し押さえた場合**

①所有権的構成によると，差押えは完全に有効である。②譲渡担保権説によると，Bは第三者異議の訴え（民執38条）によってこれを排除しうる。判例は，被担保債権の弁済期前の譲渡担保権者は目的不動産を処分する権能を有しないのだから，譲渡担保権者の債権者が目的不動産を差し押さえたことによって設定者による受戻権の行使が制限される理由はないとして，少なくとも設定者が弁済期までに債務の全額を弁済して目的不動産を受け戻したときは，設定者は，第三者異議の訴えにより強制執行の不許を求めることができる（弁済期が到来した後は，差押登記後に債務の全額を弁済しても，第三者異議の訴えにより強制執行の不許を求めることはできない）としている（最判平18・10・20民集60巻8号3098頁）。動産譲渡抵当の場合には，第三者の占有する動産ということになるから，設定者が目的物を執行官に提出しない限り差押えをなしえない（民執124条）。

なお，譲渡担保権者Aにつき破産手続が開始された場合，被担保債権もまた破産財団に属するから，設定者Bは，債務を弁済しさえすれば目的物を取り戻すことができる（大判昭13・10・12民集17巻2115頁）。

(3)　譲渡担保権者と第三者の関係

★★　(ア)　**設定者による処分の効力**　　(a)　設定者Bが目的物をFに譲渡した場合　　不動産については，譲渡担保権者Aと第三者

Fのいずれか一方しか所有権移転登記を受けられないから、単純な対抗問題として処理すれば足りる。動産譲渡担保の場合、①所有権的構成によると、Aの対抗要件具備によりBは完全に所有権を失なっているから、Fは即時取得（192条）によるのでなければ所有権を取得しえない（ただし、弁済によって所有権を回復しうる期待権の譲渡とみることは可能であろう）。②譲渡担保権説や抵当権説をとると、Aが対抗要件を備えていても、実質的にはBが所有者であるから、Fは譲渡担保権付きの所有権を有効に取得して、抵当不動産の第三取得者と同様の地位に立つ。ただし、Fが動産譲渡担保権の存在につき善意・無過失であるときは、192条により、負担のない所有権を取得し、反射的に、譲渡担保権者は目的物に対する権利を失って、設定者に対し損害賠償を請求することになる（売却代金債権に対する物上代位もできる。転売授権のある場合に関する最決平11・5・17民集53巻5号863頁参照）。物権的期待権説、二段物権変動説も②と同じ結論になる。

なお、最高裁平成18年7月20日判決（民集60巻6号2499頁）は、対抗要件を備えた集合（流動）動産譲渡担保の設定者が目的動産につき通常の営業の範囲を超える売却処分をした場合、その処分は設定者に認められた権限に基づかないものである以上、譲渡担保契約に定められた保管場所から搬出されるなどして当該譲渡担保の目的である集合物から離脱したと認められる場合でない限り、その処分の相手方が目的物の所有権を承継取得することはできないとする（相手方の保護は、即時取得によることになる）。

(b)　Bが目的物につきGのために譲渡担保権を設定した場合　不動産の場合には、対抗問題となり、A、Gのいずれか一方だけしか所有権移転登記ができないから難しい問題は生じない。動産譲渡担保の場合、①所有権的構成では、Bは所有権を有して

いないから、Gは即時取得（192条）によらない限り所有権（譲渡担保権）を取得できない（所有権回復の期待権または清算金請求権の譲渡担保は成立しうる）。Gの即時取得が認められた場合には、反射的にAの権利は消滅する。②担保権的構成によるときは、Bは、抵当不動産の所有者と同じような地位にあるのだから、有効に第二順位の譲渡担保権を設定できる。ただし、Gが、Aの譲渡担保権の存在を知らず、そのことに過失がない場合には、第一順位の譲渡担保権を即時取得しうる。この場合には、Gの優先的な地位さえ確保されればよいのだから、Aの権利を消滅させる必要はなく、Aの譲渡担保権は第二順位の譲渡担保権として存続すると解すべきである。もっとも、Gが占有改定しかしていない場合、「占有改定と即時取得」の問題（物権法編第3章Ⅳ4(6)(c)参照）に遭遇する。この問題につき否定説または折衷説をとるときは、結果的に、Aと善意無過失のGのどちらが先に譲渡担保権を実行したかによって優劣が決められることになる。

★★　(イ)　**設定者Bの一般債権者Hが目的物を差し押さえた場合**　　登記された不動産譲渡担保についてはこうした事態は生ぜず、未登記の場合は、譲渡担保の登記と差押えの登記の先後によって優劣が決せられる。動産譲渡抵当の場合は、①所有権的構成によれば、Aは、所有者であるから、第三者異議の訴えによりHの強制執行を排除しうる（大判大3・11・2民録20輯865頁、最判昭56・12・17民集35巻9号1328頁等）。②譲渡担保権説その他の担保権的構成によるときは、Aは担保権者にすぎないから、目的物価額が被担保債権額を下まわるような場合を除いて、第三者異議の訴えを認める必要はなく、優先弁済の訴え（旧民訴565条）を認めれば足りると解されてきた。しかし、民事執行法制定に伴って優先弁済の訴えの制度が廃止されたため、現行法の下では、担保権的

構成をとったとしても，第三者異議の訴えによるほかないと解されるようになったが（高松高判昭57・2・24判時1072号115頁，最判昭58・2・24判時1078号76頁参照），配当要求を認めれば足りる（民執133条の類推），あるいは，第三者異議の訴えの一部認容判決として優先弁済を認める判決をなすべきである，とする説も有力である。

設定者Bにつき破産手続，再生手続または更生手続が開始された場合には，①所有権的に構成すると，Aは取戻権（破62条，民事再生52条，会社更生64条）を行使しうることになり，②担保権的構成によると，破産および民事再生の場合には別除権者として私的実行をなしうるが（破65条以下，民事再生53条），会社更生の場合には更生担保権者として更生手続によってのみ権利を行使しうることとなる（会社更生47条・50条）。判例は，会社更生に関して，②の立場をとっている（最判昭41・4・28民集20巻4号900頁）。なお，破産法186条以下，民事再生法148条以下，会社更生法104条以下の定める担保権消滅許可制度は譲渡担保権についても類推適用されるべきものと解する。

(4) 第三者による侵害　　譲渡担保の目的物を第三者Jが奪い取ったり，壊したりした場合には，誰が，どのような請求をすることができるか。 ★★

(ア) 目的物の侵奪の場合　　①所有権的構成によると，譲渡担保権者AはJに対し所有権に基づく返還請求をなすことができ，設定者Bは譲渡抵当の場合に限って占有回収の訴え（200条）を起こすことができる。②担保権的構成をとると，Aは譲渡担保権に基づく妨害排除請求権を有し，Bは所有権に基づく返還請求権を有することになる（最判昭57・9・28判時1062号81頁参照）。妨害排除，妨害予防についても，これに準じて考えればよい。

(イ) 目的物の滅失・毀損の場合　①所有権的構成によると，AはJに対し所有権侵害による不法行為に基づく損害賠償を請求でき，Bについては期待権ないし債権侵害の不法行為の成否の問題となる。②担保権的構成によると，Bが所有権侵害の不法行為責任を追及でき，Aは，抵当権侵害の場合に準じて，譲渡担保権侵害の不法行為に基づく損害賠償を請求できることになる。この場合，Aは被担保債権額を限度とする賠償を受け（大判大12・7・11新聞2171号17頁），Bは，目的物価額から被担保債権額を差し引いた残額についてのみ賠償を受けると解される。

5　譲渡担保権の実行

(1)　実行方法　　譲渡担保権の実行は，目的物を確定的に取得することで行われる（私的実行）。譲渡抵当の場合には，現実の占有を取得する必要がある。他の債権者によって開始された競売手続のなかで優先弁済を受けることができるかについては，すでに述べたように，争いがある。

なお，二重譲渡担保の場合，後順位譲渡担保権者による私的実行を認めると，先順位譲渡担保権者が優先権を行使する機会を失うので，これを認めることはできない（最判平18・7・20民集60巻6号2499頁，最判平18・7・20判タ1220号94頁）。

(2)　目的物の確定的取得　　法形式上は，目的となっている所有権その他の権利があらかじめ債権者に譲渡されているので，被担保債権につき債務不履行があった場合には，設定者の取戻請求権が発生しないことに確定し，それと同時に被担保債権が消滅するだけで，債権者が目的物を取得して担保目的を実現するために特別の手続は必要なく，譲渡抵当の場合に目的物の現実の占有を取得することだけが問題となるということができる。しかし，譲

III 譲渡担保

渡担保権者の有する権利は実質的には担保権でしかないのだから，それが実行されてはじめて確定的に債権者に目的物が移転し，債務が消滅する（その時までは，設定者は債務を弁済して目的物を取り戻せる）と解するのが合理的である。

ふるい判例は，譲渡担保契約には，債務者に履行遅滞があれば当然に目的物が債権者に確定的に帰属するという趣旨のもの（当然帰属型）と，履行遅滞の後に債権者が実行の意思表示をしてはじめて確定的に帰属するもの（請求帰属型）とがあると解していた（大判大 8・7・9 民録 25 輯 1373 頁）。この区別は，設定者が債務を履行して目的物を取り戻すこと（受戻し）ができるのはいつまでかを決めるのに実益があるが，今日では，いずれの場合も，債務者の履行遅滞により譲渡担保権者が目的物の処分権を取得し，「換価処分」の時（処分清算型では第三者に処分した時，帰属清算型の場合は清算金提供の時または第三者に処分した時）に受戻権が消滅すると解されているので（最判昭 57・1・22 民集 36 巻 1 号 92 頁，最判平 6・2・22 民集 48 巻 2 号 414 頁参照。なお，最判平 18・10・20 民集 60 巻 8 号 3098 頁は，被担保債権の弁済期後に譲渡担保権者の債権者が目的不動産を差し押さえたときも，譲渡担保権者による換価処分と同視する），区別の実益がない。清算義務が発生しない場合について，かつては債務不履行と同時に目的物は債権者に確定的に帰属すると解されていたが（最判昭 51・9・21 判時 832 号 47 頁），今日では，いかなる場合も（実行通知を要しない旨の特約があったとしても），清算金がない旨の通知をするまでは受戻しが可能と解されている（最判昭 62・2・12 民集 41 巻 1 号 67 頁）。なお，判例は受戻権は時効によって消滅しないとし（前掲最判昭 57・1・22），学説の多くもこれを支持するが，仮登記担保法 11 条ただし書の準用を主張する説もある。

(3) 清算　　仮登記担保の場合と同様に，目的物価額と被担保債権額に差額があるときは常に清算がなされるべきであり，清算金の支払と目的物の引渡しは同時履行の関係に立つ（最判昭46・3・25民集25巻2号208頁）。清算の方式には，目的物を第三者に処分し，その対価と被担保債権額の差額を設定者に交付する方式（処分清算型）と，目的物の適正評価額と被担保債権額の差額を設定者に交付する方式（帰属清算型）とがあるが，帰属清算を原則とすると解してよいであろう（仮登2条・3条参照）。なお，被担保債権額が目的物価額を上まわる場合には，債権は，特約がない限り，目的物価額の限度でのみ消滅し（仮登9条参照），残額は一般債権として存続する。

6　譲渡担保権の消滅

　被担保債権が弁済・時効等によって消滅した場合（消滅における付従性。最判平6・9・8判時1511号71頁は，債務の弁済は目的物の返還に対して先履行の関係にあるとする），目的物が滅失した場合などに消滅する。ただし，同一の不動産についてAのための根抵当権登記がされた後に抵当権者Aを権利者とする譲渡担保の登記がされたという事案につき，最高裁平成17年11月11日決定（判タ1199号190頁）は，譲渡担保権を取得したというだけでは所有権が確定的にAに移転しているということはできないから，所有権移転登記があるからといって，根抵当権が混同により消滅したということもできないとする。

　なお，他人の債務を担保するために自己の所有物を譲渡担保に供した者（物上保証人）も，被担保債権の消滅時効を援用することができる（最判昭42・10・27民集21巻8号2110頁）。

Ⅳ　所有権留保

1　所有権留保の意義と特色

(1) **所有権留保とは**　商品はいますぐ引き渡すが，代金は後から月賦で支払えばよいといった形の売買契約（割賦販売）は，十分な資金の準備がなくても必要な物を直ちに手に入れることができ，購買層を拡大することもできるため，ひろく利用されている。このような引渡先履行型動産売買の売主の代金債権を確保するための手段として，民法は動産売買先取特権を用意しているが（311条5号），一般には，代金完済まで目的物の所有権が買主に移転しない旨の特約を結んでおき，間接的に任意の弁済を促すとともに，代金が支払われないときは売主が売買契約を解除して目的物を所有権に基づいて取り戻すことで債権の回収をはかるといったことが行われている。こうした担保形式を「所有権留保」と呼んでいる。

所有権留保は主として動産割賦販売の場合に用いられており，割賦販売法7条も，一定の商品について割賦販売が行われたときには所有権留保がなされたものと推定しているが，不動産所有権留保や継続的供給契約上の債権を目的商品全部（流動動産）で担保する根所有権留保なども行われている。ただし，宅地建物取引業法43条は，宅地建物取引業者が自ら売主となって行う宅地または建物の割賦販売において代金の10分の3を超える金銭の支払を受けたとき等は，特別の場合を除いて登記を買主に移さなければならないとして，所有権留保を制限している。

(2) **譲渡担保とどこが違うか**　所有権留保は，債権担保のために，債権者が目的物の所有権を保持し，債務が履行されると所有　★★

権が債務者に移転するが，債務が履行されないときには債権者が確定的に目的物を取得するという構成をとっており，この点では，譲渡担保と同じであるといってよい。しかし，他方で，①被担保債権は目的物自体の代金債権であり，両者の間に緊密な関係があること，②債権者は債務者の所有物を担保のために取得するのではなく，最初から所有者であること，③一般に債権者は目的物の専門的な販売業者であることなどの点で，一般の譲渡担保とは違った傾向を示している。なお，④所有権留保売買の場合には，譲渡担保と違って，所有権が移転していないから，所有権移転登記や動産譲渡登記，引渡しなどの対抗要件を備えることなしに，売主が所有者であることを第三者に対して主張することができる（最判平30・12・7民集72巻6号1044頁参照。ただし，最判平22・6・4民集64巻4号1107頁，最判平29・12・7民集71巻10号1925頁は，民事再生手続ないし破産手続開始前に留保所有者名義の自動車登録がなされていることを別除権行使の要件としている）。

　譲渡担保との共通点に着目すると，譲渡担保に関する議論をほとんどそのまま準用すればよいことになる。しかし，その相違点に着目すると，①からは，目的物価額と被担保債権額の相違が小さいことが推測され，しかも一般に所有権留保の目的物は減価率の大きい動産であることをあわせて考えると，清算義務をあまり強調する必要がないのではないかと解され，②からは，当初からの所有者である譲渡担保権設定者に比べれば，代金を完済していない所有権留保買主を所有者として保護すべき必要性は薄いともいいうるし，③からは，専門的業者である債権者に目的物を取り戻させて，その自由な処分に任せるのが，目的物の価値を最も有効に活用する方法であるということができる。その結果，譲渡担保については担保権的構成をとったとしても，所有権留保につい

ては(とくにその実行方法を考える際に)所有権的構成をとることが可能になる。

2 所有権留保の効力

(1) 対内的効力　当事者間の関係は，原則として，売買契約の効果として処理すればよい(物権変動の時期に関し，物権法編第3章Ⅱ4参照)。ただし，所有権留保の実質的・経済的目的を重視して，売主の権利は本来の所有権ではなく担保権(留保所有権)でしかないという考え方(担保権的構成)をとるときには，譲渡担保の場合の譲渡担保権説等に準じて考えるべきことになる。

(2) 対外的効力　譲渡担保の場合と同様に，所有権留保売買の売主の地位を所有者と考える説と，担保権を有するにすぎないとする説とがあるが，それぞれ，譲渡担保の場合の所有権的構成・担保権的構成に準じて考えればよい。判例は，所有権的構成をとっているようであり，買主の債権者が目的物を差し押さえた場合，所有権留保売主は第三者異議の訴えによってこれを排除することができ(最判昭49・7・18民集28巻5号743頁)，買主から目的物を買い受けた者は，即時取得によらない限り，所有権を取得できないとしている(最判昭42・4・27判時492号55頁等)。買主が代金を支払える見込みもないままに目的物を転売したときは横領罪(刑252条)が成立するとしているのも(最決昭55・7・15判時972号129頁)，所有権的構成を前提にするものと解される(担保権的構成からは背任罪(刑247条)とされるべきであろう)。

なお，売買当事者間で行われる単純な所有権留保の場合には，所有権的構成の下では，所有権その他の物権の変動が生じていないこととなるから，対抗要件の問題を生じない(ただし，最判平22・6・4民集64巻4号1107頁は，自動車販売会社から所有権を取得し

た立替金債権者が留保所有権者となっている場合に,対抗要件を具備しなければ,留保所有権を別除権として行使できないとする)。

ただし,自動車のディーラーAがサブディーラーBに所有権留保特約付きで売却した自動車がユーザーCに転売され,CはBに代金を完済したのにBがAへの代金支払を怠った場合,AはCに自動車の引渡しを求めうるかという問題に関し,判例は,Cが所有権を取得していない(既登録自動車は登録を対抗要件としているから即時取得は認められない)ことを前提にしつつも,Aの請求を権利濫用としてしりぞけている(最判昭50・2・28民集29巻2号193頁等)。学説には,AのBに対する転売授権等を根拠に,Cは,Bに代金を完済すれば,完全な所有権を取得すると解するものが多い(判例法理によるときは,Cは,自動車を利用し続けることはできるが,自己名義で登録することができず,他人に売却することもできないという不都合がある)。

また,最高裁平成21年3月10日判決(民集63巻3号385頁)は,自動車購入代金立替金債務担保のために信販会社に所有権が留保された自動車が第三者所有地上に放置されている場合に,その留保所有権者は,立替金債務の弁済期が経過して目的物の占有・使用の権原や処分の権能を有するに至るまでは目的物の交換価値を把握するにとどまるものと約定されているから,残債務全額の弁済期到来までは土地所有権侵害を理由とする目的物撤去義務や不法行為責任を負わないとする。

なお,買主の倒産手続において,留保所有権者は,所有権に基づく取戻権(破産53条,会更61条,民再49条)を行使しうるか,担保権としての実質に着目して別除権(破産65条,民再53条)または更生担保権(会更2条10項)しか認めるべきでないかが争われてきたが,前掲最高裁平成22年6月4日判決は民事再生手続

において，また，前掲最高裁平成29年12月7日判決は破産手続において，それぞれ留保所有権を別除権として行使しうる旨の判断を下している。

(3) 実行　一般に，買主の履行遅滞があると，売主は，売買契約を解除し（541条），原状回復請求権に基づいて目的物の返還を請求する（545条1項）方法がとられている（その限りで，所有権留保特約は，実際上545条1項ただし書を排除する効力しか期待されていないともいいうる）。この場合，売主もまた原状回復の義務を負うから，代金を一部受領していた場合に，これから損害賠償・違約金等を差し引いて残額があるときは，その額を買主に返還しなければならず（実質的な「清算」である），それら両債務は同時履行の関係に立つ。

担保権的構成をとる学説は，譲渡担保に準じて，留保所有権実行の意思表示によって実行され，目的物価額と被担保債権額（残代金額等）の差額が清算されると説く。いずれの構成によっても具体的結論には大きな相違がない。

買主が売買代金の支払を怠れば当然に売買契約は失効し，売主は催告を要せずして目的物の返還を求めうる旨の特約（失権約款）等がある場合にも，清算金の生ずるときには，その支払を受けるまで，買主は，目的物の引渡しを拒むことができ，残債務を提供して目的物の所有権を取得すること（受戻し）も可能と解すべきである。

■ **参考文献**── より進んだ研究を志す人々のために

体 系 書

鈴木禄弥　物権法講義〔5訂版〕（創文社）
＊設例をあげながら，著者の鋭くかつユニークな見解をも展開した代表的学説の一つをあらわす体系書。担保物権も含む。

星野英一　民法概論Ⅱ（物権・担保物権）（良書普及会）
＊種々の問題にふれている分かりやすい体系書。

広中俊雄　物権法〔第2版増補〕（青林書院）
＊歴史的視点と最新の判例の分析をふまえ，著者のユニークな見解をも展開した標準的体系書の一つ。

舟橋諄一　物権法（法律学全集）（有斐閣）
＊古くなったが，判例・学説をふまえた詳細な標準的体系書。

我妻　栄〔有泉亨補訂〕　新訂物権法（民法講義Ⅱ）（岩波書店）

我妻　栄　新訂担保物権法（民法講義Ⅲ）（　同　）
＊通説を代表する詳細な体系書。物権法は，有泉亨博士により補訂されている。

川井　健　民法概論2（物権）〔第2版〕（有斐閣）
＊標準的な体系書で，叙述が分かりやすい。担保物権も含む。

加藤雅信　新民法大系Ⅱ　物権法〔第2版〕（有斐閣）
＊叙述に工夫を凝らした体系書で，著者のユニークな見解をも展開している。

安永正昭　講義物権・担保物権法〔第4版〕（有斐閣）
＊平易に書かれたスタンダードかつ最新の教科書。重要な関連判例が本文に組み込まれている。担保物権を含む。

山野目章夫　物権法〔第5版〕（日本評論社）
＊平易な文章で書かれた標準的な概説書。担保物権も含む。

高木多喜男　担保物権法〔第4版〕（法学叢書）（有斐閣）

＊判例・学説をふまえ，執行手続にも留意したメリハリのきいた体系書。

道垣内弘人　担保物権法〔第4版〕（現代民法Ⅲ）（有斐閣）

＊最新の判例・学説・実務を踏まえ，論理的な理由付けを重視した分析を展開する。

生熊長幸　物権法〔第2版〕（三省堂テミス）（三省堂）

生熊長幸　担保物権法〔第2版〕（同）（同）

＊最新の判例・学説を基軸とし，図表を用いて分かりやすく解説するとともに，論点を充実させた体系書。

松岡久和　物権法（法学叢書9）（成文堂）

松岡久和　担保物権法（法セミ LAW CLASS）（日本評論社）

＊最新の学説・判例にも配慮する一方で，事例を用いた分かりやすい説明がなされている。

中舎寛樹　物権法　物権・担保物権（日本評論社）

＊物権・担保物権を「条文」「解釈」「発展問題」の三段階でコンパクトに解説した教科書。

注釈書（コンメンタール）

舟橋諄一＝徳本鎮 編　新版注釈民法(6)物権(1)（物権総則）

川島武宜＝川井健 編　新版注釈民法(7)物権(2)（占有権・所有権・用益物権）

林　良平 編　注釈民法(8)物権(3)（留置権・先取特権・質権）

柚木馨＝高木多喜男 編　新版注釈民法(9)物権(4)（抵当権・譲渡担保・仮登記担保・他）

小粥太郎 編　新注釈民法(5)物権(2)（占有権・所有権・用役物権）

道垣内弘人 編　新注釈民法(6)物権(3)（留置権・先取物権・質権・抵当権）

森田修 編　新注釈民法(7)物権(4)（抵当権(2)・非典型担保）

（以上，有斐閣）

判例集

潮見佳男＝道垣内弘人 編　民法判例百選Ⅰ　総則・物権〔第8版〕（有斐閣）

遠藤浩＝川井健＝民法判例研究同人会 編　民法基本判例集〔第4版〕（勁草書房）

演習書

内田貴＝大村敦志 編　民法の争点（有斐閣）

その他

星野英一 編集代表　民法講座2（物権1）（有斐閣）
　　　　同　　　　　民法講座3（物権2）（　同　）
広中俊雄＝星野英一 編　民法典の百年Ⅱ（総則編・物権編）（有斐閣）

事項索引

あ 行

悪意者······67
悪意占有者と果実······128
遺産分割上の権利······179
遺失物拾得······150
一物一権主義······8
一不動産一用紙主義······78
一個の物······8
一般債権者······66, 73
一般先取特権······11, 13, 247
入会権······109, 219
　——と公有地······230
　——と国有地······230
　——と私有地······229
　——と地盤所有権······229
　——の解体······225
　——の効力······225
　——の古典的形態······219
　——の主体······221
　——の対外的主張······226
　——の得喪······230
　——の法律的性質······221
　共有の性質を有しない——······220
　共有の性質を有する——······220
　地役権的——······232
入会権者······223
入会集団······221
　——と管理処分権······221
売渡担保······358
永小作権······209
　——と小作料支払義務······211
　——と土地使用権······210

　——の更新······210
　——の効力······210
　——の取得······210
　——の譲渡・賃貸と担保権設定···212
　——の消滅原因······210
　——の存続期間······210
　——の対抗力······211
温泉専用権······102, 138

か 行

買受人······245
外部的徴表行為······34
解約申入れと登記必要説・不要説······65
概要記録事項証明書······89
加　工······151
　動産の——······158
家畜外動物の取得······130
仮登記······41, 74
　——の効力······38, 74
　担保——······348
仮登記担保······74, 235, 342, 345
　——の公示方法······348
　——の社会的機能······345
　——の被担保債権の範囲······349
　根——······349
　普通——······349
仮登記担保契約······346
　——の締結······347
　——の当事者等······347
　——の内容······347
仮登記担保契約に関する法律······344
仮登記担保権······348, 349
　——と短期賃貸者······354

383

——と用益権	353
——の消滅	335
——の所有権取得的効力	348
——の設定	346
——の優先弁済的効力	348
競売手続と——	353
根——	353
仮登記担保権の効力	349
——の及ぶ目的物の範囲	349
仮登記担保権の私的実行	350
——と開始の要件	350
——と後順位担保権者の地位	352
——と債務の消滅と受戻し	351
——と所有権の取得	350
——と清算	351
——と法定賃借権	354
——と本登記および引渡しの請求	351
間接占有	116
管理事項・管理行為	165
管理者の管理権原	170
管理人の権限	170
管理不全建物管理命令	137, 193
管理不全土地管理命令	137, 193, 196
企業担保	271
旧登記の流用	79
境　界	146
——付近の工作物	147
共同所有	159
共同申請原則	75
共同相続	53
——と相続の放棄	58
——と第三者対抗	53
——と単独相続の登記	54
——と持分権の譲渡	56, 57
共同抵当	325
——と異時配当	326
——と建物の再築	304
——と同時配当	325
抵当不動産の一部の物上保証人・第三取得者への帰属と——	328
共　有	159, 183
——の性質	161
——の弾力性	55
狭義の——	159
通常の——	161
共有者相互間の関係	163
共有物	
——の管理者	170
——の使用	163
——の賃貸	167
——の分割	177
——の法律的な処分	165
——の保存行為	164
——の利用	165
共有物管理	165
——の許可の裁判	172
共有物変更	164
——の許可の裁判	172
共用部分	185
極度額	331
具体的相続分に対する期間制限	180
区分所有建物	185
——の管理関係	187
——の所有関係	185
——の復旧・建替え	189
区分地上権	207
形式的審査主義	76
継続的給付を受けるための設備設置権および設備使用権	144
軽微変更	165
契約自由の原則	134

競落人　→買受人
ゲヴェーレ……………………90, 111
原始取得………………………… 120
源泉権…………………………… 102
現物分割と賠償分割…………… 178
権利移転型・所有権取得型担保…… 342
権利質…………………………… 266
公共の福祉……………………… 136
交互侵奪と自力救済…………… 125
公　示……………………………22
　　──制度……………………………22
　　──の必要性………………………… 3
公示方法…………………… 12, 22
　　──としての登記………………38
公示力……………………………23
公示の原則………………… 12, 22
公信の原則………………………24
　　不動産と──……………………24
公信力……………………………24
鉱　物…………………………… 138
合　有…………………………… 160
混　同…………………………… 104
　　──によって消滅しない場合… 104
　　──による消滅………………… 104
混　和…………………………… 151
　　動産の──……………………… 158

さ　行

債　権………………………………… 2
　　──的意思表示……………………29
　　──の掴取力…………………… 233
債権契約……………………… 26, 27
債権行為……………………… 26, 27
債権質…………………………… 266
　　──の効力……………………… 268
　　──の対抗要件………………… 267

債権者平等の原則…………… 3, 234, 246
裁判分割の原則的方法………… 178
財産権の行使…………………… 131
財団抵当………………………… 271
先取特権………………………… 246
　　──相互の順位………………… 250
　　──と占有改定………………… 253
　　──と第三取得者……………… 253
　　──と他の担保物権との競合…… 251
　　──と物上代位………………… 252
　　──と優先弁済権……………… 252
　　──の効力……………………… 252
　　──の種類……………………… 247
　　──の順位……………………… 250
　　──の消滅……………………… 255
　　──の性質……………………… 247
　　一般──……………… 11, 13, 247
　　一般──の特別の効力………… 254
　　動産──……………………… 247
　　不動産工事──………………… 250
　　不動産賃貸借──……………… 247
　　不動産──の特別の効力……… 255
差押債権者…………………………66
敷　地…………………………… 186
　　──利用権……………………… 186
時効取得……………………………58
　　──と対抗要件…………………58
自己占有………………………… 115
　　──の消滅事由………………… 130
自己のためにする意思………… 113
事実上の推定………………………73
自主占有………………………… 118
質　権…………………………… 256
　　──の性質……………………… 256
　　設定者への目的物の返還と──…… 257
　　その他の権利を目的とする──…… 269

質物の侵奪・詐取・遺失と返還請求 ……………………………… 258	……………………………… 368
実質的審査主義 …………………… 76	——の社会的機能 …………… 356
実質的無権利者 …………………… 72	——の種類 ……………………… 358
借地借家法 ………………… 108, 201	——の被担保債権の範囲 …… 363
借地法 …………………………… 107	——の法的構成 ……………… 360
借家法 …………………………… 108	——の有効性 ………………… 357
集合物 ……………………………… 10	帰属清算型—— ……………… 359
従 物 …………………………… 278	狭義の—— …………………… 358
主登記 ……………………………… 41	債権——の公示方法 ………… 362
取得時効 …………………… 60, 121	集合動産—— ………………… 361
——と占有尊重説（逆算説）…… 61	処分清算型—— ……………… 359
——と対抗問題限定説 ………… 62	請求帰属型—— ……………… 359
——と登記尊重説 ……………… 62	清算型—— …………………… 359
準共有 …………………………… 184	強い—— ……………………… 359
準占有 …………………………… 131	動産——の公示方法 ………… 362
——の効果 …………………… 132	当然帰属型—— ……………… 359
承役地所有者の義務 …………… 219	不動産——の公示方法 ……… 361
承役地利用権 …………………… 217	丸取り型・流担保型—— …… 359
承継取得 …………………… 91, 120	弱い—— ……………………… 359
——の方式 …………………… 120	譲渡担保権 ………………… 98, 361
少数持分権者 …………………… 169	——と第三者保護 …………… 366
譲渡質 …………………………… 359	——の消滅 …………………… 374
譲渡担保 ………… 235, 342, 356, 368	——の設定 …………………… 361
——と譲渡担保権説 ………… 360	——の対外的効力 …………… 366
——と所有権留保 …………… 375	——の対内的効力 …………… 363
——と信託的譲渡説＝所有権的構成 ……………………………… 360	譲渡担保権者 …………………… 368
	——と第三者 ………………… 368
——と担保権説＝担保権の構成 … 360	——による処分の効力 ……… 366
——と担保物保存義務 ……… 365	——の一般債権者の目的物差押え ……………………………… 368
——と抵当権説 ……………… 360	
——と二段物権変動説 ……… 360	——の義務 …………………… 365
——と物権の期待権説 ……… 360	譲渡担保権設定契約 …………… 361
——と暴利行為 ……………… 357	——の当事者等 ……………… 361
——の公示方法 ……………… 361	——の内容 …………………… 361
——の差押えと第三者異議の訴え	譲渡担保権設定者 ……………… 370
	——と第三者 ………………… 366

事項索引

――による処分の効力……… 368
――の一般債権者の目的物差押え
　　………………………………… 370
――の義務…………………… 365
譲渡担保権の実行……………… 372
――と清算…………………… 374
――と目的物の確定的取得… 372
――の方法…………………… 372
譲渡担保目的物………………… 371
――と第三者による侵害…… 371
――の侵奪…………………… 371
――の範囲…………………… 363
――の滅失・毀損…………… 372
――の利用関係……………… 364
譲渡抵当………………………… 359
消滅時効………………………… 103
所在等不明共有者……………… 137
――があるときの変更・管理の許可
　の裁判……………………… 172
――の持分の取得…………… 182
――の持分の譲渡…………… 183
――の持分の譲渡の裁判…… 182
所在判明無回答共有者………… 167
――がいるときの共有物管理許可決
　定申立制度………………… 167
所　持…………………………… 114
所有権………………… 6, 106, 132
――（権利）移転型担保…… 235
――の自由…………………… 134
――の自由の制限…………… 134
――の取得…………………… 148
――の制限…………………… 136
――の内容…………………… 135
近代的――…………………… 133
現代社会における――……… 134
自由な――…………………… 133

分割――……………………… 133
所有権移転請求権……………………13
所有権移転の時期……………………35
――となし崩し的移転説……………35
所有権の二重譲渡……………………44
――と公信力説………………………47
――と相対的無効説…………………45
――と反対事実主張説………………45
――と否認権説………………………45
――と不完全物権変動説……………45
――と法定制度説……………………46
所有権留保……………92, 235, 342, 375
――と譲渡担保……………… 375
――の効力…………………… 377
――の実行…………………… 379
――の対外的効力…………… 377
――の対内的効力…………… 377
所有者不明土地
　広義の――………………… 135
　狭義の――………………… 135
所有者不明建物管理命令 ……… 137, 193
所有者不明土地管理命令… 137, 193, 194
所有者不明土地問題………42, 135, 161
所有の意思……………………… 118
自力救済禁止の原則…………… 110
人的担保………………………… 234
人的編成主義…………………………39
制限能力者……………………………92
制限物権………………………6, 106
――型担保…………………… 235
責任財産…………………… 233, 235
切除権…………………………… 147
善意（即時）取得……… 33, 81, 90, 93
――の効果……………………………97
――の要件……………………………90
占有改定による――…………………93

387

動産の―― ……………………82
善意占有者の果実取得権 …………… 128
　　――と不当利得 …………………… 129
善意・無過失 ……………………………92
前主の無権利ないし無権限 ……………92
占　有 …… 22, 106, 109, 112, 113, 115, 131
　　――回収の訴え ……………………124
　　――機関 ……………………………117
　　――の訴え ……………………………14
　　――の観念化 ……………………120
　　――の効果 ……………………………123
　　――の効果の多様性 ……………110
　　――の公信力 ……………………83, 90
　　――の取得 ……………………………93
　　――保持の訴え ……………………124
　　――補助者 ……………………………117
　　――保全の訴え ……………………124
　　悪意―― ……………………………119
　　瑕疵ある―― ………………………119
　　過失ある―― ………………………119
　　過失なき―― ………………………119
　　瑕疵なき―― ………………………119
　　間接―― ……………………86, 115, 116
　　自己―― ……………………………115
　　自主―― ……………………………118
　　準―― ………………………………131
　　善意―― ……………………………119
　　相続による――取得 ………………121
　　相続人の――の二面性 ……………121
　　代理―― ……………………………115
　　他主―― ……………………………118
　　直接―― ……………………86, 115, 116
　　適法な――権原の推定 ……………127
占有移転 …………………………… 84, 86
　　指図による―― …………………86, 95
占有改定 ……………………………86, 93

　　――による即時（善意）取得 ………93
占有権 ……………………… 106, 109, 112
　　――の効力 ……………………………110
　　――の取得 ……………………………120
　　――の消滅 ……………………………130
占有者の費用償還請求権 ……………130
占有承継 …………………………………120
　　――の効果 ……………………………120
占有制度 …………………………………109
　　――と占有保護機能 ………………112
　　――と本権取得的機能 ……………112
　　――の社会的機能 …………………111
　　――の本権表章・公示機能 ………112
占有制度権 ………………………………128
占有訴権 …………………………… 110, 123
　　――と新訴訟物理論 ………………127
　　――の除斥期間 ……………………125
　　――の当事者 ………………………124
占有の態様 ………………………………118
　　――と推定規定 ……………………119
占有物の滅失・損傷に対する責任 … 129
専有部分 …………………………………185
相続登記の義務化 ………………………43
相続と新権原 ……………………………122
相続土地国庫帰属法 ……………135, 149
総　有 ……………………………………160
相隣関係 …………………………………139
　　――の当事者の立場の互換性 …… 140
即時（善意）取得 ………………33, 83, 90, 93
　　――の効果 ……………………………97
　　――の要件 ……………………………90
　　占有改定による―― ………………93
　　動産の―― ……………………83, 90

た　行

代価弁済 …………………………………312

事項索引

対 抗 …………………………44
対抗要件 ……………12, 33, 38
　取得時効と────60
第三債務者の供託義務と第三者への転
　付以前の差押え ………………288
第三者 ……………………………63
　共有者と────との関係…………176
　直接占有者と────…………86
　登記しないと対抗できない────……64
　登記なしに対抗できる────…………67
第三者対抗 ……………………44
　解除と────…………………51
　共同相続と────……………53
　共同相続における────と登記必要説
　　………………………………54
　共同相続における────と登記不要説
　　………………………………55
　競売と────……………………63
　公用収用と────…………………63
　相続と────……………………53
　法定相続分と────……………55
　法定相続分を超える相続分と────…56
　法律行為の取消しと────……48
　法律行為の取消しにおける────と対
　　抗要件主義 ……………………50
　法律行為の取消しにおける────と復
　　帰的物権変動説 ………………50
　法律行為の取消しにおける────と無
　　権利説 …………………………51
第三者の範囲 ……………63, 86
　────と悪意者排除説 ………………67
　────と制限説 ………………63
　────と善意・悪意不問説（無差別説）
　　………………………………67
　────と背信的悪意者排除説…………68
　────と無制限説 ………………63

代物弁済の予約 ………………346
代理占有 …………………………116
　────の効果 …………………116
　────の消滅事由 ……………131
　────の要件 …………………116
他主占有 …………………………118
多数決主義 ………………………165
多数持分権者 ……………165, 170
建 物 ……………………………9
建物区分所有権 ………………184
建物保護法 ………………………107
単一説（所有権分有説）………162
短期賃貸借 ………………………294
　濫用的──── …………………295
団 地 ……………………………191
担保物権 ………………………6, 233
　────の効力 …………………237
　────の収益的効力 …………237
　────の種類 …………………235
　────の随伴性 ………………238
　────の性質 …………………237
　────の不可分性 ……………238
　────の付従性 ………………237
　────の物上代位性 …………238
　────の優先弁済的効力 ……237
　────の留置的効力 …………237
　特別法上の──── …………236
　法定──── ……………………236
　民法典上に規定されている────…239
　約定──── ……………………236
担保不動産競売 ………………291
担保不動産収益執行 ……290, 292
地役権 ……………………………212
　────と人役権 ………………213
　────の効力 …………………218
　────の取得 …………………215

389

──の種類············· 216
　　──の消滅原因··········· 217
　　──の存続期間··········· 217
　　──の対価············· 219
　　──の対抗力··········· 193
　　──の態様············· 215
　　──の不可分性········· 214
　　──の付従性・随伴性······· 213
竹木の切除··············· 147
地上権················· 198
　　──と借地権··········· 201
　　──と地代支払義務········ 205
　　──と土地使用権········· 204
　　──の効力············· 204
　　──の取得············· 201
　　──の譲渡・賃貸と担保権設定··· 206
　　──の消滅原因··········· 203
　　──の性質············· 199
　　──の存続期間··········· 202
　　──の対抗力··········· 205
　　──の認定方法··········· 202
地上物の収去と買取請求······· 206, 212
中間省略登記·············· 76
　　──の効力············· 80
直接占有·············· 86, 116
賃借権その他の権利の設定········ 169
賃借人················· 65
賃貸借契約解除と登記必要説・不要説
　···················· 65
賃料請求と登記必要説・不要説······ 65
通行地役権の存在が明らかな承役地の
　譲受人················ 72
通常共有と遺産共有が併存する場合の
　特則················· 179
停止条件付代物弁済契約········· 346
抵当権············ 269, 274, 315

　　──と違約金··········· 277
　　──と元本債権··········· 275
　　──と公示の原則········· 270
　　──と公信の原則········· 271
　　──と順位確定の第一原則···· 270
　　──と順位確定の第二原則···· 271
　　──と遅延損害金········· 277
　　──と特定の原則········· 270
　　──と独立性の原則······· 270
　　──と付従性の緩和······ 274, 318
　　──と物上代位··········· 281
　　──と利息············· 276
　　──と利息以外の定期金····· 276
　　──と利用権の関係········ 294
　　──に基づく妨害排除請求···· 315
　　──の機能············· 270
　　──の効力············· 275
　　──の時効消滅··········· 324
　　──の実行············· 290
　　──の順位の譲渡・放棄····· 322
　　──の順位の変更··········· 323
　　──の譲渡・放棄······ 321, 322
　　──の消滅············· 324
　　──の処分············· 318
　　──の侵害············· 315
　　──の設定············· 272
　　──の対抗要件··········· 273
　　──の被担保債権········· 274
　　──の法的性質··········· 272
　　──の目的物··········· 274
　　──の目的物の時効取得による消滅
　　················· 324
　　──の優先弁済的効力········ 289
消費貸借契約の無効と──の実行··· 275
抵当不動産の第三取得者と── ···· 276

事項索引

抵当権者と他の債権者との優劣 …… 290
抵当権消滅請求 ……………………… 312
抵当権の効力 ………………………… 275
　——と従たる権利 ………………… 279
　——と従物 ………………………… 278
　——と天然果実 …………………… 279
　——と付加物 ……………………… 277
　——と付合物 ……………………… 277
　——と法定果実 …………………… 279
　——の及ぶ目的物の範囲 ………… 277
　抵当不動産より分離した物と——
　　………………………………… 280
抵当権の侵害 ………………………… 318
　——と期限の利益の喪失 ………… 318
　——と増担保請求 ………………… 318
　——に対する損害賠償 …………… 318
抵当直流 ………………………… 292, 345
抵当証券 ………………………… 271, 272
抵当不動産 …………………………… 311
　——の第三取得者の保護 ………… 311
滌　除 ………………………………… 313
電気・ガス・水道等の設備設置権およ
　び設備使用権 …………………… 144
典型担保 ………………………… 235, 239
転　質 …………………………… 260, 265
　——の対抗要件 …………………… 262
　——の法律的性質 ………………… 261
転抵当 ………………………………… 319
　——の対抗要件 …………………… 320
　——の法律的性質 ………………… 319
転々移転した場合の前主または後主 … 72
添　付 ………………………………… 150
登　記 …………………………… 22, 38, 87
　——の形式的有効要件 …………… 77
　——の公信力 ………………… 38, 73
　——の実質的有効要件 …………… 79
　——の種類 ………………………… 41
　——の推定力 ………………… 38, 73, 128
　——の手続 …………………… 38, 75
　——の有効要件 …………………… 77
　回復—— ……………………………… 42
　記入—— ……………………………… 41
　更正の—— …………………………… 42
　終局—— ………………………… 41, 74
　農地買収と—— ……………………… 63
　付記—— ……………………………… 41
　物権変動の原因と一致しない—— … 81
　不動産—— …………………………… 38
　変更—— ……………………………… 42
　抹消—— ……………………………… 42
　予告—— ………………………… 41, 53
　予備—— ……………………………… 41
登記原因を証する情報 ………………… 81
登記事項 ………………………………… 39
登記事項概要証明書 …………………… 89
登記事項証明書 ………………………… 89
登記所 …………………………… 38, 89
登記請求権 ……………………………… 75
　——の根拠 …………………………… 76
登記手続 ………………………………… 42
登記引取請求権 ………………………… 77
登記簿 …………………………………… 38
　建物—— ……………………………… 38
　土地—— ……………………………… 38
動　産 …………………………… 83, 90
動産質 ………………………………… 257
動産質権 ……………………………… 258
　——と優先弁済権 ………………… 260
　——の効力 ………………………… 259
　——の消滅 ………………………… 263
　——の侵害 ………………………… 263
　——の設定 ………………………… 257

391

――の対抗要件……………………258
――の被担保債権の範囲…………259
――の目的物………………258, 259
――の留置的効力…………………259
動産譲渡登記制度……………………87
――が適用される範囲と特定………88
動産譲渡登記ファイル…………82, 89
動産抵当………………………………271
動産物権変動…………………………81
――における公示……………………81
――の対抗要件………………82, 83, 87
盗品・遺失物…………………………98
特別の影響（共有者間）……………166
土　地…………………………………9
土地基本法改正（令和2年）……135, 139
土地所有権……………………………137
――の外部不経済…………………138
――の国庫帰属……………104, 149
――の制限…………………………134
――の特殊性………………………138
――の放棄…………………103, 149
近代的――…………………………138
土地賃借権の物権化…………107, 108

な　行

根抵当………………………………272
　共同――…………………………339
　転――……………………………335
　累積――…………………………339
根抵当権……………………………329
――者の合併………………………334
――消滅請求権……………………339
――と確定期日……………………332
――と基本契約……………………329
――と極度額減額請求権…………338
――と債務者の合併………………334

――と債務者の相続………………334
――の確定…………………………337
――の譲渡…………………………335
――の随伴性の否定………………332
――の性質…………………………330
――の設定…………………………330
――の転抵当………………………335
――の内容の変更…………………332
――の被担保債権の範囲…………330
確定前の――の処分………………335
農業経営基盤強化促進法…………109
――改正（平成30年）……………168
農地調整法…………………………107
農地法………………………………107

は　行

配偶者居住権…………………………13
背信的悪意者………………47, 62, 67
――からの転得者……………………71
――である転得者……………………71
――の類型的把握……………………69
排　水………………………………145
配当加入申立債権者…………………66
売買予約……………………………346
伐　木………………………………101
引渡し…………………………82, 84
　簡易の――…………………85, 93
　現実の――…………………85, 93
非占有担保…………………………342
　権利移転型――…………………342
被担保債権…………………………275
非典型担保…………………235, 341
――が用いられる理由……………343
――と譲渡禁止特約付債権………343
――の種類…………………………341
付加物………………………………277

事項索引

複数説（所有権重畳説）………………162
付　合………………………………151
　　樹木・農作物の――…………… 156
　　賃借人等による建物の増改築と――
　　　………………………………… 153
　　強い――……………………… 153
　　動産の――…………………… 158
　　不動産の――………………… 151
　　弱い――……………………… 153
付合物………………………………… 277
普通抵当……………………………… 329
物　権………………………1, 2, 3, 6, 107
　　――相互間の特殊な順位……………12
　　――相互間の優先的効力……………11
　　――と債権………………………… 2
　　――と債権の区別の相対性………… 4
　　――に共通の消滅原因…………103
　　――の一般的効力……………………11
　　――の客体………………………… 7
　　――の効力…………………………11
　　――の債権に対する優先的効力……13
　　――の種類………………………… 4
　　――の譲渡…………………………84
　　――の消滅………………………103
　　――の対抗力………………………12
　　――の追及力………………………12
　　――の排他的効力…………………12
　　――の優先性……………………… 3
　　――の優先的効力………………11, 12
　　各種の――…………………… 106
　　慣習法上の――…………… 5, 109
　　制限――…………………… 6, 106
　　他――………………………… 106
　　特別法上の――…………………… 7
　　民法上の――……………………… 6
物権契約…………………………… 26, 27

物権行為……………………………26, 27
　　――と外部的徴表……………………31
　　――の独自性………26, 27, 29, 30, 31
　　――の無因性…………26, 27, 31, 33
物権取得者……………………………64
物権的意思表示………………………29
　　――の無因性………………………11
物権的請求権…………………………13
　　――と行為請求権…………………15
　　――と忍容請求権…………………15
　　――の法的性質……………………15
　　――の理論的根拠…………………14
物権的返還請求権…………………14, 18
　　――と請求の相手方………………18
物権的妨害排除請求権……………14, 19
物権的妨害予防請求権……………14, 20
物権変動……………………21, 29, 81
　　――の原因行為の無効・取消し……32
　　――の効力要件……………………23
　　――の時期………………………26, 34
　　――の時期と物権行為の独自性……34
　　――の成立要件……………………23
　　――の対抗要件……………………23
　　債権行為の無効・取消しと――の効
　　　力………………………………32
　　登記を必要とする――……………47
　　法律行為による――………………47
物権変動の原因………………………21
　　――と一致しない登記……………81
物権変動を生ずる法律行為…………25
　　――と意思主義・形式主義……26, 29
物権法………………………………… 1
物権法上の管理者選任関係………… 171
物権法定主義………………………… 4
物上請求権……………………………14
物上代位…………………………… 281

393

──の目的物……………………… 281
　　担保権の──……………………… 281
　　賃料債務の相殺と当該賃料債権への
　　　　──…………………………… 286
　　抵当権者の──権行使の要件…… 283
　　保険金請求権上の質権者と──者
　　　……………………………………… 286
　　目的債権の差押え・転付と──権の
　　　行使……………………………… 283
物上保証人……………………………… 341
物的担保………………………………… 233
物的編成主義……………………………… 39
不動産質………………………………… 263
不動産質権……………………………… 263
　　──の効力……………………… 264
　　──の消滅……………………… 265
　　──の設定……………………… 263
　　──の対抗要件………………… 264
不動産賃借権……………………………… 13
不動産賃貸借先取特権………………… 248
　　──と借家内の動産…………… 248
不動産登記法……………………………… 38
　　──改正（令和3年）………… 135
不動産の付合…………………………… 150
　　──規定の趣旨………………… 152
不動産物権変動……………………… 36, 44
　　──と対抗………………………… 44
　　──における公示………………… 36
不法行為者………………………………… 72
不法占拠者………………………………… 72
平穏・公然………………………………… 92
併用賃借権……………………………… 296
併用賃貸権……………………………… 354
変形担保………………………………… 341
変則担保………………………………… 235
変態担保………………………………… 341

放　棄…………………………………… 103
法定借地権（法定賃借権）…………… 335
法定地上権………………………… 301, 335
　　──と対抗要件………………… 311
　　──の成立要件………………… 302
　　建物の再築と──……………… 303
　　建物の土地所有者名義登記と──
　　　……………………………………… 310
　　抵当権設定後の第三者への譲渡と──
　　　……………………………………… 306
　　抵当地上の建物競売と──…… 311
　　土地建物の共有と──………… 309
　　土地建物の同一人帰属と──… 307
　　土地抵当権者の建物建築承認と──
　　　……………………………………… 302
法定導管路……………………………… 144
ポセッシオ……………………………… 111
本　権………………………………… 112, 128
　　──の訴え………………………14, 126
本登記……………………………… 41, 74, 348

ま　行

埋蔵物発見……………………………… 150
民法改正（令和3年）…………… 135, 161
無権代理人……………………………… 92
無効登記の流用………………………… 273
無主物先占……………………………… 149
明認方法…………………………… 22, 99
　　──による公示と物権変動の種類
　　　……………………………………… 102
　　──による物権変動と対抗…… 100
　　温泉の──……………………… 102
　　未分離の果実・稲立毛・桑葉の──
　　　……………………………………… 101
　　立木等の物権変動と──………… 99
　　立木の──……………………… 100

目的物の滅失…………………… 103
持　分…………………………… 163
　　——上の担保物権の帰趨………… 181
持分権………………… 160, 173, 174, 162
　　共同相続と——の譲渡………… 56, 57
物………………………………………… 8
　　——の所有……………………… 106
　　——の担保価値の利用………… 106
　　——の利用……………………… 106

や 行

有体物…………………………………… 8
湯口権…………………………………… 102
用益物権…………………………… 6, 107

ら 行

流質契約…………………………… 260, 269
　　——の禁止…………………… 346, 357
流　水……………………………… 146
留置権……………………………… 239
　　——と占有権原………………… 243
　　——と他人の物の占有………… 241
　　——と当事者間の公平………… 239
　　——と同時履行の抗弁権…… 240, 243
　　——における債権と物との牽連性
　　　………………………………… 241
　　——の効力……………………… 244
　　——の消滅……………………… 245
　　——の性質……………………… 241
　　——の成立要件………………… 241
　　——の対抗力…………………… 244
　　商事——………………………… 241
　　占有開始後占有権原がなくなった場
　　　合と——……………………… 243
　　民事——………………………… 241
流抵当……………………………… 292, 345
立　木………………………………… 9, 99
　　——抵当………………………… 271
　　——等の取引と独立の取引性
　　　…………………………… 99, 101, 102
立木ニ関スル法律……………………… 99
隣地使用・立入権………………… 141
隣地通行権………………………… 142
　　——の拡張適用………………… 143

判例索引

〔大審院〕

大判明 36・11・16 民録 9 輯 1244 頁
.... 203
大判明 37・12・13 民録 10 輯 1600 頁
.... 206
大判明 38・6・7 民録 11 輯 906 頁
.... 78
大判明 39・2・5 民録 12 輯 165 頁
.... 230
大連判明 41・12・15 民録 14 輯 1276 頁
.... 64, 64
大連判明 41・12・15 民録 14 輯 1301 頁
.... 47
大判明 42・1・21 民録 15 輯 6 頁
.... 5
大判明 43・5・24 民録 16 輯 422 頁
.... 76
大連判明 43・11・26 民録 16 輯 759 頁
.... 203
大判大 2・6・21 民録 19 輯 481 頁
.... 279
大判大 3・7・4 民録 20 輯 587 頁
.... 248
大判大 3・11・2 民録 20 輯 865 頁
.... 357, 370
大判大 4・3・16 民録 21 輯 328 頁
.... 230
大判大 4・4・27 民録 21 輯 590 頁
.... 87
大判大 4・5・20 民録 21 輯 730 頁
.... 91
大判大 4・9・15 民録 21 輯 1469 頁
.... 276
大判大 4・12・8 民録 21 輯 2028 頁
.... 100
大判大 5・4・1 民録 22 輯 674 頁
.... 76
大判大 5・5・16 民録 22 輯 961 頁
.... 93
大判大 5・6・12 民録 22 輯 1189 頁
.... 205
大判大 5・6・23 民録 22 輯 1161 頁
.... 15
大判大 5・6・28 民録 22 輯 1281 頁
.... 281
大判大 5・9・12 民録 22 輯 1702 頁
.... 80
大判大 5・9・20 民録 22 輯 1440 頁
.... 102
大判大 5・11・11 民録 22 輯 2224 頁
.... 53
大判大 5・12・13 民録 22 輯 2411 頁
.... 81
大判大 5・12・25 民録 22 輯 2509 頁
.... 263
大判大 6・1・27 民録 23 輯 97 頁
.... 281
大判大 6・2・10 民録 23 輯 138 頁
.... 5
大判大 6・7・26 民録 23 輯 1203 頁
.... 253, 254
大判大 7・3・2 民録 24 輯 423 頁
.... 58
大判大 7・3・9 民録 24 輯 434 頁
.... 226

判例索引

大判大 7・11・5 民録 24 輯 2122 頁
……… 361
大判大 7・12・6 民録 24 輯 2302 頁
……… 302
大連判大 8・3・15 民録 25 輯 473 頁
……… 278
大判大 8・7・9 民録 25 輯 1373 頁
……… 373
大判大 9・2・19 民録 26 輯 142 頁
……… 100
大判大 9・5・5 民録 26 輯 1005 頁
……… 310
大判大 9・5・8 民録 26 輯 636 頁
……… 211
大連判大 9・6・26 民録 26 輯 933 頁
……… 221
大判大 9・9・25 民録 26 輯 1389 頁
……… 366
大判大 10・4・14 民録 27 輯 732 頁
……… 100
大判大 10・5・17 民録 27 輯 929 頁
………52
大判大 10・6・1 民録 27 輯 1032 頁
……… 156
大決大 10・7・8 民録 27 輯 1313 頁
……… 278
大判大 10・11・28 民録 27 輯 2070
……… 206
大判大 10・12・23 民録 27 輯 2175 頁
……… 243
大判大 11・3・25 民集 1 巻 130 頁
………76
大連判大 12・4・7 民集 2 巻 209 頁
……… 283, 285
大連判大 12・7・7 民集 2 巻 448 頁
………78

大判大 12・7・11 新聞 2171 号 17 頁
……… 372
大連判大 12・12・14 民集 2 巻 676 頁
……… 306
大判大 13・3・17 民集 3 巻 169 頁
……… 214
大判大 13・5・19 民集 3 巻 211 頁
……… 162
大判大 13・5・22 民集 3 巻 224 頁
……… 125
大連判大 13・10・7 民集 3 巻 476 頁
………… 9
大連判大 13・12・24 民集 3 巻 555 頁
……… 359
大判大 14・1・20 民集 4 巻 1 頁
……… 128, 129
大判大 14・4・14 新聞 2413 号 17 頁
……… 203
大判大 14・6・9 刑集 4 巻 378 頁
……… 120
大連判大 14・7・8 民集 4 巻 412 頁
………60
大連決大 14・7・14 刑集 4 巻 484 頁
……… 261
大連判大 15・4・8 民集 5 巻 575 頁
……… 326
大判昭 2・4・22 民集 6 巻 198 頁
……… 217
大判昭 2・6・14 刑集 6 巻 304 頁
……… 157
大判昭 3・8・1 新聞 2904 号 12 頁
……… 100
大判昭 4・1・30 新聞 2945 号 12 頁
……… 327
大判昭 4・2・20 民集 8 巻 59 頁
………48

大判昭5・4・16新聞3121号7頁
……………………………… 316
大決昭5・9・23民集9巻918頁
……………………………… 288
大判昭5・9・23新聞3193号13頁
……………………………… 327
大判昭5・10・31民集9巻1009頁
………………………………20
大判昭6・1・17民集10巻6頁
……………………………… 242
大判昭6・2・27新聞3246号13頁
……………………………… 274
大判昭6・3・31新聞3261号16頁
………………………………65
大判昭6・7・22民集10巻593頁
……………………………… 100
大判昭7・6・1新聞3445号16頁
……………………………… 274
大決昭7・8・29民集11巻1729頁
……………………………… 320
大判昭7・11・9民集11巻2277頁
………………………………16
大判昭8・5・9民集12巻1123頁
………………………………65
大判昭8・6・20民集12巻1543頁
……………………………… 101
大判昭9・5・1民集13巻734頁
………………………………48
大判昭9・7・2民集13巻1489頁
……………………………… 278
大判昭9・11・6民集13巻2122頁
………………………………19
大判昭10・4・4民集14巻437頁
………………………………78
大判昭10・5・13民集14巻876頁
……………………………… 244

大判昭10・8・10民集14巻1549頁
……………………………… 303
大判昭11・1・14民集15巻89頁
………………………80, 273
大判昭11・1・21新聞3941号10頁
……………………………… 230
大判昭11・4・24民集15巻790頁
……………………………… 210
大判昭11・12・9民集15巻2172頁
……………………………… 328
大判昭12・3・10民集16巻255頁
……………………………… 219
大判昭12・11・19民集16巻1881頁
………………………………16
大判昭13・1・28民集17巻1頁
………………………………19
大判昭13・6・7民集17巻1331頁
……………………………… 143
大判昭13・9・28民集17巻1927頁
……………………………… 102
大判昭13・10・12民集17巻2115頁
……………………………… 368
大判昭13・12・26民集17巻2835頁
……………………………… 125
大判昭14・7・7民集18巻748頁
………………………………53
大判昭14・7・19民集18巻856頁
………………………………61
大判昭14・7・26民集18巻772頁
……………………………… 307
大判昭15・6・26民集19巻1033頁
……………………………… 203
大判昭15・8・12民集19巻1338頁
……………………………… 324
大判昭15・9・18民集19巻1611頁
……………………… 5, 102, 103

大判昭15・11・26民集19巻2100頁
　‥‥‥‥‥‥‥‥‥‥‥‥‥‥‥324
大判昭16・8・14民集20巻1074頁
　‥‥‥‥‥‥‥‥‥‥‥‥‥‥‥203
大判昭17・2・24民集21巻151頁
　‥‥‥‥‥‥‥‥‥‥‥‥‥‥‥157
大判昭17・4・24民集21巻447頁
　‥‥‥‥‥‥‥‥‥‥‥‥‥‥‥182
大判昭17・9・30民集21巻911頁
　‥‥‥‥‥‥‥‥‥‥‥‥‥‥‥ 49
大判昭18・2・18民集22巻91頁
　‥‥‥‥‥‥‥‥‥‥‥‥‥‥‥242

〔**最高裁判所**〕

最判昭25・11・30民集4巻11号
　607頁‥‥‥‥‥‥‥‥‥‥‥‥ 65
最判昭25・12・19民集4巻12号
　660頁‥‥‥‥‥‥‥‥‥‥‥‥ 72
最判昭27・2・19民集6巻2号
　95頁‥‥‥‥‥‥‥‥‥‥‥‥ 114
最判昭28・1・23民集7巻1号
　78頁‥‥‥‥‥‥‥‥‥‥‥‥ 154
最判昭28・4・24民集7巻4号
　414頁‥‥‥‥‥‥‥‥‥‥‥ 123
最判昭29・1・14民集8巻1号
　16頁‥‥‥‥‥‥‥‥‥‥‥‥ 242
最判昭29・3・12民集8巻3号
　696頁‥‥‥‥‥‥‥‥‥‥‥ 167
最判昭29・8・31民集8巻8号
　1567頁‥‥‥‥‥‥‥‥‥‥‥ 87
最判昭29・12・23民集8巻12号
　2235頁‥‥‥‥‥‥‥‥‥ 165, 309
最判昭30・5・31民集9巻6号
　793頁‥‥‥‥‥‥‥‥‥‥‥ 160
最判昭30・6・2民集9巻7号
　855頁‥‥‥‥‥‥‥‥‥ 86, 362

最判昭30・7・5民集9巻9号
　1002頁‥‥‥‥‥‥‥‥‥‥‥ 81
最判昭30・12・26民集9巻14号
　2097頁‥‥‥‥‥‥‥‥‥‥‥216
最判昭31・4・24民集10巻4号
　417頁‥‥‥‥‥‥‥‥‥‥‥‥68
最判昭31・5・10民集10巻5号
　487頁‥‥‥‥‥‥‥‥‥‥‥176
最判昭31・6・19民集10巻6号
　678頁‥‥‥‥‥‥‥‥‥‥‥156
最判昭31・7・20民集10巻8号
　1045頁‥‥‥‥‥‥‥‥‥‥‥ 79
最判昭32・6・11裁判集民26号
　881頁‥‥‥‥‥‥‥‥‥‥‥226
最判昭32・9・13民集11巻9号
　1518頁‥‥‥‥‥‥‥‥‥‥‥226
最判昭32・12・27民集11巻14号
　2485頁‥‥‥‥‥‥‥‥‥‥‥ 93
最判昭33・2・14民集12巻2号
　268頁‥‥‥‥‥‥‥‥‥‥‥216
最判昭33・3・13民集12巻3号
　524頁‥‥‥‥‥‥‥‥‥‥‥240
最判昭33・6・14民集12巻9号
　1449頁‥‥‥‥‥‥‥‥‥‥‥ 52
最判昭33・6・20民集12巻10号
　1585頁‥‥‥‥‥‥‥‥‥‥‥ 34
最判昭33・7・29民集12巻12号
　1879頁‥‥‥‥‥‥‥‥‥‥‥101
最判昭33・9・18民集12巻13号
　2040頁‥‥‥‥‥‥‥‥‥‥‥ 66
最判昭34・1・8民集13巻1号
　1頁‥‥‥‥‥‥‥‥‥‥‥‥‥ 73
最判昭34・2・12民集13巻2号
　91頁‥‥‥‥‥‥‥‥‥‥‥‥ 72
最判昭34・4・9民集13巻4号
　526頁‥‥‥‥‥‥‥‥‥‥‥‥79

最判昭 34・7・24 民集 13 巻 8 号
1196 頁 ……………………………… 78
最判昭 34・8・7 民集 13 巻 10 号
1223 頁 ……………………………… 101
最判昭 34・8・28 民集 13 巻 10 号
1311 頁 ……………………………… 86
最判昭 34・9・3 民集 13 巻 11 号
1357 頁 ……………………………… 243
最判昭 34・11・26 民集 13 巻 12 号
1550 頁 ……………………………… 175
最判昭 34・12・18 民集 13 巻 13 号
1647 頁 ……………………………… 210
最判昭 35・2・11 民集 14 巻 2 号
168 頁 ……………………………… 93
最判昭 35・3・1 民集 14 巻 3 号
307 頁 ……………………………… 157
最判昭 35・3・1 民集 14 巻 3 号
327 頁 ……………………………… 128
最判昭 35・3・22 民集 14 巻 4 号
501 頁 ……………………………… 34
最判昭 35・4・7 民集 14 巻 5 号
751 頁 ……………………………… 117
最判昭 35・4・21 民集 14 巻 6 号
946 頁 ……………………………… 80
最判昭 35・6・17 民集 14 巻 8 号
1396 頁 ……………………………… 19
最判昭 35・7・27 民集 14 巻 10 号
1871 頁 ……………………………… 61
最判昭 35・11・29 民集 14 巻 13 号
2869 頁 ……………………………… 53
最判昭 35・12・15 民集 14 巻 14 号
3060 頁 ……………………………… 365
最判昭 36・2・10 民集 15 巻 2 号
219 頁 ……………………………… 302, 304
最判昭 36・3・24 民集 15 巻 3 号
542 頁 ……………………………… 141

最判昭 36・4・27 民集 15 巻 4 号
901 頁 ……………………………… 68, 70
最判昭 36・7・20 民集 15 巻 7 号
1903 頁 ……………………………… 60
最判昭 36・11・24 民集 15 巻 10 号
2573 頁 ……………………………… 77
最判昭 37・3・15 民集 16 巻 3 号
556 頁 ……………………………… 143
最判昭 37・5・18 民集 16 巻 5 号
1073 頁 ……………………………… 122
最判昭 37・9・4 民集 16 巻 9 号
1854 頁 ……………………………… 310
最判昭 37・10・30 民集 16 巻 10 号
2182 頁 ……………………………… 143
最判昭 38・2・22 民集 17 巻 1 号
235 頁 ……………………………… 54, 160, 162, 175
最判昭 38・9・17 民集 17 巻 8 号
955 頁 ……………………………… 299
最判昭 38・10・29 民集 17 巻 9 号
1236 頁 ……………………………… 153, 155
最大判昭 38・10・30 民集 17 巻 9 号
1252 頁 ……………………………… 245
最判昭 39・1・23 裁判集民 71 号
275 頁 ……………………………… 168
最判昭 39・2・13 判タ 160 号 71 頁
……………………………… 73
最判昭 39・2・25 民集 18 巻 2 号
329 頁 ……………………………… 167
最判昭 40・3・4 民集 19 巻 2 号
197 頁 ……………………………… 127
最判昭 40・5・4 民集 19 巻 4 号
797 頁 ……………………………… 80
最判昭 40・5・20 民集 19 巻 4 号
822 頁 ……………………………… 226, 229
最判昭 40・12・7 民集 19 巻 9 号
2101 頁 ……………………………… 123